Holly Jackson

Dobra cura, zla krv

S engleskoga prevela
Romana Čačija

+PULS

HOLLY JACKSON

—

DOBRA CURA, ZLA KRV

NAKLADNIK
Egmont d.o.o.
Višnjevac 3, Zagreb

ZA NAKLADNIKA
Velizara Dobreva

UREDNICA
Ivana Mirošević

LEKTOR
Bonislav Kamenjašević

KOREKTORICA
Lucija Kobić Išgum

GRAFIČKO OBLIKOVANJE
Blid

DIZAJN KORICA
Punkt studio d.o.o.

TISAK
Znanje d.o.o.
Zagreb, travanj 2024.

NASLOV IZVORNIKA
Originally published in English by Farshore, an imprint of
HarperCollins Publishers Ltd, The News Building, 1 London Bridge
St, London, SE1 9GF under the title:
GOOD GIRL, BAD BLOOD
Copyright © Holly Jackson 2020
Ilustracija na str. 23 © Priscilla Coleman
© Translated under licence from HarperCollins Publishers Ltd
The author asserts the moral right to be acknowledged as the author
of this work.
Prijevod © za hrvatsko izdanje Egmont d.o.o. i Romana Čačija, 2024.
Sva prava pridržana. Nijedan dio ove knjige
ne smije biti objavljen ili pretisnut bez prethodne
suglasnosti nakladnika i vlasnika autorskih prava.

ISBN: 978-953-13-2756-5
CIP zapis dostupan u računalnome katalogu
Nacionalne i sveučilišne knjižnice u Zagrebu pod brojem 001222205.

Benu,

i svakoj
verziji tebe ovih
posljednjih deset godina

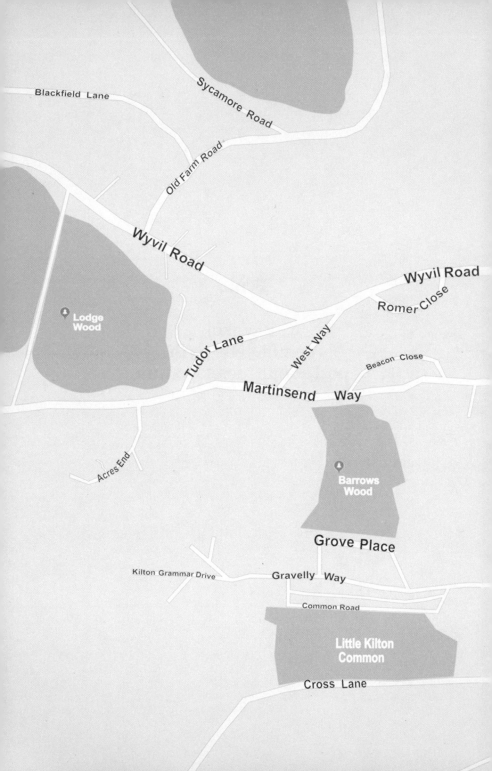

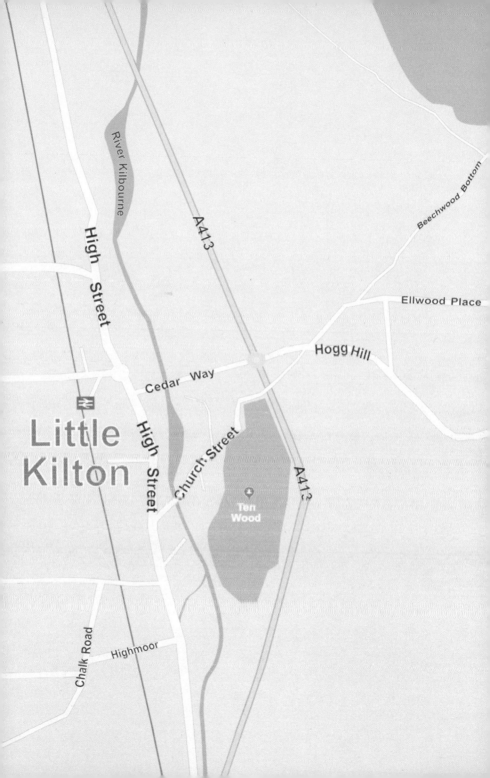

Poslije i prije

MISLITE DA BISTE prepoznali glas ubojice. Da bi laži koje izgovara imale drukčiju teksturu; neku jedva primjetnu promjenu u glasu. Postajao bi sve napetiji, grublji i isprekidaniji dok bi istina iskliznula kroz pukotine te hladnokrvne vanjštine. To biste pomislili, zar ne? Svi misle da bi ga prepoznali kad bi do toga došlo. Ali Pip to nije uspjelo.

Prava je tragedija to što se dogodilo na kraju.

Tako je razmišljala dok mu je sjedila nasuprot i promatrala njegove blage, nasmiješene oči, a telefon koji je ležao između njih bilježio je svaki zvuk, svaki udah kroz nos i nakašljavanje. Potpuno mu je vjerovala, svakoj riječi koju je izrekao.

Pip je prelazila prstima po podlozi za miš i ponovno preslušavala dijelove audiozapisa.

Prava je tragedija to što se dogodilo na kraju.

Glas Elliota Warda ponovno je odjeknuo iz zvučnika razlijevajući se po njezinoj zamračenoj sobi. Ispunjavajući joj glavu.

Stop. Klik. Ponovi.

Prava je tragedija to što se dogodilo na kraju.

Preslušala je to vjerojatno stotinu puta. Možda čak i tisuću. I nije bilo ničega, nikakvih naznaka, nikakve promjene dok su se izmjenjivale laži i poluistine. Čovjek kojeg je nekada praktički smatrala ocem. Ali i Pip je lagala, zar ne? I mogla je uvjeravati samu sebe da je to činila kako bi zaštitila ljude koje voli, ali nije li i Elliot upravo to navodio kao svoj razlog? Pip je ignorirala taj glas u svojoj glavi; istina je izašla na vidjelo, ili barem njezin najveći dio, i to je ono čega se držala.

Nastavila je dalje, do onog drugog dijela od kojeg joj se dizala kosa na glavi.

I mislite li da je Sal ubio Andie? upitao je Pipin glas iz prošlosti.

… bio je tako divan mladić. Ali, s obzirom na dokaze, ne vidim da se moglo drukčije dogoditi. I koliko god se pogrešnim činilo, vjerujem da nema drugog objašnjenja, on je to učinio. Nema drugog objašnjenja.

Vrata Pipine sobe otvorila su se uz tresak.

»Što to radiš?« Prekinuo ju je njegov glas iz sadašnjosti, glas popraćen smijuljenjem, jer je Ravi predobro znao što je radila.

»Preplašio si me, Ravi«, rekla je nervozno pa se munjevito nagnula prema naprijed da zaustavi snimku. Ravi stvarno nije morao čuti Elliotov glas, nikada više.

»Sjediš ovdje u mraku i preslušavaš *to*, a *ja* sam taj koji te preplašio?« rekao je Ravi pritisnuvši prekidač za svjetlo, od kojega mu se na tamnoj kosi, koja mu je padala preko čela, pojavio žuti odbljesak. Napravio je grimasu, onu kojom bi je uvijek zabavljao i Pip se nasmiješila jer si nije mogla pomoći.

Odgurnula se na kotačićima stolice od stola. »Kako si uopće ušao?«

»Tvoji tata i mama i Josh baš su izlazili, i to s tortom od limuna koja je vrlo impresivno izgledala.«

»O, da«, rekla je. »Otišli su kao dobri susjedi zaželjeti dobrodošlicu mladom paru koji se tek uselio u kuću Chenovih malo dalje niz ulicu. Mama je sve dogovorila. Mislim da se prezivaju Green… ili možda Brown, ne mogu se točno sjetiti.«

Bilo je čudno zamisliti da u toj kući živi neka druga obitelj, da se sada u njezinim starim prostorima odvijaju neki novi životi koji ih ispunjavaju. Pipin prijatelj Zach Chen oduvijek je živio tamo, četiri kuće dalje, otkako se Pip ovamo doselila kao petogodišnjakinja. Nisu se oprostili zauvijek; Zacha je i dalje svaki dan viđala u školi, ali njegovi roditelji odlučili su da ne mogu više živjeti u ovom gradu nakon *svih tih problema*. Pip je bila uvjerena da su i nju smatrali velikim dijelom *svih tih problema*.

»Večera je u sedam i trideset, tek toliko da znaš«, rekao je Ravi uz iznenadno zamuckivanje u glasu. Pip ga je dobro promotrila; nosio je svoju najljepšu košulju, koju je zataknuo u hlače, i... jesu li to nove cipele? Osjetila je i miris losiona poslije brijanja dok joj se približavao, ali on se nije dao zbuniti. Nije ju poljubio u čelo niti joj prošao rukom kroz kosu. Umjesto toga, sjeo je na njezin krevet i nervozno petljao prstima.

»Što znači da si uranio gotovo dva sata«, rekla je Pip smiješeći mu se.

»D-da.« Nakašljao se.

Zašto se tako čudno ponaša? Bilo je Valentinovo, prvo otkako se poznaju, i Ravi im je rezervirao stol u restoranu *The Siren*, izvan grada. Njezina najbolja prijateljica Cara bila je uvjerena da će Ravi večeras pitati Pip da mu bude djevojka — okladila bi se u to. Od same pomisli Pip je osjetila toplinu u trbuhu koja se širila prema njezinom prsnom košu. Ali to se možda i neće dogoditi: na Valentinovo je padao i Salov rođendan. Da je poživio, Ravijev bi stariji brat danas napunio dvadeset i četiri.

»Dokle si stigla?« upitao je Ravi pokazujući glavom prema Pipinom *laptopu*, na kojem je preko cijelog ekrana bio otvoren program za uređivanje zvuka Audacity i ispunjavao ga šiljastim plavim crticama. Cijela priča nalazila se tamo u tim plavim crticama. Od samog početka pa do kraja njezinog projekta; svaka laž, svaka tajna. Čak i poneka njezina vlastita.

»Gotova sam«, rekla je Pip spustivši pogled na novi USB mikrofon priključen na računalo. »Završila sam. Šest epizoda. Morala sam koristiti efekt smanjenja buke radi poboljšanja kvalitete kod nekih intervjua koje sam vodila telefonom, ali završila sam.«

A u zelenom plastičnom fasciklu pored mikrofona nalazile su se vraćene i potpisane suglasnosti koje je poslala svima za objavljivanje intervjua u *podcastu*. Čak je i Elliot Ward potpisao suglasnost i poslao je iz zatvora. Dvije osobe odbile su je potpisati: Stanley Forbes iz gradskih novina i, naravno, Max Hastings. Ali Pip nije trebala njihove prave glasove da ispriča priču; te je praznine popunila zapisima iz svog istraživačkog dnevnika, koji su sada bili snimljeni u formatu monologa.

»Već si završila?« rekao je Ravi iako stvarno ne bi trebao biti iznenađen. Poznavao ju je, možda bolje nego svi ostali.

Prošlo je samo nekoliko tjedana otkako je stala na onu pozornicu u školskoj dvorani i svima ispričala što se stvarno dogodilo. Ali mediji još uvijek nisu izvještavali o slučaju kako treba; neki se i dalje drže prepričavanja iz svoga kuta jer je tako sve čišće, urednije. Ali slučaj Andie Bell bio je sve samo ne čist i uredan.

»Ako želiš da nešto bude učinjeno kako treba, moraš to sam učiniti«, rekla je Pip, pogleda usmjerenog prema šiljcima na audioisječku. Tada još nije mogla odlučiti počinje li nešto tek ili završava. Ali znala je što je željela da to nešto bude.

»I što sada slijedi?« pitao je Ravi.

»Sada ću učitati epizode pa ih prenositi na *SoundCloud* prema rasporedu, jednom tjedno, a zatim kopirati RSS *feed* na platforme za *podcaste* poput *iTunesa* i *Stitchera*. Ali nisam još sasvim gotova«, rekla je. »Moram snimiti i uvodne riječi uz ovu glazbu koju sam pronašla na *AudioJungleu*. A za snimanje uvoda trebaš i naziv *podcasta*.«

»Ah,« rekao je Ravi protežući se prema natrag, »kako to da još uvijek nemamo naslov, lady Fitz-Amobi?«

»Nemamo«, rekla je. »Suzila sam izbor na tri opcije.«

»Pucaj«, rekao je.

»Neću, zafrkavat ćeš me kad čuješ.«

»Ma neću«, rekao je ozbiljnim glasom, uz jedva primjetan smiješak.

»O. K.« Pogledala je u svoje bilješke. »Opcija A je: Istraga o podbačaju pravde. Što to... daj Ravi, vidim kako se smiješ.«

»Samo sam zijevnuo, kunem se.«

»Pa, onda ti se neće svidjeti ni opcija B, odnosno: Istraga završenog slučaja: Andie Bell... Ravi, prestani!«

»Što — oprosti, ali ne mogu si pomoći«, rekao je smijući se dok mu se oči nisu ispunile suzama. »Nego... iako očito imaš mnogobrojne kvalitete, Pip, nešto ti ipak nedostaje...«

»Nedostaje?« Okrenula je stolicu prema njemu. »A što mi to točno nedostaje?«

»Da«, rekao je ne obazirući se previše na to što ga pokušava prekoriti pogledom. »Nije dovoljno intrigantno. Skoro uopće nisi intrigantna, Pip.«

»To nije istina.«

»Trebaš privući ljude, zaintrigirati ih. Koristiti riječi poput ubojstvo ili smrt u nazivu.«

»Ali to je onda senzacionalizam.«

»A to upravo i želiš, da ljudi stvarno i poslušaju«, rekao je.

»Pa sve su moje opcije točne i—«

»Dosadne?«

Pip je bacila žuti marker prema njemu.

»Trebaš nešto što se rimuje ili neku jezičnu igru. Nešto...«

»Intrigantno?« rekla je oponašajući njegov glas. »Onda ti nešto smisli.«

»*Vrijeme za zločin*«, rekao je. »Ne, o, Little Kiltonu… možda *Little KILL Town*.«

»Fuj, ne«, rekla je Pip.

»Imaš pravo.« Ravi je ustao i počeo koračati. »Ono što je stvarno zanimljivo, zapravo si ti. Sedamnaestogodišnjakinja koja je riješila slučaj koji je policija dugo smatrala riješenim. A gdje si ti u toj priči?« pogledao ju je žmirkajući.

»Nigdje, očito«, rekla je pretvarajući se da je iziritirana.

»Ti si učenica. Cura. Projekt. Oh, što kažeš na *Projekt* ›*Ubojstvo i ja*‹?«

»Ne dolazi u obzir.«

»U redu…« Grickao je usnicu, a Pip se želudac stisnuo od nelagode. »Znači, nešto s riječima ubojstvo, ubiti ili mrtvo. A ti si, Pip, učenica koja je vješta u… oh, kvragu«, iznenada je rekao, razrogačenih očiju. »Sjetio sam se!«

»Čega?« upitala je Pip.

»Totalno sam se sjetio«, rekao je odišući ponosom.

»Reci više!«

»*Savršeno ubojstvo: Dnevnik dobre cure.*«

»Neee«, Pip je odmahivala glavom. »Loše, kao da se previše trudim.«

»O čemu to govoriš? Pa savršeno je.«

»Dobra cura?« upitala je sumnjičavo. »Punim osamnaest za dva tjedna; neću valjda doprinositi vlastitoj infantilizaciji.«

»*Savršeno ubojstvo: Dnevnik dobre cure*«, rekao je Ravi dubokim glasom kao da čita tekst u najavi za film, vukući Pip sa stolice i okrećući je prema sebi.

»Ne«, rekla je.

»Da«, odgovorio joj je stavljajući ruku na njezin struk i klizeći toplim prstima po njezinim rebrima.

»Ne dolazi u obzir.«

UK > Kultura > TV & radio > Recenzije

Recenzija *podcasta Savršeno ubojstvo: Dnevnik dobre cure:*
Najnovija opsesija podcastom *o stvarnom zločinu završava uz jezivi finale*

BENJAMIN COLLIS, 28. OŽUJKA

Ako još niste poslušali 6. epizodu *podcasta Savršeno ubojstvo: Dnevnik dobre cure*, ne čitajte dalje. U nastavku slijede ozbiljni *spoileri*.

Naravno, mnogi od nas već znaju kako se ovaj misterij završio. Doznali smo to iz senzacionalne vijesti koja je izbila u medijima proslog studenog, ali priča ne završava s otkrićem pravog krivca. Ono što stoji iza *podcasta Savršeno ubojstvo: Dnevnik dobre cure* zapravo je cijeli slijed događaja koji je započeo kada je jedna sedamnaestogodišnjakinja posumnjala u utemeljenost riješenog slučaja — ubojstva tinejdžerice Andie Bell, koje je navodno počinio njezin dečko Sal Singh — a koje se pretvorilo u zamršenu mrežu mračnih tajni koje je otkrila u svom gradiću. Neprestano prebacivanje sumnje s jedne osobe na drugu, laži i zapleti.

Ni završnoj epizodi ne nedostaje zapleta. Čak i kad konačno doznamo istinu počevši s Pipinim šokantnim otkrićem da joj je Elliot Ward, otac njezine najbolje prijateljice, za vrijeme istrage slao prijeteće poruke. Nepobitan dokaz njegove umiješanosti i istinsko *otrežnjenje* za Pip. Ona i Ravi Singh — Salov mlađi brat i pomoćnik u istrazi konkretnog slučaja — vjerovali su da je Andie Bell možda još uvijek živa i da ju je Elliot cijelo vrijeme negdje skrivao. Pip se sama suočila s Elliotom Wardom i, dok nam prepričava što joj Ward govori, cijela se priča raspliće. Saznajemo za protuzakonitu vezu između učenice i nastavnika, koju je navodno inicirala sama

Andie. »Ako je to istina,« iznosi Pip svoju teoriju, »mislim da je Andie željela pobjeći iz Little Kiltona, posebno od oca, koji je, prema jednom izvoru, navodno imao veliku kontrolu nad njom i emocionalno ju je zlostavljao. Možda je Andie vjerovala da će joj gospodin Ward pomoći da se upiše na Oxford, kao što je pomogao Salu, te da će tako moći otići daleko od kuće.«

One noći kada je nestala, Andie je otišla do kuće Elliota Warda. Uslijedila je svađa. Andie se spotaknula i udarila glavom o rub njegova radnog stola. Ali dok se Ward žurio po pribor prve pomoći, Andie je nestala pod okriljem noći. Narednih dana, nakon što je Andie i službeno proglašena nestalom, Elliot Ward počeo je paničariti, uvjeren da je Andie umrla od posljedica ozljede glave i da bi dokazi na njezinom pronađenom tijelu policiju mogli dovesti do njega. Jedina mu je šansa bila podvaliti uvjerljivijeg osumnjičenika. »Plakao je dok mi je prepričavao«, kaže Pip, »kako je ubio Sala Singha.« Ward je inscenirao Salovo samoubojstvo i podmetnuo dokaze kako bi policija pomislila da je Sal ubio svoju djevojku, a zatim i sebe.

No nekoliko mjeseci poslije Ward se šokirao kada je opazio Andie kako hoda uz cestu, mršava i raščupana. Ipak nije bila mrtva. Ward joj nije mogao dopustiti da se vrati u Little Kilton, i tako je pet godina živjela kao njegova zatočenica. Međutim, u zapletu koji je nevjerojatniji i od same fikcije, djevojka zatočena u Wardovom potkrovlju nije bila Andie Bell. »Toliko joj je nalikovala,« tvrdi Pip, »čak mi je i sama rekla da je *zaista* Andie.« Ali zapravo se radilo o Isli Jordan, nestabilnoj mladoj ženi s intelektualnim poteškoćama. Cijelo to vrijeme Elliot je živio u uvjerenju — kao i Isla — da je ona *uistinu* Andie Bell.

To nas je konačno natjeralo da se pitamo što se zapravo dogodilo s *pravom* Andie Bell? Naša mlada detektivka preduhitrila je policiju i u tom pogledu. »To je učinila Becca Bell, Andiena mlađa sestra.« Pip je doznala da je Becca bila žrtva seksualnog uznemiravanja i napada na jednoj od kućnih zabava (koje su nazivali *ubijačinama*), a da je Andie preprodavala drogu na tim zabavama, uključujući Rohypnol, za koji je Becca sumnjala da je imao ulogu u onome što joj se dogodilo. Kada je Andie *te večeri* bila s Wardom, Becca je u sobi svoje sestre navodno pronašla dokaze da je Max Hastings kupio Rohypnol od Andie i da je vjerojatno on bio taj koji je Beccu napao (Maxu će uskoro biti suđeno na temelju nekoliko optužbi za silovanje i seksualni napad). Ali kad se Andie vratila, nije reagirala na način na koji je Becca očekivala; Andie je mlađoj sestri zabranila da ode na policiju jer bi zbog toga imala problema. Počele su se svađati i naguravati, dok Andie na kraju nije završila na podu, bez svijesti i povraćajući. Obdukcija Andienog tijela — dovršena u studenom prošle godine, nakon što je njezino tijelo napokon pronađeno — pokazala je da »oteklina na Andienom mozgu zbog udarca u glavu nije bila smrtonosna. Premda je, bez sumnje, uzrokovala gubitak svijesti i mučninu, Andie Bell je zapravo umrla od gušenja uslijed povraćanja.« Becca se paralizirala i navodno promatrala Andie dok je umirala. Bila je previše šokirana, previše ljuta da bi spasila život svoje sestre. Sakrila je njezino tijelo jer se bojala da joj nitko neće povjerovati da se radilo o nesretnom slučaju.

I to je to. Tu je naš kraj. »Bez alternativnih kutova gledanja ili filtara, samo tužna istina o tome kako je Andie Bell zapravo umrla, kako je Sal bio ubijen i kako mu je podmetnuto Andieno ubojstvo i svi su u to povjerovali.« U oštrom zaključku Pip proziva svakoga koga smatra odgovornim za smrt ovo dvoje tinejdžera navodeći i optužujući redom: Elliota Warda, Maxa Hastingsa, Jasona Bella (Andienog oca), Beccu Bell, Howarda Bowersa (Andienog dilera droge) i samu Andie Bell.

Prva epizoda *podcasta Savršeno ubojstvo: Dnevnik dobre cure* zauzela je prvo mjesto na ljestvici *iTunesa* prije šest tjedana, a čini se da će se ondje neko vrijeme i zadržati. Nakon posljednje epizode koja je sinoć objavljena, slušatelji već sada traže drugu sezonu ovog popularnog *podcasta*. No u izjavi koju je objavila na svojoj mrežnoj stranici, Pip kaže: »Bojim se da su moji istražiteljski dani završeni i neće biti druge sezone *SUDDC-a*. Ovaj me slučaj gotovo dotukao; to sam uvidjela tek kad je završio. Postao mi je nezdravom opsesijom, doveo je i mene i moje najbliže u ozbiljnu opasnost. Ali završit ću *ovu* priču, snimat ću najnovije vijesti o suđenju i presudama svih koji su u nju uključeni. Obećavam da ću biti ovdje sve dok ne bude izrečena i posljednja riječ.«

Mjesec dana poslije

ČETVRTAK

Jedan

JOŠ UVIJEK GA JE ČULA, svaki put kad bi otvorila vrata. Znala je da nije stvarno, to je samo njezin um ispunjavao prazninu, premošćivao taj jaz. Čula je lupkanje pasjih kandži po pločicama, kako se žuri da joj poželi dobrodošlicu kući. Ali to nije bio on. To nije mogao biti on. Samo sjećanje, bauk uvijek prisutnog zvuka u ovoj kući.

»Pip, jesi li to ti?« doviknula je mama iz kuhinje.

»Hej«, odgovorila joj je Pip spuštajući na pod hodnika svoj metalik ruksak s udžbenicima koji su se sudarali u njemu.

Josh je bio u dnevnom boravku, sjedio je na podu pola metra od TV-a, ubrzavajući reklame na *Disney Channelu*. »Oči će ti presušiti«, dobacila mu je Pip prolazeći pored njega.

»Dupe će ti presušiti«, uzvratio joj je Josh. Grozan odgovor, objektivno gledano, ali bio je stvarno brz za jednog desetogodišnjaka.

»Hej, dušo, kako je bilo u školi?« pitala ju je mama pijuckajući čaj iz šalice s cvjetnim motivima dok je Pip ulazila u kuhinju i smještala se na jednu od stolica za pultom.

»Onako. Bilo je onako.« Sada joj je u školi uvijek bilo *onako*. Ni dobro ni loše. Samo onako. Izula je kožne cipele, koje su joj skliznule sa stopala i tresnule o pločice.

»Uh«, rekla je njena mama. »Moraš li uvijek ostavljati cipele u kuhinji?«

13

»Moraš li me uvijek uhvatiti da to radim?«

»Da, jer sam tvoja mama«, rekla je lagano lupnuvši Pip po ruci novom kuharicom. »I da, Pippa, još nešto, moram s tobom o nečemu razgovarati.«
Oslovila ju je punim imenom. Taj dodatni slog nosi u sebi toliko puno značenja.

»Jesam li u nevolji?«

Mama nije odgovorila na to pitanje. »Flora Green iz Joshove škole nazvala me danas. Znaš da je ona nova asistentica u nastavi?«

»Da...« Pip je potvrdno kimnula i time signalizirala mami da nastavi.

»Joshua je danas napravio nešto u školi, pa su ga poslali ravnatelju.« Mamino se čelo naboralo. »Navodno je Camilli Brown nestalo šiljilo, a Josh je odlučio ispitivati svoje kolege iz razreda, prikupljao je dokaze i sastavljao *popis osoba od interesa*. Rasplakao je četvero djece.«

»O«, rekla je Pip osjećajući ponovno onu prazninu u trbuhu. Da, u nevolji je. »O. K., O. K. Želiš li da razgovaram s njim?«

»Da, mislim da bi trebala. I to odmah«, rekla joj je mama podižući šalicu i srčući čaj.

Pip je skliznula sa stolice s usiljenim smiješkom na licu i tiho krenula natrag prema dnevnom boravku.

»Bok, Josh«, ležerno mu se obratila i spustila na pod kraj njega isključujući ton na TV-u.

»Nemoj!«

Pip ga je ignorirala. »Dakle, čula sam što se danas dogodilo u školi.«

»O, da. Imam dvije glavne osobe od interesa.« Okrenuo se prema njoj, a smeđe su mu se oči caklile. »Možda mi možeš pomoći—«

»Josh, slušaj me«, rekla je Pip rukom gurajući tamnu kosu iza ušiju. »Detektivski posao nije baš onako fora kako se čini. Zapravo... prilično je grozan.«

»Ali ja—«

»Samo me slušaj, O. K.? Kad si detektiv, ljudi oko tebe postanu nesretni. I *ti* postaneš nesretan…« rekla je sve piskutavijim glasom dok se nije nakašljala da pročisti grlo pa je povratila normalan ton. »Sjećaš li se kad ti je tata ispričao što se dogodilo s Barneyjem, zašto je bio ozlijeđen?«

Josh kimne, a oči mu se rašire i rastuže.

»To se događa kad si detektiv. Ljudi oko tebe stradavaju. I ti povrijediš ljude, nenamjerno. Moraš čuvati tajne za koje nisi siguran da bi ih trebao čuvati. Zato ja to više ne radim, a ne bi trebao ni ti.« Riječi su joj se stropoštale ravno u onu prazninu u želucu, gdje im je i bilo mjesto. »Razumiješ li?«

»Da…« Kimnuo je, zavlačeći ono *a* dok se nije promijenilo u sljedeću riječ. »Oprosti.«

»Nemoj biti blesav.« Nasmiješila mu se i zagrlila ga. »Nemaš se za što ispričavati. Znači, nema više igranja detektiva?«

»Nema, obećavam.«

Pa, to je bilo lako.

»Riješeno«, rekla je Pip kada se vratila u kuhinju. »Čini se da će nestalo šiljilo zauvijek ostati misterij.«

»Ah, možda i neće«, rekla je mama uz slabo prikriveni smiješak. »Kladim se da je to bio onaj mali seronja Alex Davis.«

Pip se zahihotala.

Mama je odgurnula Pipine cipele s puta. »Onda, jesi li se već čula s Ravijem?«

»Da.« Pip je izvukla telefon. »Rekao je da su završili prije petnaest minuta. Doći će uskoro na snimanje.«

»O. K. Kako je bilo danas?«

»Rekao je da je bilo teško. Da sam barem mogla biti tamo.« Pip se naslonila na pult i podbočila bradu šakama.

»Jasno ti je da nisi mogla biti s njim jer si bila u školi«, rekla joj je mama. Tu raspravu nije bila spremna ponovno voditi; Pip je to znala. »I nije li ti dosta nakon onoga u utorak? Znam da meni jest.«

Utorak, prvi dan suđenja na Krunskom sudu[1] u Aylesburyju, a Pip je već bila pozvana kao svjedok optužbe. Odjevena u novi kostim i bijelu košulju, pokušavala je smiriti nemirne šake kako bi od porote sakrila koliko je nervozna. Znoj ju je peckao po leđima, a svake je sekunde iz smjera optuženičke klupe na sebi osjećala njegov pogled, poput nekog živog bića koje joj je puzalo po otkrivenim dijelovima tijela. Bio je to Max Hastings.

Onaj jedini put kad ga je pogledala, primijetila je podsmijeh u njegovim očima, što bi kod svakog drugog prošlo neopaženo. Barem zbog onih lažnih, prozirnih naočala. Kako se usuđuje? Kako se usuđuje stajati tamo i tvrditi da nije kriv kad oboje znaju istinu? Imala je snimku telefonskog razgovora u kojem Max priznaje da je drogirao i silovao Beccu Bell. Sve je bilo zabilježeno na njoj. Max je priznao kad mu je Pip zaprijetila da će sve njegove tajne dati u javnost: ono o sudaru, bijegu s mjesta nesreće i Salovom alibiju. Ali to nije imalo veze; privatna snimka razgovora nije se mogla iskoristiti na sudu. Optužba se umjesto toga morala zadovoljiti Pipinim prepričavanjem razgovora. Što je i učinila, i to od riječi do riječi... osim samog početka naravno, kao i onih tajni koje je morala čuvati da bi zaštitila Naomi Ward.

»Da, bilo je grozno,« rekla je Pip, »ali ipak sam trebala biti tamo.« Trebala je; obećala je pratiti ovu priču do samog njezinog kraja. Ali umjesto nje Ravi će svaki dan sjediti u sudnici, na galeriji otvorenoj za javnost, i hvatati bilješke za nju. Jer o izostajanju iz škole nema ni govora: tako su joj rekle i mama i nova ravnateljica.

---

[1] Engl. Crown Court — nacionalni sud koji zasjeda u različitim sjedištima u Engleskoj i Walesu i bavi se ozbiljnim kaznenim predmetima upućenima s magistratskih sudova, op. prev.

»Pip, daj molim te«, rekla joj je mama glasom punim upozorenja. »Ovi su dani ionako dovoljno teški. A sutra je još i komemoracija. Kakav tjedan.«

»Da«, složila se Pip i uzdahnula.

»Jesi li u redu?« Mama je zastala i položila dlan na Pipino rame.

»Da. Uvijek sam u redu.«

Mama joj nije baš vjerovala, znala je to. Ali nije se s time opterećivala jer se trenutak poslije začulo prepoznatljivo Ravijevo kucanje na vratima zglobovima šake. *Dugo-kratko-dugo.* A Pipino se srce ubrzalo kako bi i ono uhvatilo taj ritam, baš kao i svaki put dosada.

Naziv datoteke:

 Savršeno ubojstvo — Dnevnik dobre cure — Suđenje Maxu Hastingsu (3. nastavak).wav

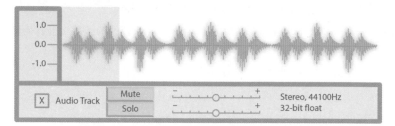

[jingle]

Pip: Pozdrav, ovdje Pip Fitz-Amobi. Dobro došli natrag u *podcast Savršeno ubojstvo: Dnevnik dobre cure: Suđenje Maxu Hastingsu.* Ovo je treći nastavak u kojemu vam donosimo najnovije vijesti, pa ako još niste čuli prve dvije miniepizode, molim vas da najprije njih poslušate i nakon toga nam se vratite. Razgovarat ćemo o onome što se dogodilo danas, trećeg dana suđenja Maxu Hastingsu, a pridružit će mi se i Ravi Singh…

Ravi: Bok.

Pip: … koji je promatrao suđenje iz galerije otvorene za javnost. Dakle, današnji je dan počeo svjedočenjem još jedne žrtve, Natalie da Silva. Možda vam je to ime poznato; Nat je bila upletena u moju istragu u slučaju Andie Bell. Saznala sam da je Andie maltretirala Nat u školi; došla je i u posjed njezinih intimnih fotografija, koje je onda podijelila na društvenim mrežama. Vjerovala sam da bi to mogao biti njezin motiv i neko sam vrijeme Nat smatrala osobom od interesa. Naravno, bila sam potpuno u krivu. Danas je Nat svjedočila na Krunskom sudu o tome kako ju je Max Hastings na kućnoj zabavi — *ubijačini* — koja se dogodila 24. veljače 2012. navodno drogirao i seksualno napao. Konkretno ga se optužuje za dva kaznena djela: seksualni napad i nasilnu penetraciju.

Ravi, možeš li nam prepričati kako je prošlo njezino svjedočenje?

Ravi: Naravno. Dakle, tužitelj je od Nat zatražio da nam dâ kronologiju događaja te večeri: točno vrijeme dolaska na zabavu, kad je posljednji put pogledala na sat prije nego što je počela osjećati omamljenost, u koje se vrijeme ujutro probudila i napustila kuću. Nat je rekla da se svega slabo sjeća, kao kroz maglu: sjeća se da ju je netko odveo u sobu u stražnjem dijelu kuće, daleko od gužve, i polegao na kauč. Sjeća se da je bila paralizirana, da se nije mogla pomaknuti i da je netko legao pored nje. Osim toga, kada je govorila o sebi, tvrdi da je izgubila svijest. A nakon što se sljedećeg jutra probudila, osjećala se grozno i imala vrtoglavicu, poput najgoreg mamurluka u životu. Odjeća joj je bila razbacana, a na sebi nije imala donje rublje.

Pip: I, da se podsjetimo na ono što je stručni svjedok optužbe rekao u utorak o učincima benzodiazepina kao što je Rohypnol, Natino je svjedočenje u skladu s onim što biste i očekivali. Droga djeluje kao sedativ i može imati učinak na središnji živčani sustav, što objašnjava Natin osjećaj paraliziranosti. Osjećate se gotovo kao da ste odvojeni od vlastitog tijela, kao da vas ono jednostavno ne želi slušati, a udovi vam više nisu povezani s njim.

Ravi: Tako je, a tužitelj je također inzistirao da stručni svjedok optužbe ponovi, i to nekoliko puta, da je jedna od nuspojava korištenja Rohypnola i »gubitak svijesti«, kako je i sama Nat spomenula, odnosno *anterogradna amnezija* ili nesposobnost stvaranja novih sjećanja. A čini mi se i da tužitelj želi stalno podsjećati porotu na to jer će činjenica da se ne sjećaju točno što se dogodilo — zbog droge koja je utjecala na njihovu nesposobnost stvaranja novih sjećanja — igrati važnu ulogu u svjedočenjima svih žrtava.

Pip: A tužitelj je tu činjenicu vrlo jasno ponovio i u vezi s Beccom Bell. Da podsjetimo, Becca je nedavno promijenila svoj iskaz i izjasnila se krivom. Prihvatila je kaznu od tri godine iako je odvjetnički tim obrane bio uvjeren da ne bi trebala služiti zatvorsku kaznu jer je bila maloljetna u vrijeme Andiene smrti i okolnosti tijekom kojih se dogodila. Becca je tako jučer svjedočila putem videoveze iz zatvora, gdje će provesti sljedećih osamnaest mjeseci.

Ravi: Točno. I, kao u Beccinom slučaju, tužiteljstvo je danas naglasilo da su obje popile tek jedno ili dva alkoholna pića tijekom večeri navodnih napada, što nikako ne objašnjava njihovu razinu opijenosti. Odnosno, Nat je rekla da je tijekom cijele večeri popila samo jednu bocu piva od 0,33 l. I izričito je navela tko joj je dao to piće čim je došla na zabavu: Max.

Pip: Kako je Max reagirao dok je Nat svjedočila?

Ravi: S galerije ga mogu vidjeti samo sa strane ili odostraga. Ali čini mi se da se još od utorka ponaša isto. Ta mirnoća, velika staloženost, pogled uprt u svakoga tko svjedoči, sve to govori kao da je zaista zainteresiran za ono što govore. I dalje nosi naočale s debelim okvirom i potpuno sam siguran da nisu dioptrijske — mislim, mama mi je optometristica, pa znam.

Pip: I je li mu kosa i dalje malo preduga i razbarušena, kao u utorak?

Ravi: Da, čini se da je taj imidž odabrao zajedno sa svojim odvjetnikom. Skupo odijelo, lažne naočale. Možda misle da će se zbog te plave, neposlušne kose omiliti poroti ili tako nešto.

Pip: Pa, to je ne tako davno i upalilo određenim svjetskim liderima.

Ravi: Crtačica iz sudnice danas mi je dopustila da fotografiram njezin crtež i rekla je da ga možemo koristiti nakon što ga objave u medijima. Možete vidjeti kako je ona doživjela Maxa za vrijeme dok je njegov odvjetnik Christopher Epps ispitivao Nat kao svjedokinju.

Pip: Da, i ako želite pogledati crtež, možete ga pronaći u dodatnim materijalima na našoj mrežnoj stranici *savršenoubojstvo.dnevnikdobrecurepodcast.com*. Pa, razgovarajmo onda i o njezinom svjedočenju.

Ravi: Da, bilo je… prilično teško. Epps je postavljao mnogo neugodnih pitanja. *Što si nosila te večeri? Jesi li se namjerno odjenula izazovno?* Pokazivao je Natine fotografije od te večeri s društvenih mreža. *Jesi li bila zaljubljena u svog kolegu Maxa Hastingsa? Koliko alkohola inače popiješ tijekom jednog prosječnog izlaska?* Također je spomenuo i njezinu kaznenu presudu zbog nanošenja tjelesnih ozljeda sugerirajući time da je to čini nepouzdanom svjedokinjom. Time je, u osnovi, potpuno ocrnio njezin karakter. Nat se vidljivo uzrujala, ali održala je prisebnost, zastala bi nakon svakog pitanja na nekoliko sekundi da udahne i otpije gutljaj vode prije nego što bi odgovorila. No glas joj je podrhtavao. Bilo je to stvarno teško gledati.

Pip: Strašno me ljuti što se ovakvo ispitivanje žrtava uopće dopušta. Gotovo da se teret dokazivanja krivnje prebacuje na njih, a to nije fer.

Ravi: Da, uopće nije fer. Epps ju je zatim rešetao pitanjima poput zašto sljedeći dan nije otišla ravno na policiju ako je već bila sigurna da je napadnuta i znala tko je počinitelj. Rekao je da bi se, pod uvjetom da je otišla na policiju unutar sedamdeset i dva sata, iz analize mokraće moglo utvrditi postojanje Rohypnola u tijelu, a to je, tvrdio je, ionako još uvijek bilo dvojbeno. Nat je mogla samo odgovoriti da nije bila sigurna nakon toga jer se ničega nije ni mogla sjetiti. A onda ju je Epps upitao: »Ako se ničega ne možeš sjetiti, kako onda znaš da nisi svojevoljno pristala na seksualni odnos? Ili da si te večeri uopće komunicirala s optuženikom?« Nat je odgovorila da joj je Max sljedećeg ponedjeljka dobacio znakovit komentar tipa je li se »dobro zabavila« na zabavi jer on jest. Epps nije popuštao. Nat se sigurno osjećala totalno iscijeđeno.

Pip: Čini se da je to njegova taktika obrane. Na neki način potkopati i diskreditirati svakoga od nas koji svjedočimo. Kad sam ja svjedočila, tvrdio je kako je baš bilo vrlo prikladno što podmećem Maxu da je počinitelj jer je muškarac, jer time navodno pokušavam izazvati empatiju za Beccu Bell i njezino navodno ubojstvo. I da je to sve dio »agresivnog feminističkog narativa« koji promičem svojim *podcastom*.

Ravi: Da, čini se da je to smjer kojim Epps ide.

Pip: Kad plaćate odvjetnika tristo funti na sat, onda valjda dobivate takvu vrstu agresivne strategije. A obitelji Hastings novac, naravno, ne predstavlja nikakav problem.

Ravi: Nema veze kojom se strategijom koristi; porota će uvidjeti što je istina.

Naziv datoteke:

Suđenje Maxu Hastingsu,
Dodatak — Crtež iz sudnice.jpg

Dva

Riječi na papiru bile su joj isprekidane, izrastale preko bjeline poput vitica dok ih je Pip gubila iz fokusa i rukopis joj je postao samo jedna vijugava mrlja na papiru. Promatrala je ispisanu stranicu, ali zapravo nije bila koncentrirana. To joj se sada često događalo; pažnja bi joj se prekidala, a ona bi lako znala skliznuti u te ogromne pukotine.

Ne tako davno i probni esej o eskalaciji hladnog rata uspio bi je očarati. Bila bi emocionalno angažirana, *zaista*. Takva je bila prije, ali nešto se očigledno promijenilo. Nadala se da je samo pitanje vremena dok se te praznine ponovno ne ispune i stvari se vrate u normalu.

Zazujao joj je telefon koji je ležao na stolu i na zaslonu se pojavilo Carino ime.

»Dobra večer, Gospođice Slatka F.-A.«, pozdravila ju je Cara kada se javila na telefon. »Jesi li spremna za *chillanje* uz Netflix i paralelne stvarnosti?«

»Da, C. W., samo trenutak«, odgovorila je Pip, uzela *laptop* i mobitel sa sobom u krevet i skliznula pod pokrivač.

»Kako je bilo danas na suđenju?« upitala je Cara. »Naomi je skoro otišla jutros da pruži Nat podršku. Ali nije imala hrabrosti suočiti se s Maxom.«

»Upravo sam pustila najnoviju epizodu«, uzdahnula je Pip. »Strašno sam ljuta što Ravi i ja moramo hodati kao po

24

jajima, koristiti se riječima poput ›navodno‹ i izbjegavati sve što ne bi bilo u skladu s *presumpcijom nevinosti* dok se ne dokaže suprotno, a dobro znamo da je kriv. Za sve.«

»Da, baš odvratno. Ali nema veze; bit će gotovo za tjedan dana«, rekla je Cara šuškajući pokrivačima, što je na mobitelu zvučalo kao krckanje. »Hej, pogodi što sam danas pronašla?«

»Što?«

»Postala si mem. Pravi pravcati mem koji nepoznati ljudi objavljuju na Redditu. Ona tvoja fotka s inspektorom Hawkinsom pred svim onim mikrofonima i novinarima. Ona na kojoj izgleda kao da prevrćeš očima dok on govori.«

»I *jesam* prevrtala očima.«

»Ljudi stavljaju najsmješnije natpise ispod toga. Postala si poput onog mema ›ljubomorne cure‹. Ovaj ima natpis *Ja...* pored tebe, a pokraj Hawkinsa piše: *Muškarci na internetu koji mi objašnjavaju moj vlastiti vic.*« Zahihotala se. »E, to je znak da si uspjela, kad postaneš mem. Jesu li ti se javili još kakvi sponzori?«

»Da«, Pip je rekla. »Nekoliko mi je tvrtki poslalo mejl. Ali... još uvijek nisam sigurna je li u redu profitirati od svega onoga što se dogodilo. Ne znam, imam ionako previše toga za razmišljanje, pogotovo ovaj tjedan.«

»Znam, baš.« Cara se zakašljala. »Dakle, sutra, znaš... na komemoraciji, bi li Raviju... i njegovim roditeljima bilo čudno ako bi i Naomi i ja došle?«

Pip se uspravila u krevetu. »Ne. Pa znaš da Ravi ne razmišlja tako, već ste razgovarali o tome.«

»Znam, znam. Ali samo sam mislila, s obzirom na to da je sutrašnji dan posvećen sjećanju na Sala i Andie, sada kada znamo što se zapravo dogodilo, možda bi bilo čudno da mi—«

»Ravi je zadnja osoba koja bi željela da se osjećaš krivom zbog onoga što je tvoj otac učinio Salu. A tako razmišljaju i njegovi roditelji.« Pip je zastala. »Oni su to i sami proživjeli i predobro poznaju taj osjećaj.«

»Znam, samo sam—«

»Cara, stvarno je O. K. Ravi bi želio da budeš tamo. Sigurna sam da bi rekao da bi i Sal želio da Naomi bude tamo. Bila mu je najbolja prijateljica.«

»U redu, ako si sigurna.«

»Uvijek sam sigurna.«

»Jesi. Trebala bi razmisliti o kockanju«, rekla je Cara.

»Ne mogu, mama je ionako već previše zabrinuta zbog moje *ovisničke naravi*.«

»Sigurna sam da te moja i Naomina *sjebana narav* ipak prikazuje kao normalniju.«

»Nedovoljno, očigledno«, rekla je Pip. »Kad bi se mogla malo više potruditi, to bi bilo sjajno.«

To je bio Carin način nošenja sa svime u posljednjih šest mjeseci; njezino *novo normalno*. Skrivala bi se iza dosjetki i kratkih šala koje bi druge natjerale da se osjećaju nelagodno i zašute. Većina ne zna kako reagirati kada se netko šali na račun svog oca koji je jednu osobu ubio, a drugu oteo. Ali Pip je točno znala kako reagirati: i ona bi se skrivala iza kratkih dosjetki, tako da je Cara uvijek imala nekoga prema kome je mogla osjećati bliskost. To je bio njezin način da joj pomogne.

»Razumijem. Iako nisam baš sigurna da će moja baka moći još dugo to podnositi. Znaš da Naomi ima novu ideju: navodno želi zapaliti sve tatine stvari. Naravno da su djed i baka rekli *ne* i odmah nazvali našeg terapeuta.«

»Zapaliti?«

»Znam, čudno, zar ne?« rekla je Cara. »Mogla bi slučajno prizvati nekog demona ili tako nešto. Vjerojatno mu ne bih trebala ni reći; još uvijek misli da će ga Naomi jednog dana ipak posjetiti.«

Cara je posjećivala svog oca u zatvoru *Woodhill* svaka dva tjedna. Rekla je da to ne znači da mu je oprostila, ali, na kraju krajeva, on je i dalje bio njezin otac. Naomi ga nije posjetila nijednom i rekla je da nikada ni neće.

»Onda, u koliko je sati komemoracija — čekaj, djed mi nešto govori… da?« Cara ga je dozivala udaljujući telefon od sebe da ne bude preglasna. »Aha, znam. Aha, jesam.«

Carini djed i baka — roditelji njezine majke — uselili su se u kuću k njima prošlog studenog, tako da Cara ima nekakvu stabilnost, koju joj je liječnik preporučio dok ne završi školu. Ali travanj je skoro prošao, a ispiti i kraj škole brzo se približavaju. Prebrzo. A kada dođe ljeto, stavit će kuću Wardovih na prodaju i preseliti djevojke natrag u njihov dom u Great Abington. Barem će joj biti blizu kada Pip krene na studij na Cambridge. Ali Little Kilton nije Little Kilton bez Care, i Pip je potajno željela da ljeto nikada ne stigne.

»U redu. Laku noć, djede.«

»Što je to bilo?«

»O, ma znaš, prošlo je pola jedanaest, pa je suuuuuuper kasno, i prošlo je vrijeme za ›gašenje svjetla‹, i trebala sam biti u krevetu još prije nekoliko sati umjesto da čavrljam sa svojim ›curama‹. Množina. Ovim tempom vjerojatno nikada neću ni imati curu, a kamoli više njih, plus nitko ne govori ›gašenje svjetla‹ još od sedamnaestog stoljeća«, rekla je i izdahnula.

»Pa, žarulja je izumljena 1879. godine, tako da—«

»Uh, molim te, prestani. Jesi li sve pripremila?«

»Skoro«, rekla je Pip vukući prstom po podlozi za miš.

»Gledamo četvrtu epizodu, zar ne?«

S ovim su ritualom krenule u prosincu, kada je Pip prvi put shvatila da Cara zapravo ne spava. Što nije ni čudno, zapravo; najgore misli uvijek ti dođu dok ležiš noću u krevetu. A Carine su misli bile gore od onih većine. Kad bi ih Pip barem mogla zaustaviti da ne opsjedaju Caru, nekako je odvući u san. Kad su bile malene, Cara bi uvijek prva zaspala na pidžama-*partyjima*, svojim laganim hrkanjem prekidala bi kraj nekog jeftinog hororca. Tako da je Pip pokušala nekako rekonstruirati te navike iz djetinjstva. Nazvala bi Caru pa bi zajedno gledale Netflix. Imala je uspjeha. Dok je Pip bila tu, budna i slušala je, Cara bi na kraju zaspala, pa bi Pip čula njezin smireni dah kako lagano šišti na mobitelu.

Sada su to činile svake večeri. Počele su sa serijama za koje je Pip mogla legitimno tvrditi da imaju »obrazovnu vrijednost«. Ali prošle su kroz toliko toga da se standard pomalo srozao. Ipak, *Stranger Things* ima barem neku povijesnu kvalitetu.

»O. K., jesi spremna?« pitala je Cara.

»Spremna.« Trebalo im je nekoliko pokušaja da se sinkroniziraju; Carin *laptop* blago je zaostajao, pa su odbrojavale. Ona je pritisnula *play* na *jedan*, a Pip je svoj pokrenula na *kreni*.

»Tri«, rekla je Pip.

»Dva.«

»Jedan.«

»Kreni.«

PETAK

Tri

POZNAVALA JE NJEGOVE KORAKE; prepoznala bi ih i na tepihu i na podu od tvrdog drva. I sada ga je prepoznala dok je hodao po šljunku na parkiralištu kod glavnog gradskog parka. Okrenula se i nasmiješila mu se, a Ravi je ubrzao korak koji se pretvorio u lagano trčanje, kao i uvijek kada bi je ugledao. Pip bi svaki put od toga procvala.

»Hej, narednice«, rekao je istovremeno pritisnuvši usne na njezino čelo. Bio je to njegov prvi nadimak za nju, a sada samo jedan među desecima.

»Jesi li dobro?« pitala je iako je znala da nije; našpricao se previše dezodoransom i miris ga je slijedio poput izmaglice. To je značilo da je nervozan.

»Aha, malo sam nervozan«, rekao je Ravi. »Mama i tata su već tamo, ali htio sam se prvo istuširati.«

»To je u redu, ceremonija ionako počinje tek u sedam i trideset«, rekla je Pip primajući ga za ruku. »Već se okupilo dosta ljudi oko paviljona, možda nekoliko stotina.«

»Već?«

»Da. Prošla sam tamo kad sam se vraćala kući iz škole, a novinari su već namještali opremu iz svojih kombija.«

»Zato si došla prerušena?« Ravi se nasmiješio povlačeći zelenu kapuljaču preko Pipine glave.

»Samo dok ne prođemo pored njih.«

Ionako je vjerojatno ona kriva zato što su ovdje; njezin *podcast* ponovno je pokrenuo priče o Salu i Andie u vijestima. Posebno ovog tjedna, na šestu godišnjicu njihove smrti.

»Kako je prošlo danas na sudu?« upitala je Pip, a potom dodala:»Možemo o tome razgovarati sutra ako ne želiš—«

»Ne, u redu je«, rekao je.»Mislim, nije bilo u redu. Danas je na redu za svjedočenje bila jedna djevojka koja je za vrijeme studija živjela u istom studentskom domu gdje i Max. Pustili su snimku njezinog poziva na broj 112 koji je obavila sljedećeg jutra nakon što je bila s Maxom.« Ravi je progutao knedlu.»I, naravno, Epps ju je nakon toga ispitivao: tvrdio je da nije pronađen njegov DNK među uzorcima koji su uzeti nakon silovanja, nije se ničega sjećala i takve stvari. Znaš, dok promatram Eppsa, ponekad se zaista zapitam želim li uopće biti odvjetnik obrane u kaznenim postupcima.«

To je bio *plan* koji su skovali: Ravi će ponovno polagati ispite s A-razine u svojstvu pristupnika kao privatne osobe u isto vrijeme kada Pip bude polagala svoje ispite. Zatim će se prijaviti na šestogodišnje odvjetničko stažiranje koje počinje u rujnu, kada Pip bude kretala na faks.»Kakav smo mi moćan par«, primijetio je Ravi.

»Epps je jedan od onih loših primjeraka«, rekla je Pip. »Ti ćeš biti dobar.« Stisnula ga je za ruku.»Jesi li spreman? Možemo ovdje još malo pričekati ako—«

»Spreman sam«, rekao je.»Samo… ja… hoćeš li ostati uz mene?«

»Naravno.« Naslonila je rame na njegovo.»Neću te pustiti.«

Vani se već smračivalo dok su ostavljali škripavi šljunak iza sebe i prešli na meku travu javne gradske površine. S desne strane, manje skupine kretale su se prema zelenoj površini iz smjera Gravelly Waya prema paviljonu na južnoj strani javne gradske površine. Pip je čula tu gomilu i prije nego što ju je ugledala; taj prigušeni, ali dinamični žamor koji se čuje samo kada nekoliko stotina ljudi skupiš na malom mjestu. Ravi je još čvršće stisnuo njezinu ruku.

Zaobišli su gust nasad šuštećih jasenova i na obzoru im se pojavio paviljon, koji je svijetlio blijedožutom bojom; ljudi su očigledno već počeli paliti svijeće i lampione postavljene uokolo pozornice. Raviju se ruka počela znojiti dok je držao Pipinu.

Prepoznala je nekoliko lica u stražnjem dijelu gomile dok su se približavali: Adam Clark, njezin novi profesor povijesti, stajao je pored Jill koja radi u kafiću, a tamo su bili i Carini djed i baka i mahali joj. Dok su se probijali među ljude, pogledi su im se susretali s njihovima, a gomila se razmicala pred Ravijem te ih na taj način gutala kada bi se ponovno zatvorila iza njih i blokirala im put prema natrag.

»Pip, Ravi.« Pažnju im je privukao glas koji ih je dozivao s lijeve strane. Bila je to Naomi. Kosa joj je bila začešljana prema natrag i zategnuta, baš kao i njezin osmijeh. Stajala je s Jamiejem Reynoldsom — starijim bratom Pipina prijatelja Connora — i, Pip je primijetila, uz grč u želucu, s Nat da Silvom. Njezina se kosa toliko bijeljela kroz sve mračniji sumrak da je gotovo obasjavala zrak oko nje. Svi su bili generacija Sala i Andie.

»Bok«, rekao je Ravi trgnuvši Pip iz misli.

»Bok, Naomi, Jamie«, rekla je i redom kimnula prema svakom od njih. »Nat, hej.« Zastala je kad su se Natine blijedoplave oči zaustavile na njoj, a pogled se ukočio. Zrak oko nje izgubio je svoj sjaj i odjednom je zahladilo.

»Oprosti«, rekla je Pip. »Samo... samo sam htjela reći da mi je žao što si morala prolaziti kroz sve to, ju-jučerašnje suđenje, ali izvrsno si se držala.«

Ništa. Samo trzaj mišića u Natinom obrazu.

»I znam da ti je ovaj tjedan grozan... i sljedeći, ali sredit ćemo ga. Znam da hoćemo. A ako bilo što mogu učiniti...«

Nat je odvratila pogled s Pip kao da je uopće nije ni vidjela. »O. K.«, uspjela je procijediti oštrim tonom dok se okretala na drugu stranu.

»O. K.«, rekla je Pip tiho, okrenuvši se natrag prema Naomi i Jamieju. »Trebali bismo požuriti. Vidimo se poslije.«

Nastavili su se kretati kroz gomilu, a kad su se dovoljno udaljili, Ravi joj je prišapnuo: »Da, definitivno te još uvijek mrzi.«

»Znam.« I zaslužila je to, zapravo; Pip je nekoć *doista* i Nat smatrala odgovornom za ubojstvo. Zašto je Nat ne bi zbog toga mrzila? Pip je bilo hladno, ali pospremila je Natin pogled u onu prazninu u svojoj utrobi, uz sve ostale slične osjećaje.

Uočila je Carinu neurednu zagasitoplavu punđu kako se njiše iznad glava u gomili te je s Ravijem krenula prema njoj. Cara je stajala s Connorom, koji je kimao brzim dvostrukim pokretima glave dok je ona govorila. Pored njih, glava gotovo prilijepljenih jednu uz drugu, bili su Ant i Lauren, sada Ant-i-Lauren, izgovoreni u jednom brzom dahu, jer ih se nikada nije moglo vidjeti jedno bez drugog. Sada kad su bili *stvarno* zajedno, za razliku od ranije kad su se očito samo *pravili* da su zajedno. Cara je rekla da je sve navodno počelo na *ubijačini* na kojoj su svi bili prošlog listopada, kada je Pip još istraživala u tajnosti. Nije ni čudo što tada to nije ni primijetila. Zach, kojega su svi ignorirali, stajao je njima nasuprot i s nelagodom prstima prebirao po svojoj valovitoj crnoj kosi.

»Bok«, rekla je Pip kad se s Ravijem probila kroz vanjski rub grupe.

»Hej«, tiho su joj uglas uzvratili.

Cara se okrenula da pogleda Ravija čeprkajući nervozno po svom ovratniku. »Ja, ovaj… kako si? Žao mi je.«

Cara nikad prije nije ostajala bez riječi.

»O. K. sam«, rekao je Ravi pustivši Pipinu ruku da bi zagrlio Caru. »Stvarno sam O. K., kunem ti se.«

»Hvala ti«, rekla je Cara tiho, trepćući prema Pip preko Ravijevog ramena.

»O, ma vidi ovo«, Lauren je ljutito prosiktala gurkajući Pip i pokazujući joj brzim pokretima očiju. »Jason i Dawn Bell.«

Andieni i Beccini roditelji. Pip je pratila Laurenin pogled. Jason je nosio elegantni kaput od čiste vune koji se činio previše toplim za ovu večer i vodio je Dawn prema paviljonu. Dawnine su oči bile uperene prema tlu, na sva ta stopala čije vlasnike nije vidjela, a trepavice su joj bile pune grudica od maskare, kao da je već plakala. Izgledala je tako sitna iza Jasona dok ju je vukao za ruku.

»Jesi li čula?« rekla je Lauren mahnuvši rukom da se svi stisnu bliže. »Izgleda da su Jason i Dawn opet zajedno. Mama mi kaže da se razvodi od druge žene, na njezinu inicijativu, i da se, izgleda, Jason vratio u *tu* kuću, s Dawn.«

Tu kuću. Kuću u kojoj je Andie Bell umrla na kuhinjskim pločicama dok je Becca stajala pored nje i gledala. Ako su te *pretpostavke* bile istinite, Pip se pitala koliko je izbora Dawn uopće imala u donošenju te odluke. Iz svega što je čula o Jasonu za vrijeme svoje istrage, malotko je ikada imao izbora kad je on bio u pitanju. Nakon njezinog *podcasta* sigurno nitko o njemu nije više mislio pozitivno. Ustvari, prema anketi jednog slušatelja na Twitteru o *najomraženijoj osobi u podcastu SUDDC*, Jason Bell dobio je gotovo jednak broj glasova kao Max Hastings i Elliot Ward. A sama Pip našla se na četvrtom mjestu.

»Baš je čudno što još uvijek žive tamo«, rekao je Ant razrogačivši oči baš kao i Lauren. Tako su se međusobno nadopunjavali. »Večeraju u istoj prostoriji gdje je umrla.«

»Ljudi se moraju nekako suočiti sa stvarnošću«, rekla je Cara. »Nemoj misliti da im možeš suditi prema nekim normalnim standardima.«

To je ušutkalo Anta i Lauren.

Nastala je neugodna tišina koju je Connor pokušao popuniti. Pip se okrenula i odmah prepoznala par koji je stajao pored njih. Nasmiješila im se.

»O, bok, Charlie, Flora.« Bili su to njezini novi susjedi koji su se doselili četiri kuće dalje niz ulicu: Charlie, kose boje hrđe i uredno podšišane brade, te Flora, koju je Pip viđala samo u odjeći s cvjetnim uzorkom. Bila je nova asistentica u nastavi u školi koju je pohađao njezin brat, a Josh je bio i pomalo opsjednut njom. »Nisam vas vidjela.«

»Bok«, Charlie se nasmiješio kimnuvši im. »Ti si sigurno Ravi«, rekao je rukujući se s Ravijem, čija ruka još uvijek nije našla put natrag do Pipine. »Oboma nam je jako žao zbog tvojeg brata.«

»Kažu da je bio prekrasan mladić«, nadovezala se Flora.

»Hvala. Aha, bio je«, rekao je Ravi.

»Oh«, Pip je potapšala Zacha po ramenu da ga uključi u razgovor. »Ovo je Zach Chen. Živio je u vašoj kući.«

»Drago mi je, Zach«, rekla je Flora. »Baš volimo tu kuću. Je li tvoja soba bila sa stražnje strane?«

Pip je iza sebe čula neko zviždanje koje ju je na trenutak omelo. Connorov brat Jamie pojavio se pored njega pa su nešto šuškali među sobom.

»Ne, nije ukleta«, Charlie je govorio pa se Pip ponovno uključila u razgovor.

»Flora?« Zach se okrenuo prema njoj. »Zar niste nikada čuli cijevi kako cvile u toaletu u prizemlju? Zvuči kao duh koji kaže: *Brišiiii otamoooo.*«

Flora je razrogačila oči i problijedjela u licu dok je gledala u svog muža. Otvorila je usta da nešto kaže, ali je umjesto toga počela kašljati, pa se ispričala i odmaknula od grupe.

»Pogledaj što si učinio.« Charlie se nasmiješio. »Do sutra će se sprijateljiti s duhom iz toaleta.«

Ravijevi su se prsti spuštali niz Pipinu podlakticu, klizeći natrag u njezinu ruku dok joj je upućivao pogled. Da, vjerojatno bi trebali krenuti dalje i pronaći njegove roditelje; uskoro bi trebalo početi.

Pozdravili su se sa svima i nastavili hodati prema prednjem dijelu okupljene gomile. Pip se osvrnula i mogla bi se zakleti da se broj ljudi udvostručio otkako su stigli; sada bi ih moglo biti skoro tisuću. Kad su gotovo stigli do paviljona, Pip je prvi put ugledala uvećane fotografije Sala i Andie, naslonjene na toj maloj građevini i postavljene na štafelajima jedna naspram druge. Slični su im osmijesi zauvijek ostali urezani u vječno mlada lica. Ljudi su polagali bukete cvijeća ispod svakog portreta u sve većim polukrugovima, a svijeće su titrale dok je hrpa ljudi tiho prolazila pored njih.

»Eno ih«, rekao je Ravi uperivši prst prema roditeljima. Stajali su sprijeda s desne strane, one s koje je Sal gledao s portreta. Oko njih se okupila grupa ljudi, a i Pipina obitelj stajala je vrlo blizu njih.

Prošli su odmah iza Stanleyja Forbesa, koji je fotografirao taj prizor, a bljesak s kamere osvjetljavao mu je blijedo lice i plesao po tamnosmeđoj kosi.

»Naravno da je i *on* ovdje«, rekla je Pip pazeći da je ne čuje.

»Oh, ma pusti ga na miru, narednice.« Ravi joj se nasmiješio.

Prije nekoliko mjeseci Stanley je obitelji Singh poslao rukom napisanu ispriku na četiri stranice, u kojoj je izrazio žaljenje zbog načina na koji je govorio o njihovom sinu. Objavio je još jednu javnu ispriku u malim lokalnim novinama, *Kilton Mailu*, gdje je volontirao. I bio je na čelu akcije prikupljanja sredstava za postavljanje klupe posvećene Salu na javnoj gradskoj zelenoj površini, nekoliko koraka dalje od klupe posvećene Andie. Ravi i njegovi roditelji prihvatili su ispriku, ali Pip je i dalje bila skeptična.

»Barem se ispričao«, nastavio je Ravi. »Pogledaj ih samo sve.« Pokazao je na skupinu ljudi okupljenih oko njegovih roditelja. »Njihovi prijatelji, susjedi. Ljudi koji su im zagorčavali život. Nikada se nisu ispričali, samo su se odjednom počeli pretvarati da posljednjih šest godina uopće nije ni postojalo.«

Ravi je prestao govoriti kad ih je Pipin otac oboje zagrlio.

»Kako si?« pitao je Ravija tapšući ga po leđima prije nego što ga je pustio iz zagrljaja.

»Dobro sam«, odgovorio je Ravi mrseći Joshovu kosu u znak pozdrava i smiješeći se Pipinoj majci.

Prišao im je Ravijev otac Mohan. »Idem se unutra pobrinuti oko nekih stvari. Vidimo se poslije.« Jednim je prstom pomilovao Ravija ispod brade. »Pripazi na mamu.« Mohan se popeo stepenicama prema paviljonu i nestao unutra.

Komemoracija je počela točno u sedam sati i trideset i jednu minutu. Ravi je stajao između Pip i svoje mame držeći ih obje za ruke. Pip je kružila palcem po njegovom dlanu kad je općinski vijećnik, koji je pomogao organizirati cijeli događaj, pristupio mikrofonu na samom vrhu stepenica kako bi rekao »nekoliko riječi«. Pa, bilo ih je daleko više od samo nekoliko. Govorio je o obiteljskim vrijednostima u njihovom gradu i *neizbježnosti istine* hvaleći Okružnu policiju Doline Temze za sav njihov »nevjerojatan trud da se ovaj slučaj riješi«. Čak se nije ni trudio zvučati sarkastično.

Sljedeća je bila gospođa Morgan, sada ravnateljica u gimnaziji Little Kiltona. Školski odbor primorao je njezinog prethodnika na prijevremeno odstupanje s dužnosti zbog posljedica postupanja gospodina Warda dok je bio zaposlen u školi u vrijeme njegovog mandata. Gospođa Morgan govorila je naizmjence o Andie i Salu, o trajnom značenju koje će njihove sudbine ostaviti na cijeli grad. Zatim su Andiene najbolje prijateljice Chloe Burch i Emma Hutton izašle iz paviljona i prišle mikrofonu. Jasno je da Jason i Dawn Bell nisu željeli govoriti na komemoraciji. Chloe i Emma zajedno su čitale pjesmu Christine Rossetti, *Sajmište zlodušića*. Kada su završile, ponovno su se priključile masi koja je tiho brujala.

Emma je šmrcala i rukavom brisala suze na očima. Pip ju je promatrala sve dok je netko odjednom nije odostraga udario po laktu.

Okrenula se. Bio je to Jamie Reynolds, koji se odlučna pogleda u očima polako probijao kroz masu, a od svjetlosti svijeća caklio mu se sloj znoja koji mu je prekrivao lice. »Oprosti«, promrmljao je odsutno, kao da je ni ne prepoznaje.

»Sve O. K.«, odgovorila je Pip prateći Jamieja pogledom sve dok Mohan Singh nije izašao iz paviljona i pročistio grlo pred mikrofonom, utišavajući sve okupljene. Nastupila je potpuna tišina, ništa se nije čulo osim vjetra u krošnjama. Ravi je još čvršće stisnuo Pipinu ruku, toliko da su mu nokti ostavljali trag u obliku polumjeseca na Pipinoj koži.

Mohan je pogledao u list papira koji je držao u ruci. Drhtao je, a papir mu se tresao u stisnutim šakama.

»Što da vam kažem o svom sinu Salu?« započeo je, a glas ga je izdao već na pola rečenice. »Mogao bih vam reći da je bio odlikaš sa svijetlom budućnošću pred sobom, ali to vjerojatno već znate. Mogao bih vam reći da je bio odan i brižan prijatelj koji nikada nije podnosio da se itko osjeća usamljenim ili neželjenim, ali i to već vjerojatno znate. Mogao bih vam reći da je bio fantastičan stariji brat i prekrasan sin koji nas je svaki dan činio ponosnima. Mogao bih s vama podijeliti naše uspomene s njim, od vremena kad je bio malac s osmijehom od uha do uha koji se želio posvuda penjati pa sve do vremena kad je postao tinejdžer koji je volio ranojutarnje i kasne noćne sate. Ali umjesto toga reći ću vam samo jednu stvar o Salu.«

Mohan je zastao, podignuo pogled i nasmiješio se prema Raviju i Nishi.

»Da je Sal danas ovdje s nama, nikada to ne bi priznao i vjerojatno bi se sakrio od srama, ali njegov najdraži film, od treće do osamnaeste godine, bio je *Praščić Babe*.«

Iz gomile se začulo lagano i oprezno smijuljenje. Nasmijao se i Ravi, a oči su mu se počele cakliti.

37

»Volio je tog praščića. Još jedan razlog zbog kojeg je volio taj film bila je i njegova omiljena pjesma. Znala bi ga nasmijati i rasplakati, a mogla ga je natjerati i na ples. Stoga ću sada s vama podijeliti taj komadić Sala i pustiti tu pjesmu da se prisjetimo njegovog života dok budemo palili i puštali lampione. Ali prije toga želim nešto reći svom dječaku, nešto na što sam čekao šest godina da kažem naglas.« Papir je podrhtavao i lupkao po mikrofonu poput papirnatih krilaca dok je Mohan brisao oči. »Sale. Žao mi je. Volim te. Nikada nećeš zaista nestati; nosit ću te sa sobom u svakom trenutku života. U velikim i malim trenucima, u svakom osmijehu, svakom usponu i svakom padu. To ti obećavam.« Zastao je i dao znak glavom nekome s desne strane. »Kreni.«

I sa zvučnika postavljenih s obje strane izuzetno kreštavi glas miša uzviknuo je: »I jedan, i dva, i tri, kreni!«

I krenula je pjesma, ritmičko bubnjanje i melodija koju je pjevala cvrkutava mišica dok joj se nije pridružio cijeli zbor miševa.

Ravi se istovremeno smijao i plakao i nešto između toga. A negdje iza njih netko je počeo pljeskati u ritmu pjesme.

Pa se pridružilo još nekoliko ljudi.

Pip je preko ramena gledala kako se pljesak sve više širi i pojačava kroz gomilu koja se njihala. Zvuk je bio gromoglasan i pun radosti.

Ljudi su počeli pjevati s kreštavim miševima i — kad su shvatili da se radi o svega par stihova koji se ponavljaju — pridružili su im se i ostali, teškom mukom pokušavajući dosegnuti te nevjerojatno visoke tonove.

Ravi se okrenuo prema njoj, izgovarajući te riječi usnama, ali bez glasa, na što mu je ona uzvratila na isti način. Mohan je sišao stepenicama s podija, a papir u ruci zamijenio je kineskim lampionom. Član Okružnog vijeća nosio je drugi lampion dolje te ga predao Jasonu i Dawn Bell. Pip je pustila Ravija da se pridruži svojim roditeljima. Raviju su predali malu kutiju žigica. Prvu žigicu koju je zapalio ugasio je vjetar i ostavio samo tanku liniju dima. Pokušao je ponovno, štiteći plamen svojim svinutim dlanovima i držeći ga ispod stijenja lampiona dok se nije zapalio.

Singhovi su pričekali nekoliko sekundi da se vatra rasplamsa i ispuni lampion vrućim zrakom. Svi troje držali su objema rukama žičani rub na dnu lampiona i kad su bili spremni, kad su napokon bili spremni, uspravili su se, podigli ruke iznad glava i pustili ga.

Lampion je odjedrio iznad paviljona podrhtavajući na povjetarcu. Pip je ispružila vrat kako bi ga pratila pogledom, a njegovo treperenje žutonarančastom bojom kao da je tamu oko njega pretvaralo u plamen. Trenutak poslije ukazao se i Andien lampion dižući se kroz tminu, jureći za Salovim preko beskrajnog neba.

Pip nije skidala pogled. Vrat joj je bio istegnut i bolni trnci spuštali su joj se niz kralježnicu, ali nije željela skrenuti pogled. Sve dok se ti zlaćani lampioni nisu pretvorili u točkice gnijezdeći se među zvijezdama. Pa i dulje od toga.

SUBOTA

Četiri

Pip se pokušavala oduprijeti spuštanju kapaka koji su postajali sve teži. Osjećala se kao u nekoj izmaglici, na nekom nejasno definiranom mjestu, kao da ju je san već svladao, ali ne... stvarno bi trebala ustati s kauča i učiti. Ali *stvarno*.

Ležala je na crvenom kauču u dnevnoj sobi, očito na *Joshovom* mjestu, kako ju je on povremeno podsjećao. On je sjedio na tepihu i igrao se LEGO-kockicama dok se u pozadini vrtio film *Priča o igračkama*. Roditelji su im očito *još uvijek* bili u vrtu; tata ih je jutros oduševljeno obavijestio da će danas oličiti novu alatnicu. Pa, nije bilo baš puno toga čime tata *nije* bio oduševljen. Ali jedino o čemu je Pip mogla razmišljati bila je usamljena stabljika suncokreta posađenog na grobu njihovog mrtvog psa. Nije još procvjetao.

Pip je provjerila vrijeme na telefonu. Bilo je 17:11 i na ekranu ju je čekala poruka od Care i dva propuštena poziva od Connora otprije dvadeset minuta; očito je stvarno ipak zadrijemala. Otvorila je Carinu poruku: *Uh, cijeli dan povraćam, a baka samo odmahuje glavom. NIKADA VIŠE. Hvala ti puno što si došla po mene xx*

Carina prethodna poruka, kad skrolaš prema gore, poslana je noćas u 00:04: *Popp gdjwesi poklsqvam ićid okaučćla asli ne moofu samma.* Pip ju je odmah nazvala iz kreveta, šapćući, ali Cara je bila toliko pijana da nije mogla govoriti u cjelovitim rečenicama niti u polurečenicama ili spojevima riječi, a i to je prekidala plakanjem ili štucanjem. Pip je trebalo neko vrijeme da shvati gdje se nalazi: na *ubijačini.* Sigurno je tamo otišla nakon komemoracije. Trebalo joj je još više vremena da izvuče iz Care u čijoj se kući održava: »Mislim da sam kod Stephena Thompsona.« I gdje se ta kuća nalazi: »Negdje na Hi-Highmooru...«

Pip je znala da su i Ant i Lauren bili na toj zabavi; trebali su paziti na Caru. Ali, naravno, Ant i Lauren su vjerojatno bili previše zauzeti jedno drugim. Ali nije to najviše zabrinjavalo Pip. »Jesi li si sama točila pića?« pitala je. »Nisi uzimala pića od nekoga, zar ne?« Pip se nakon toga izvukla iz kreveta, sjela u automobil i uputila se »negdje na Highmoor« da pronađe Caru i dovede je kući. Nije se vratila u krevet sve do iza pola jedan.

A danas je imala puno obaveza i nije mogla nadoknaditi gubitak sna. Jutros je vodila Josha na nogomet, stajala na hladnom igralištu i gledala utakmicu, a zatim je Ravi došao na ručak da snime još jednu miniepizodu o novostima sa suđenja Maxu Hastingsu. Nakon toga ju je Pip uredila i objavila pa je ažurirala svoju mrežnu stranicu i odgovarala na mejlove. Potom je sjela na kauč na dvije minute, na *Joshovo mjesto,* samo da malo odmori oči. Ali umor ju je uspio savladati, pa su se te dvije minute nekako pretvorile u dvadeset i dvije.

Ispružila je vrat i dohvatila telefon da pošalje poruku Connoru kad se u tom trenutku začulo zvono na vratima.

»Pobogu«, rekla je Pip ustajući. Jedna joj je noga još uvijek bila utrnula, pa je posrnula u hodniku. »Koliko samo vražjih dostava s Amazona treba jednom čovjeku?« Njen je otac bio ozbiljni ovisnik o *dostavi odmah idućeg dana.*

Otkačila je lanac na ulaznim vratima — bilo je to novo pravilo u kući — i otvorila ih.

»Pip!«

Nije bio dostavljač pošiljke s Amazona.

»O, Connore, hej«, rekla je širom otvarajući vrata. »Doslovno sam ti upravo odgovarala na poruku. Što ima?«

Tek je tada primijetila njegove oči: izgledale su nekako daleke, ali uplašene, s previše bjeline iznad i ispod plave boje zjenica. I iako je Connor inače imao rumenkasti ten i lice prekriveno pjegicama, sada mu je bilo crveno, a kapljica znoja curila mu je niz sljepoočnicu.

»Jesi li O. K.?«

Duboko je udahnuo. »Ne, nisam.« Izgovorio je to drhtavim glasom.

»Što se dogodilo... želiš li ući?« Pip se povukla unatrag kako bi mogao prijeći prag.

»H-hvala ti«, rekao je Connor ulazeći pa je Pip zatvorila i zaključala vrata. Majica mu je bila zalijepljena za leđa, vlažna i zgužvana.

»Dođi.« Pip ga je odvela do kuhinje i pokazala prema jednoj od stolica, onoj ispod koje su se nalazile njezine tenisice. »Želiš li vode?« Nije čekala da joj odgovori, već je dohvatila jednu od čistih čaša s cjedila za posuđe, napunila je vodom i stavila pred njega uz tupi zvuk od kojega se trgnuo. »Jesi li trčao ovamo?«

»Aha.« Connor je primio čašu objema rukama i otpio velik gutljaj dok mu se malo vode prelijevalo preko brade. »Oprosti. Pokušavao sam te nazvati, ali nisi se javljala, pa nisam znao što drugo učiniti nego da dođem ovamo. A onda sam pomislio da bi mogla biti kod Ravija.«

»U redu je. Ovdje sam«, rekla je Pip spustivši se na stolicu nasuprot njemu. Oči su mu i dalje izgledale čudno, što je izazvalo reakciju Pipinog srca, koje je udaralo o prsa. »Što se dogodilo? O čemu moraš razgovarati sa mnom?« Čvrsto je stiskala rubove svoje stolice. »Zar se... nešto dogodilo?«

»Da«, rekao je Connor brišući bradu rukavom. Polako je otvorio usta, a čeljust mu se počela micati gore-dolje, kao da žvače zrak i uvježbava što će reći prije nego što to i izgovori. »Radi se o mom bratu«, rekao je. »Nestao je.«

Pet

Pip je promatrala Connorove prste kako klize niz čašu.

»Jamie je nestao?« rekla je.

»Da.« Connor je zurio u nju.

»Kada?« upitala je. »Kada si ga zadnji put vidio?«

»Na komemoraciji.« Connor je zastao da popije još jedan gutljaj vode. »Zadnji put sam ga vidio na komemoraciji, malo prije početka. Nije se vratio kući.«

Pip je zadržala dah. »Vidjela sam ga tamo kad je završilo. Možda oko osam, osam i petnaest. Hodao je kroz gomilu.« Fokusirala se na taj trenutak odvajajući ga od svega ostalog čega se sjećala od prethodne večeri. Jamie se sudario s njom dok se kretao u suprotnom smjeru, sjetila se kako joj se u žurbi ispričao, kako mu je čeljust bila stisnuta, izraz na licu odlučan. Tada joj se to učinilo čudnim, zar ne? I onaj pogled u njegovim očima, sličan ovome koji sada ima Connor: istovremeno udaljen i oštar. Izgledali su vrlo slično, čak i za braću. Nisu tako izgledali kao djeca. Pip je promatrala kako su tijekom godina postajali sve sličniji, a razlike među njima bivale su sve manje. Jamiejeva kosa bila je samo nekoliko nijansi tamnija, više smeđa nego plava. I Connor je bio koščatiji na dijelovima tijela gdje je Jamie bio zaobljeniji, mekši. Ali čak bi i stranac mogao pogoditi da su braća. »Jesi li ga pokušao nazvati?«

»Da, nekoliko stotina puta«, rekao je Connor. »Odmah mu se uključi govorna pošta kao da je isključio telefon ili… ili mu je krepao.« Zamuckivao je izgovarajući tu posljednju riječ, glave potonule među ramenima. »Mama i ja smo satima zvali sve koji bi eventualno mogli znati gdje je: prijatelje, obitelj. Nitko ga nije ni vidio ni čuo. Nitko.«

Pip je osjetila kako joj se nešto počinje komešati u onoj praznini u trbuhu koja je sada uvijek bila prisutna. »Jesi li zvao sve lokalne bolnice da provjeriš—«

»Da, sve smo ih zvali. Ništa.«

Pip je prstom dotaknula svoj telefon da provjeri koliko je sati. Bilo je pola šest, a ako Jamieja nitko nije vidio od otprilike osam sati prošle večeri, kada ga je *ona* vidjela, to znači da ga nema već više od dvadeset i jedan sat.

»O. K.,« rekla je odlučno, natjeravši tako Connora da je pogleda u oči, »roditelji ti moraju otići do policijske postaje i podnijeti prijavu da je nestao. Trebat će vam—«

»Već smo to i učinili«, rekao je Connor, s trunkom nestrpljenja u glasu. »Mama i ja smo otišli na policiju prije nekoliko sati, podnijeli smo prijavu, dali im njegovu noviju fotografiju, sve što traže. Policajac koji nas je primio je brat Nat da Silve, Daniel.«

»U redu, dobro, dakle policajci bi trebali biti «

Connor ju je opet prekinuo. »Ne«, rekao je. »Nijedan policajac ne radi ništa. Daniel je rekao da, s obzirom na to da Jamie ima dvadeset četiri godine, što ga čini odraslom osobom, i zna se da je već znao napustiti dom a da prethodno ne obavijesti obitelj, policija ne može puno toga učiniti.«

»Što?«

»Da, dao nam je referentni broj zaprimljene prijave i samo rekao da nastavimo zvati Jamiejev telefon i sve osobe za koje znamo da je kod njih ikada boravio. Rekao je da se gotovo svi nestali vrate unutar četrdeset osam sati i da samo moramo čekati.«

Stolica je zaškripala kad se Pip pomaknula. »Očito misle da se radi o nestanku niskog rizika. Kada se prijavi nestala osoba,« objasnila je, »policija procjenjuje stupanj rizika na temelju faktora poput dobi, mogućih zdravstvenih problema, je li ponašanje neuobičajeno, takve stvari. I onda postupaju u skladu s time je li u pitanju slučaj niskog, srednjeg ili visokog rizika.«

»Jasno mi je kako to njima može izgledati,« rekao je Connor, sada manje odsutna pogleda, »da je Jamie već nekoliko puta ranije nestao i uvijek se vratio kući—«

»Prvi put je bilo nakon što je prekinuo fakultet, zar ne?« rekla je Pip prisjećajući se kako se napetost mogla rezati nožem u kući Reynoldsovih još tjednima nakon toga.

Connor je kimnuo. »Da, nakon što se žestoko posvađao s tatom oko toga, otišao je prijatelju na tjedan dana i nije odgovarao na pozive ili poruke. A mama je prije dvije godine i bila podnijela prijavu jer se Jamie jednom nije vratio iz noćnog izlaska u Londonu. Izgubio je telefon i novčanik i nije mogao doći kući, pa je boravio kod nekoga par dana, spavao tamo na kauču. Ali…« Šmrcnuo je i obrisao nos nadlanicom. »Ali ovaj put osjećam da je nešto drugo u pitanju. Mislim da je u opasnosti, Pip, stvarno to mislim.«

»Zašto?« upitala je.

»Posljednjih nekoliko tjedana se čudno ponašao. Zaokupljen mislima, nekako nervozan. Brzo bi planuo. A znaš kakav je Jamie inače, obično je stvarno opušten. Pa, lijen, ako pitaš mog tatu. Ali u posljednje vrijeme ponekad se činio, pa, malo čudnim.«

A nije li tako izgledao i sinoć kada je naletio na nju? Bio je na neki čudan način fokusiran, kao da nije mogao vidjeti ništa drugo, čak ni nju. I zašto se baš tada kretao kroz onu gomilu? Nije li to bilo malo čudno?

»I«, nastavio je Connor, »ne mislim da bi opet pobjegao, ne nakon što je mama bila toliko zabrinuta prošli put. Jamie joj to ne bi ponovno učinio.«

»Ja...« Pip je započela. Ali zapravo nije znala što reći.

»Tako da smo mama i ja razgovarali«, rekao je Connor, a ramena su mu se toliko skupila da se činilo da će i sam nestati. »Ako policija ne želi započeti istragu, obratiti se medijima ili učiniti nešto drugo, što mi sami možemo učiniti da pronađemo Jamieja? O tome sam htio razgovarati s tobom, Pip.«

Znala je što slijedi, ali Connor nije čekao dovoljno dugo da bi ga uspjela prekinuti.

»Ti znaš kako se to radi; sve ono što si učinila prošle godine kada je policija zakazala. Riješila si ubojstvo. Dva. I taj tvoj *podcast*,« progutao je slinu, »stotine tisuća pratitelja; to je vjerojatno učinkovitije od bilo kojih veza u medijima koje policija ima. Ako želimo pronaći Jamieja, proširiti vijest da je nestao, pa da ljudi mogu dati bilo kakve informacije kojima raspolažu ili prijaviti da su ga negdje primijetili, onda si ti najbolja osoba u koju se možemo pouzdati.«

»Connore—«

»Ako ti budeš vodila istragu i objavljivala to na svom *podcastu*, znam da ćemo ga pronaći. Naći ćemo ga na vrijeme. Moramo.«

Connor je utihnuo. Tišina koja je uslijedila bila je neizdrživa; Pip je osjećala kako plazi uokolo. Znala je što ju je Connor htio pitati. Kako bi moglo biti nešto drugo u pitanju? Izdahnula je, a onaj osjećaj koji je čučao u njoj zavrtio joj se u trbuhu. Ali mogla mu je dati samo jedan odgovor.

»Žao mi je«, rekla je sasvim tiho. »Ne mogu to učiniti, Connore.«

Connorove su se oči razrogačile, a ramena su mu se raširila. »Znam da puno tražim, ali—«

»Previše tražiš«, rekla je pogledavajući prema prozoru jer je htjela provjeriti jesu li joj roditelji još uvijek zauzeti poslovima u vrtu. »Ja to više ne radim.«

»Znam, ali—«

»Prošli put sam skoro ostala bez svega: završila sam u bolnici, ubili su mi psa, dovela sam vlastitu obitelj u opasnost, uništila život svojoj najboljoj prijateljici. Previše tražiš od mene. Obećala sam sama sebi. Ja… više to ne mogu učiniti.« Praznina u njezinom trbuhu postala je još veća; uskoro bi mogla prerasti i nju samu. »Ne mogu to učiniti. Time se više ne bavim.«

»Pip, molim te…« Sada ju je preklinjao, riječi su mu zastajale na putu do grla. »Prošli put te ljude nisi osobno ni poznavala, a već su i bili mrtvi. Radi se o Jamieju, Pip. O *Jamieju*. Što ako je ozlijeđen? Što ako ne preživi? Ne znam što da radim.« Glas mu je napokon do kraja popucao, a suze su mu se probile do očiju.

»Žao mi je, Connore, stvarno mi je žao«, rekla je Pip iako joj je bilo bolno to izreći. »Ali moram te odbiti.«

»Nećeš mi pomoći?« Snuždeno je rekao. »Uopće?«

Nije to mogla učiniti. Jednostavno nije mogla.

»Nisam to rekla.« Pip je skočila sa svoje stolice kako bi dodala Connoru papirnatu maramicu. »Kao što možeš i sam pretpostaviti, sada imam neku vrstu odnosa s lokalnom policijom. Hoću reći, ne mislim da sam im baš najdraža osoba na svijetu, ali vjerojatno imam više utjecaja kad su ovakve stvari u pitanju.« Zgrabila je ključeve svog auta koji su ležali pored mikrovalne. »Idem odmah razgovarati s inspektorom Hawkinsom, reći ću mu za Jamieja i zašto si zabrinut, vidjet ću mogu li ih nagovoriti da ponovno procijene rizik tako da doista mogu započeti istragu.«

Connor je skliznuo sa svoje stolice. »Stvarno? Učinit ćeš to?«

»Naravno«, rekla je. »Ne mogu ti ništa obećati, ali Hawkins je zapravo dobar lik. Nadam se da će shvatiti.«

»Hvala ti«, rekao je Connor i brzo je zagrlio nezgrapnim i koščatim rukama. Glas mu se utišao. »Bojim se, Pip.«

»Bit će sve O. K.« Pokušala mu se nasmiješiti. »Odmah ću te usput i odvesti kući. Hajdemo.«

Bila je rana večer dok su izlazili, ulazna vrata našla su se na udaru povjetarca i zalupila se za njima uz tresak. Pip je taj zvuk ponijela sa sobom, nosila ga u dubini svoga bića, a on je odjekivao unutar te praznine koja joj se širila u trbuhu.

Šest

ZGRADA OD CRVENE OPEKE tek je počela gubiti obrise u sivilu večernjeg neba dok je Pip izlazila iz svog malenog auta. Na bijelom natpisu na zidu pisalo je: *Policijska uprava Doline Temze, Policijska postaja u Amershamu.* Ovdje je bio smješten policijski tim nadležan za Little Kilton, u prvom većem gradu koji je bio udaljen deset minuta.

Pip je ušla kroz glavna vrata do plavo oličene čekaonice. Unutra je bio samo jedan muškarac, spavao je na jednoj od tvrdih metalnih stolica uza stražnji zid. Pip je odlučno prišla pultu za informacije i pokucala na staklo kako bi privukla pozornost nekoga iz ureda koji se nalazio odostraga. Muškarac koji je spavao u čekaonici nešto je promrmljao i promijenio položaj.

»Da?« Glas se začuo prije nego što se pojavila osoba kojoj je pripadao: policajka s kojom se Pip susrela nekoliko puta. Izašla je iz stražnje prostorije, glasno spuštajući neke papire na pult, a zatim konačno pogledala prema Pip. »Oh, nisam tebe očekivala.«

»Oprostite«, nasmijala se Pip. »Kako ste, Eliza?«

»O. K. sam, dušo.« Njezino dobroćudno lice nasmiješilo se, a sijeda kosa bila joj je skupljena nad ovratnikom uniforme. »Što te ovaj put dovodi ovamo?«

Pip se Eliza jako sviđala, najviše zbog toga što se nisu morale pretvarati ili gubiti vrijeme na isprazne razgovore.

»Moram razgovarati s inspektorom Hawkinsom«, rekla je. »Je li ovdje?«

»Trenutno jest ovdje.« Eliza je grickala svoju olovku.

»Jako je zauzet, čini se da će tako biti do dugo u noć.«

»Možete li mu reći da je hitno? Molim vas«, dodala je Pip.

»U redu, vidjet ću što mogu učiniti«, uzdahnula je Eliza. »Sjedni, dušo«, dodala je nestajući u stražnji ured.

Ali Pip ju nije poslušala. Tijelo joj je bilo previše napeto i nije znala kako se u trenutku smiriti. Tako da je umjesto toga hodala uz pult, šest koraka do jednog kraja, okret, šest koraka natrag, a potplati na tenisicama toliko su joj cviljeli da je probudila usnulog muškarca.

Vrata na šifru koja vode do ureda i prostorija za ispitivanje otvorila su se uz zujanje, ali to nisu bili Eliza ili Richard Hawkins. Umjesto njih pojavile su se dvije uniformirane osobe. Prvi je izašao Daniel da Silva, držeći vrata da prođe i policajka Soraya Bouzidi, koja je vezala kovrčavu kosu u punđu ispod crne visoke policijske kape. Pip ih je oboje prvi put srela prošlog listopada na sastanku s policijom u kiltonskoj knjižnici, kada je Daniel da Silva bio osoba od interesa u slučaju Andienog nestanka. Sudeći po usiljenom osmijehu stisnutih usana koji joj je sada upućivao u prolazu, bilo je jasno da joj to nije zaboravio.

Ali Soraya ju je primijetila, kimnula u njezinom smjeru i uputila jedno toplo »bok« prije nego što je s Danielom izašla iz postaje i krenula prema jednom od policijskih automobila. Pip se pitala kamo to idu, zbog čega su morali izaći na teren. Što god to bilo, očito misle da je važnije od Jamieja Reynoldsa.

Vrata su ponovno zazujala, ali su se otvorila samo nekoliko centimetara. Kroz njih se pojavila samo jedna ruka, koja je dvama prstima pokazivala prema Pip.

»Imaš dvije minute«, uzviknuo je Hawkins rukom je pozivajući da ga slijedi niz hodnik. Požurila se, tenisice su joj i dalje cviljele, a usnuli muškarac iza nje prenuo se iz sna.

Hawkins ju nije ni pozdravio, već je koračao hodnikom ispred nje. Bio je odjeven u crne traperice i novu tamnozelenu podstavljenu jaknu. Možda se konačno riješio onog dugačkog kaputa koji je uvijek nosio kao glavni istražitelj u slučaju nestanka Andie Bell.

»Taman sam bio na odlasku«, iznenada je rekao otvarajući vrata Sobe za ispitivanje 1 i gestikulirajući joj da uđe. »Dakle, ozbiljno mislim kad kažem da imaš dvije minute. O čemu se radi?« Zatvorio je vrata za njima i naslonio se na njih nogom savijenom u koljenu.

Pip se ispravila i prekrižila ruke ispred sebe. »O slučaju nestale osobe«, rekla je. »Jamieja Reynoldsa iz Little Kiltona. Broj slučaja četiri, devet, nula, nula—«

»Da, vidio sam prijavu«, prekinuo ju je. »Što s tim?«

»Zašto ništa ne poduzimate?«

To ga je zateklo nespremnog. Hawkins je ispustio zvuk koji je bio negdje između smijeha i nakašljavanja pa rukom pogladio čekinjastu bradu. »Sigurno znaš kako to funkcionira, Pip. Stoga te neću vrijeđati tako da ti dodatno objašnjavam.«

»Njegov se nestanak ne bi trebao voditi kao slučaj niskog rizika«, rekla je. »Obitelj vjeruje da je u ozbiljnoj opasnosti.«

»Pa, to što obitelj osjeća nije jedan od kriterija kojima se vodimo u ozbiljnom policijskom radu.«

»A što je s mojim osjećajem?« upita Pip ne skidajući pogled s njegovih očiju. »Vjerujete li njemu? Poznajem Jamieja od svoje devete godine. Vidjela sam ga na komemoraciji za Andie i Sala prije nego što je nestao, i definitivno mi se nešto učinilo čudnim u njegovom ponašanju.«

»I ja sam bio tamo«, rekao je Hawkins. »Bilo je jako puno emocija. Ne čudi me što neki ljudi nisu bili baš svoji.«

»Nisam tako mislila.«

»Gledaj, Pip«, uzdahnuo je spuštajući nogu i odmičući se od vrata. »Znaš li koliko prijava o nestanku svakodnevno dobivamo? Ponekad i do dvanaest. Doslovno nemamo vremena ni resursa istraživati svaki pojedinačni slučaj. Pogotovo ne uz sve ove rezove proračuna. Većina se ljudi vrati unutar četrdeset osam sati. Moramo postupati prema prioritetima.«

»Neka vam Jamie onda bude prioritet«, rekla je. »Vjerujte mi. Nešto nije u redu.«

»Ne mogu.« Hawkins je odmahnuo glavom. »Jamie je odrasla osoba, čak je i njegova majka priznala da to nije potpuno čudno za njega. Odrasli imaju pravo nestati ako to žele. Jamie Reynolds nije nestala osoba u pravom smislu; samo trenutno nije ovdje. Neće mu se ništa dogoditi. I ako tako odluči, vratit će se za par dana.«

»A što ako griješite?« upita Pip znajući da je počeo gubiti interes. To se nije smjelo dogoditi. »Što ako nešto propuštate, kao što je bio slučaj sa Salom? Što ako ponovno pogriješite?«

Hawkinsa je to očigledno pogodilo. »Žao mi je«, rekao je. »Volio bih ti pomoći, ali sada stvarno moram ići. Rješavamo jedan pravi slučaj visokog rizika: otmicu osmogodišnje djevojčice iz vrta obiteljske kuće. Stvarno ništa ne mogu učiniti za Jamieja. Jednostavno je tako, nažalost.« Spustio je ruku na kvaku.

»Molim vas«, rekla je Pip, a glas joj je bio ispunjen očajem, što ih je oboje iznenadilo. »Molim vas, preklinjem vas.«

Prsti su mu zastali. »Ja—«

»Molim vas.« Grlo joj se stisnulo kao kada bi bila na rubu plača, a glas joj se rasplinuo u milijun komadića. »Nemojte me ponovno na ovo prisiljavati. Molim vas. Ne mogu ponovno prolaziti kroz to.«

Hawkins je sve jače šakom stezao kvaku, izbjegavajući njezin pogled. »Žao mi je, Pip. Ruke su mi vezane. Ništa ne mogu učiniti.«

* * *

Kad je izašla iz zgrade, zaustavila se nasred parkirališta i uperila pogled u nebo. Oblaci su joj zaklanjali zvijezde od pogleda čuvajući ih samo za sebe. Upravo je počela padati kiša, a hladne kapljice pekle su je dok su joj padale u oči. Stajala je tako neko vrijeme i promatrala to beskrajno ništavilo neba pokušavajući čuti što joj govori instinkt. Zatvorila je oči da ga bolje čuje. *Što da radim? Reci mi što da radim.*

Počela je drhtati, pa je ušla u svoj auto rukama cijedeći kosu mokru od kiše. Nebo joj nije davalo odgovore. Ali postojao je netko tko bi to možda mogao; netko tko ju je poznavao bolje nego što je samu sebe poznavala. Izvukla je telefon i nazvala ga.

»Ravi?«

»Bok, nevoljo.« Iz glasa mu je iščitala i smiješak. »Jesi li spavala? Čudno mi zvučiš.«

Rekla mu je o čemu se radi; sve mu je ispričala. Tražila je pomoć jer je on bio jedini kojega je znala pitati.

»Ne znam ti reći što da odlučiš«, rekao je.

»Ali bi li ipak mogao?«

»Ne, ne mogu tu odluku donijeti za tebe. Samo ti znaš, jedino ti to i možeš znati«, rekao je. »Ali znam da ćeš, bez obzira na sve, ispravno odlučiti. Jer si jednostavno takva. I što god odlučiš, znaj da ću te podržati, bit ću uvijek uz tebe. Uvijek. O. K.?«

»O. K.« I dok su se pozdravljali, shvatila je da je odluka već donesena. Možda je još i ranije bila donesena, možda nikada stvarno nije ni imala izbora, i sve što joj je trebalo bilo je da joj netko potvrdi da je to O. K.

I bilo je O. K.

Potražila je Connorovo ime na telefonu i stisnula zelenu tipku, a odjek lupanja srca penjao joj se sve više prema grlu. Javio se čim je drugi put zazvonilo.

»Učinit ću to«, rekla je.

Sedam

KUĆA REYNOLDSOVIH U ULICI Cedar Way oduvijek je nalikovala licu. Bijela ulazna vrata i široki prozori s obje strane predstavljali su njezin široki osmijeh. Mrlje gdje su cigle bile izblijedjele predstavljale su njezin nos. A dva četvrtasta prozora na katu bila su njezine oči, koje su te po danu promatrale, a noću, kada su zavjese bile zatvorene, spavale.

To je lice obično izgledalo sretno. Međutim, dok ga je sada promatrala, činilo joj se nepotpunim, kao da je sama kuća znala da unutra nešto nije u redu.

Pip je pokucala na vrata, a teški ruksak urezivao joj se u rame.

»Već si stigla?« rekao je Connor kad je otvorio vrata pa se pomaknuo da je pusti da uđe.

»Da, svratila sam kući po opremu i odmah došla ovamo. Svaka sekunda je važna kada je ovako nešto u pitanju.«

Pip je zastala da izuje cipele i gotovo izgubila ravnotežu kada joj je torba prevagnula na drugu stranu. »Oh, i ako moja mama pita, i jela sam kod tebe, u redu?«

Pip još uvijek nije rekla roditeljima. Znala je da će to svakako morati učiniti, poslije. Njihove su obitelji bile bliske, još od onoga dana kad je Connor prvi put pozvao Pip da se igraju u četvrtom razredu. A njena je mama u posljednje vrijeme često viđala Jamieja; posljednjih par mjeseci radio je u njezinoj agenciji za nekretnine. No unatoč tome Pip je znala da će to dovesti do rasprave. Mama će je podsjetiti na to u kakvu ju je opasnost njezina opsjednutost dovela zadnji put — kao da je uopće treba na to podsjetiti — i reći joj da bi umjesto toga trebala učiti. Sada jednostavno nije bilo vremena za takvu raspravu. Prva sedamdeset i dva sata ključna su u slučaju nečijeg nestanka, a oni su već izgubili dvadeset i tri.

»Pip?« Connorova mama Joanna pojavila se u hodniku. Njezina svijetla kosa bila je povezana na vrhu glave i izgledala je nekako ostarjelo u samo jednom danu.

»Bok, Joanna.« To je bilo njezino pravilo, oduvijek: da je oslovljava imenom, nikada kao gospođu Reynolds.

»Pip, hvala ti što… što si…« rekla je pokušavajući se nasilu nasmiješiti. »Connor i ja nismo imali pojma što da radimo, ali znali smo da si ti prava osoba za to. Connor kaže da nisi imala sreće s policijom ovaj put?«

»Ne, žao mi je«, rekla je Pip slijedeći Joannu do kuhinje. »Pokušala sam, ali nepopustljivi su.«

»Ne vjeruju nam«, rekla je Joanna otvarajući jedan od gornjih kuhinjskih ormarića. To nije bilo pitanje. »Jesi li za čaj?« Ali ovo je bilo.

»Ne, hvala.« Pip je spustila torbu na kuhinjski stol. Rijetko ga je više i pila, još od vatrometa one noći prošle godine kada joj je Becca Bell ubacila Andiene preostale tablete Rohypnola u čaj. »Možemo li ovdje početi?« rekla je stojeći pokraj jedne od stolica.

»Da«, odvratila je Joanna, a ruke su joj nestajale u naborima njezinog prevelikog džempera. »Ovdje je najbolje.«

Pip se smjestila na stolicu, a Connor je sjeo na onu pored nje dok je otvarala torbu i vadila svoje računalo, dva USB mikrofona i filtre za njih, fascikl, olovku i glomazne slušalice. Joanna se napokon smirila na stolici iako se činilo da ne može mirno sjediti jer se svakih nekoliko sekundi pomicala i premještala ruke.

»Je li ti tata ovdje? A sestra?« Pip je uputila pitanja Connoru, ali Joanna je bila ta koja joj je odgovorila.

»Zoe je na fakultetu. Nazvala sam je, rekla sam joj da je Jamie nestao, ali je odlučila tamo ostati. Čini se da u ovom slučaju drži stranu svom ocu.«

»Kako to mislite?«

»Arthur je…« Joanna je na brzinu razmijenila pogled s Connorom. »Arthur misli da Jamie nije nestao, misli da je opet pobjegao i da će se uskoro vratiti. Izgleda da je vrlo ljut zbog svega toga — ljuti se na Jamieja.« Ponovno je promijenila položaj češkajući se po nekoj točki ispod oka. »Misli da se Connor i ja ponašamo nerazumno zbog svega ovoga, da smo smiješni—« Gestikulirala je prema Pipinoj opremi. »Otišao je do trgovine, ali vjerojatno će se uskoro vratiti.«

»O. K.«, rekla je Pip, svjesna što to znači, ali se trudila da je izraz lica ne izda. »Mislite li da će htjeti razgovarati sa mnom?«

»Ne«, rekao je Connor vrlo uvjereno. »Nema smisla ni pitati ga.«

Atmosfera u sobi bila je napeta i neugodna, a Pipu je peckao znoj pod pazusima. »U redu, prije nego što išta napravimo, želim s vama iskreno razgovarati, na neki vas način… pretpostavljam, upozoriti.«

Kimnuli su joj, oboje potpuno fokusirani.

»Ako želite da ja istražujem ovaj slučaj i da vam pomognem pronaći Jamieja, moramo unaprijed biti svjesni da nas to svugdje može odvesti — morate biti spremni to prihvatiti ili ja to neću moći na sebe preuzeti.« Pip je pročistila grlo. »Moglo bi nas odvesti do potencijalno nelagodnih saznanja o Jamieju, stvari koje bi mogle biti mučne ili štetne, kako za vas tako i njega. Mogli bismo doznati tajne koje je možda skrivao od vas i za koje ne bi želio da se otkriju. Slažem se s time da je objavljivanje istrage na mom *podcastu* najbrži način da se privuče pažnja medija i svjedoka koji bi mogli imati nekih saznanja. To bi čak moglo privući i Jamiejevu pažnju, ako je stvarno tek tako nekamo otišao, i vratiti ga. Ali također morate prihvatiti i to da će vaši privatni životi izaći u javnost. Ništa neće moći ostati u privatnoj sferi, a to može biti teško za podnijeti.« Pip je to znala bolje od većine. Anonimne prijetnje smrću i silovanjem još uvijek su joj pristizale svakog tjedna, kao i komentari i *tweetovi* u kojima je nazivaju ružnom, odvratnom kučkom. »Jamie nije ovdje da skupa s vama na ovo pristane, pa se morate složiti s time, u njegovo i svoje ime, da dopuštate javnosti uvid u svoje živote i da je moguće, kada počnem kopati, da ćete saznati stvari koje ne biste željeli saznati. To se dogodilo i prošli put, pa samo... samo želim provjeriti jeste li spremni na to.« Pip je utihnula, grlo joj je bilo suho, pa je poželjela da je zatražila i drugu čašu vode.

»Pristajem«, rekla je Joanna, glasom koji joj se pojačavao sa svakim sljedećim slogom. »Na sve. Samo da ga vratimo kući.«

Connor je kimnuo. »Slažem se. Moramo ga pronaći.«

»O. K., dobro«, rekla je Pip iako nije mogla a da se ne zapita jesu li joj to članovi obitelji Reynolds upravo dali dozvolu da razori njihovu obitelj, kao što se dogodilo s Wardovima i Bellovima. Oni su bili ti koji su njoj prišli, pozvali je u svoj dom, ali zapravo nisu pojma imali što to sve podrazumijeva, što je to, ruku pod ruku, ušlo s njom kroz ona ulazna vrata koja su joj izgledala poput širokog osmijeha.

Baš u tom trenutku otvorila su se ulazna vrata i začuli su se teški koraci po tepihu i šuštanje plastične vrećice.

Joanna je poskočila sa stolice, koja je zastrugala po pločicama.

»Jamie?« poviknula je trčeći prema hodniku. »Jamie?«

»Ja sam«, odvratio je muški glas. Ali nije bio Jamiejev. Joanna se istog trena snuždila, kao da se prepolovila, pa se pridržala o zid da i ono malo što je ostalo od nje ne iščezne.

Arthur Reynolds ušetao se u kuhinju. Kovrčava crvena kosa bila mu je prošarana sjedinama oko ušiju, a gusti prosijedi brkovi spajali su mu se s uredno podšišanom bradom.

Blijedoplave oči gotovo su se činile bezbojnima pod jarkim LED svjetlima.

»Uzeo sam još kruha i—« Arthur se prekinuo, a ramena su mu klonula čim je ugledao Pip i njezin *laptop* te mikrofone koji su stajali ispred nje. »Zaboga, Joanna«, reče. »Pa ovo je smiješno.« Ispustio je vrećicu iz trgovine na pod, a limenka s rajčicama ispala je i otkotrljala se ispod stola. »Idem gledati TV«, rekao je i odmarširao iz kuhinje prema dnevnom boravku. Zalupio je vrata za sobom, a snažan udarac odjeknuo je u Pip do srži. Od svih očeva njezinih prijatelja rekla bi da je Connorov bio najstrašniji; ili možda Antov. Ali Carin tata bio je najsimpatičniji od svih i eto kako se to završilo.

»Oprosti, Pip.« Joanna se vratila za stol podižući putem i tu zalutalu limenku rajčice. »Sigurna sam da će se predomisliti. S vremenom.«

»Je li uopće u redu…« započela je Pip. »Je li uopće u redu da sam ovdje?«

»Da«, reče Joanna odrješito. »Puno je važnije da pronađemo Jamieja nego to što se moj muž ljuti.«

»Jeste li—«

»Sigurna sam«, rekla je.

»U redu.« Pip je otvorila zeleni fascikl i iz njega izvadila dva lista papira. »Trebate mi potpisati obrasce za suglasnost prije nego što počnemo.«

Dodala je Connoru kemijsku olovku, dok je Joanna uzimala drugu s kuhinjskog pulta. Dok su oboje čitali Pipine obrasce, ona je uključila *laptop*, otvorila aplikaciju Audacity i USB mikrofone namještajući iznad njih i filtre za ublažavanje okolnih zvukova.

Connor je stavio potpis na svoj obrazac, a i mikrofoni su odjednom proradili bilježeći i zvuk njegove kemijske koji se očitovao u obliku plavog podižućeg šiljka od središnje linije.

»Joanna, započnimo s vama, ako se slažete?«

»Naravno.« Joanna joj je pružila potpisani obrazac.

Pip je uputila Connoru brzinski, ali suzdržani smiješak. On joj je povratno zbunjeno trepnuo ne shvaćajući što je time mislila.

»Connore«, rekla mu je blagim glasom. »Moraš nas ostaviti same. Svjedoke treba intervjuirati odvojeno, da ne budu pod utjecajem onoga što bi drugi mogli reći.«

»U redu. Razumijem«, rekao je ustajući. »Idem gore, pokušat ću dobiti Jamieja na telefon.«

Zatvorio je kuhinjska vrata za sobom, a Pip je podesila mikrofone stavljajući jedan ispred Joanne.

»Postavit ću vam nekoliko pitanja o jučerašnjem danu,« reče Pip, »pokušat ću napraviti nekakvu kronologiju događaja, odnosno kako je protekao Jamiejev dan. Ali pitat ću vas i o tome kako se Jamie ponašao u posljednjih nekoliko tjedana, ako nešto od toga bude relevantno. Samo mi odgovorite što iskrenije možete.«

»U redu.«

»Jeste li spremni?«

Joanna je ispustila dah i kimnula. Pip je stavila slušalice, namjestila ih tako da joj stoje čvrsto oko ušiju pa je usmjerila kursor u obliku strelice na ekranu prema crvenoj tipki za snimanje.

Strelica miša zadržala se na nekoliko trenutaka iznad nje.

Pip se zapitala.

Zapitala se je li se trenutak kojemu nema povratka već dogodio i prošao ili se upravo događa, ovdje i sada, sa strelicom iznad te crvene tipke. U svakom slučaju, povratka više nije bilo, barem za nju. Postojalo je samo naprijed. Samo dalje. Ispravila se i pritisnula gumb za snimanje.

Naziv datoteke:

 Savršeno ubojstvo — Dnevnik dobre cure — SEZONA 2: Intervju s Joannom Reynolds.wav

Pip: Dobro, prije nego što krenemo s pitanjima, Joanna, možete li se predstaviti i reći nam nešto o Jamieju?

Joanna: **NARAVNO, JA SAM—**

Pip: Oprostite, Joanna, ne morate govoriti izravno u mikrofon. Dobro vas se čuje i ako sjedite normalno.

Joanna: Oprostite. Ja sam Joanna Reynolds, Jamiejeva mama. Imam troje djece, Jamie je najstariji, moj prvorođeni. Upravo je napunio dvadeset i četiri godine, rođendan mu je bio prošli tjedan. Proslavili smo ga ovdje, naručili dostavu iz kineskog restorana i rođendansku tortu u obliku velike gusjenice. Connoru je jedva uspjelo ubosti dvadeset četiri svjećice u nju. O, oprostite, nešto i o mojoj drugoj djeci: imam i kćer Zoe, dvadeset i jedna joj je godina i na fakultetu je. I Connora, najmlađeg, koji ima osamnaest godina i pohađa završni razred srednje škole. Oprostite, ovo je zvučalo grozno, da pokušam ponovno?

Pip: Ne, u redu je, bilo je savršeno. Ovo je samo gruba verzija intervjua; uredit ću ga naknadno tako što ću dodati neke svoje riječi i objašnjenja između vaših rečenica, pa se ne morate brinuti o dosljednosti, ili da morate zvučati elokventno, ili o takvim stvarima.

Joanna: U redu.

Pip: I očito da na neka pitanja već znam odgovor, ali moram vas pitati da možemo objaviti sve informacije u epizodi.

	Naprimjer, pitat ću vas nešto kao: Živi li Jamie još uvijek s vama?
Joanna:	Razumijem. O. K. Da, Jamie još uvijek živi kod kuće sa mnom i mojim mužem Arthurom te mojim najmlađim sinom Connorom.
Pip:	I je li trenutno zaposlen?
Joanna:	Da, pa znaš da radi s tvojom mamom, Pip.
Pip:	Znam, samo mi to morate reći…
Joanna:	O, oprosti, zaboravila sam. Ponovit ću. Da, Jamie trenutno radi na pola radnog vremena na prijamu klijenata u jednoj lokalnoj agenciji za nekretnine, Proctor and Radcliffe Homes. Radi tamo već gotovo tri mjeseca. Mama ti je vrlo ljubazna što ga je zaposlila, Pip, jako sam joj zahvalna. Otkako je Jamie napustio fakultet na prvoj godini, mučio se da pronađe posao ili da zadrži ona radna mjesta na kojima se uspio zaposliti. Zadnjih par godina je malo izgubljen, ne može se odlučiti što želi raditi odnosno u čemu je dobar. Pokušali smo mu pomoći, ali što više Jamieja gurate prema nečemu, on se više od toga udaljava. Zato Arthur i zna ponekad izgubiti strpljenje s njim. Ali sretna sam jer mi se čini da Jamie uživa u svom sadašnjem poslu, barem zasada.
Pip:	Biste li rekli da Jamie ima problem s nedostatkom predanosti nekom cilju? Je li to razlog zbog kojeg je napustio fakultet?
Joanna:	Da, mislim da je to dio problema. Trudio se, stvarno jest, ali nije se mogao nositi s pritiskom i samo se zatvorio, doživio je napad panike tijekom jednog ispita. Mislim da neki ljudi jednostavno nisu stvoreni za takvo akademsko okruženje. Jamie je… on je vrlo osjetljiv dečko… muškarac. Mislim, znaš ga, Pip. Arthur je zabrinut da je i previše osjetljiv, ali takav je još od djetinjstva. Vrlo drag dječak, sve druge majke su to govorile.
Pip:	Da, uvijek je bio ljubazan i prema meni, nikada nije bio Connorov strašni stariji brat ili tako nešto. A i svima

drugima je drag. Kad smo već kod toga, tko su Jamiejevi najbolji prijatelji? Ima li bliskih prijatelja u Little Kiltonu?

Joanna: Još povremeno razgovara s jednim dečkom s fakulteta i mislim da ima neke prijatelje na internetu, uvijek je na tom računalu. Jamie se nikada baš nije previše snalazio u prijateljskim odnosima; stvara čvrsta prijateljstva *jedan na jedan* i duboko se u njih upušta, pa je uvijek shrvan kada se raspadnu. Rekla bih da je trenutno najbliskiji s Nat da Silvom.

Pip: Poznajem Nat.

Joanna: Da, naravno. Nema ih mnogo iz njihove generacije koji još uvijek žive u Kiltonu, osim Naomi Ward i M-Maxa Hastingsa. Oprosti, ne bih ga trebala spominjati. Ali čini se da Nat i Jamie imaju puno toga zajedničkog. I ona je imala problema na fakultetu, pa ga je rano napustila. I ona se muči da pronađe posao koji zaista želi jer ima dosje. Mislim da se oboje osjećaju neshvaćenima i podcijenjenima u ovom gradu, a bolje ti je kad nisi u tome sam. Sve to što se dogodilo prošle godine nekako ih je povezalo. Nat je bila prijateljica Sala Singha, a Jamie je bio prijatelj Andie Bell; provodio je puno vremena s Andie na probama na dramskoj sekciji. Jamie i Nat bili su na marginama svega što se dogodilo, i mislim da ih je to zbližilo. Postali su jako bliski prošle godine, stalno se čuju. Ona mu je trenutno vjerojatno jedina prava prijateljica. Iako, ako ćemo pravo, mislim da je Jamie drukčije doživljava nego ona njega.

Pip: Što mislite pod time?

Joanna: Pa, o, Bože, Jamie će biti bijesan što ovo govorim. Ali pristala sam na to da se sve što kažem smije objaviti... Poznajem svog sina vrlo dobro i nikada mu nije išlo skrivanje osjećaja. Uvijek sam znala, po načinu na koji je pričao o Nat i kako je stalno tražio izliku da je spomene u svakom razgovoru, da je prilično očaran njome. Zatreskan je u nju. Razgovarali bi telefonom gotovo svaki dan, stalno su se dopisivali. Ali, naravno, stvari su se promijenile nakon što se Nat prije par mjeseci pojavila s novim dečkom. Mislim da Jamie nikada nije spomenuo njegovo ime, ali bio je shrvan. Našla sam ga jednom kako plače u sobi; rekao je da ga boli trbuh i da se loše osjeća, ali ja sam znala što je u pitanju. Nije to bio prvi put da sam ga takvog vidjela. Znala sam da mu je netko slomio srce i da je to vjerojatno bila Nat.

Pip: Kad se to dogodilo?

Joanna: Negdje početkom ožujka, rekla bih. Mislim da se par tjedana nisu baš nešto često čuli. Ali i dalje su ostali prijatelji; zapravo, Jamie se i dalje s njom stalno dopisuje na mobitelu, odnosno sigurna sam da je ona u pitanju jer se on uvijek pobrine da nitko od nas ne može vidjeti tko je u pitanju. Ponekad ga čujem kasno navečer na telefonu. Po glasu mu znam da razgovara s Nat.

Pip: U redu, hvala vam, svakako ću razgovarati i s Nat čim prije. Connor mi je rekao da je ovaj put više zabrinut za Jamieja nego inače jer se čudno ponašao posljednjih nekoliko tjedana. Bio je odsutan i lako bi planuo. Jeste li i vi to primjećivali?

Joanna: Nije bio baš svoj u posljednja dva tjedna. Ostajao bi budan dokasna, dolazio bi kući u svako doba noći, prekasno se budio i jedva stizao na posao. Znao bi se otresati na brata, a inače se dobro slažu. Mislim da je to dijelom zbog svega što se dogodilo s Nat, ali i, kao što sam već rekla, zbog osjećaja da su ga svi zaboravili. Gleda kako mu kolege iz škole i s fakulteta započinju uspješne karijere, imaju ozbiljne veze, sele iz roditeljske kuće. Jamie je vrlo nesiguran; rekao mi je da se često osjeća bezvrijedno, da nikad nije dovoljno dobar. A borio se i s težinom u posljednjih šest mjeseci. Rekla sam mu da to nije bitno sve dok je zdrav i osjeća se ugodno u svojoj koži, ali… znaš već u kakvom svijetu živimo, gdje te pokušavaju posramiti ako si pretio. Mislim da je Jamie bio nesretan posljednjih nekoliko tjedana jer se uspoređuje s drugima i osjeća da ih nikada neće sustići. Ali znam da hoće.

Pip: Oprostite, Joanna, ne želim ovo pitati, ali... mislite li da možda postoji opasnost da sam sebi naudi?

Joanna: Ne, apsolutno ne. Jamie to ne bi učinio meni ni svojoj obitelji. Ne bi. Nije to u pitanju, Pip. Nestao je. Nije mrtav. I naći ćemo ga, gdje god se nalazio.

Pip: O. K., žao mi je. Nastavimo. Jamie je nestao jučer, u petak navečer. Možete li mi ispričati kako je cijeli taj dan protekao?

Joanna: Da. Probudila sam se oko devet; petkom nešto kasnije počinjem raditi, ne prije jedanaest. Arthur je već bio na radnom mjestu — on putuje na posao — a Connor je već otišao u školu pješice. Ali Jamie je još uvijek čvrsto spavao, pa sam mu rekla da će zakasniti na posao i on je izašao iz kuće oko devet i dvadeset rekavši mi da će si putem uzeti doručak u kafiću. Onda sam otišla na posao. Arthur je ranije izašao s posla da bismo stigli otići na komemoraciju. Poslao mi je poruku već oko pet da je kod kuće. Ja sam izašla s posla ubrzo nakon toga, svratila do trgovine i kući sam stigla možda oko šest ili pola sedam. Brzo smo se spremili i onda svi četvero otišli na komemoraciju.

Pip: Kako je Jamie bio odjeven te večeri? Ne sjećam se.

Joanna: Nosio je traperice i svoju omiljenu tamnocrvenu košulju bez ovratnika. Kao što nose oni u *Peaky Blindersima*, Jamie uvijek kaže.

Pip: A kakve je cipele nosio?

Joanna: O, hm, tenisice. Bijele.

Pip: Koje marke?

Joanna: Mislim da su Puma.

Pip: Jeste li došli autom na komemoraciju?

Joanna: Da.

Pip: I je li se Jamie ponašao imalo čudno prije komemoracije?

Joanna: Ne, nije. Bio je tih, ali vjerojatno je samo razmišljao o Andie i Salu. Zapravo, svi su bili tihi. Mislim da putem gotovo ni o čemu nismo razgovarali u autu. A kad smo stigli do paviljona, oko sedam, Connor je otišao pronaći svoje prijatelje, odnosno vašu grupu. A i Jamie je otišao, rekao je da će biti s Nat tijekom komemoracije. Tada sam ga zadnji put vidjela.

Pip: Vidjela sam ga nakon toga. Pronašao je Nat, bio je s njom i Naomi. A zatim je nakon toga došao nakratko razgovarati s Connorom. Činio se u redu oba puta. Potom je, za vrijeme komemoracije, prije nego što je Ravijev otac počeo govoriti, Jamie prošao pored mene, zapravo mi je naletio s leđa. Činio se odsutnim, možda čak i nervoznim. Ne znam što je vidio da ga je natjeralo da se probija kroz gomilu usred ceremonije. Ali nešto je moralo biti.

Joanna: Kada je to bilo?

Pip: Možda deset minuta poslije osam.

Joanna: Znači, *ti* si zadnja osoba koja ga je vidjela.

Pip: Izgleda da jesam, zasada. Znate li je li Jamie imao neke planove nakon komemoracije?

Joanna: Ne, mislila sam da će doći kući. Ali danas mi je Connor rekao da je spomenuo kako će se vidjeti s Nat ili tako nešto.

Pip: U redu, provjerit ću s Connorom. A kamo ste vi otišli nakon komemoracije?

Joanna: Arthur i ja smo otišli na večeru u *pub*. S prijateljima: Lowesima — Antovim roditeljima — i Davisima, i Morganima, znaš, s gospođom Morgan i njezinim suprugom. To smo se još odavno dogovorili.

Pip: A kada ste se oboje vratili kući?

Joanna: Zapravo, vratili smo se odvojeno. Ja sam vozila, pa nisam pila alkohol, ali neki iz našeg društva koji nisu trebali piti rekli su da im nakon komemoracije ipak treba piće. Pristala sam odvesti Lowesove i Morganove kući kako bi i oni mogli malo popiti. Naravno, to je značilo da je auto bio pun, ali Arthuru nije smetalo ići pješice; ne živimo daleko.

Pip: U koliko ste sati napustili *pub*? Je li to bio *King's Head*?

Joanna: Da. Mislim da smo svi otišli malo prije jedanaest. Svi su bili umorni i nije se činilo u redu ostati predugo vani i zabavljati se nakon komemoracije. Lowesovi žive u gradu, kao što i sama znaš, ali Morganovi su iz Beaconsfielda i, kao što Arthur kaže, ja strašno volim brbljati, pa se nisam vratila kući do najmanje četvrt sata poslije ponoći. Connor i Arthur bili su kod kuće, u krevetu. Ali Jamieja nije bilo. Poslala sam mu poruku prije nego što sam otišla spavati. Evo, pročitat ću ti što sam napisala. *Idem spavati, dušo, hoćeš li uskoro doći kući? xx.* To je bilo u 00:36. Pogledaj. Poruka nije isporučena. Nije ni prošla.

Pip: Zar ni dosad?

Joanna: Ne. To je loš znak, zar ne? Telefon mu još uvijek ne radi i očito da je bio isključen i prije 00:36… ili se nešto, nešto gadno dogo…

Pip: Molim vas, Joanna, nemojte se uzrujavati. O. K., prekinimo ovdje.

Naziv datoteke:

 Savršeno ubojstvo — Dnevnik dobre cure — Intervju s Connorom Reynoldsom.wav

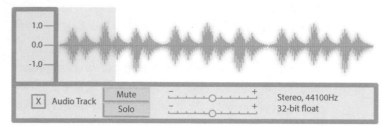

Pip: Snimamo. Ali moraš prestati gristi nokte, čuje se na mikrofonu.

Connor: Oprosti.

Pip: Htjela sam se vratiti na onaj tvoj raniji komentar, odnosno da se Jamie čudno ponašao zadnjih tjedana. Da je bio odsutan i lako bi planuo. Možeš li mi dati neke specifične primjere i datume?

Connor: Aha, pokušat ću. Jamiejevo raspoloženje je ustvari već zadnjih par mjeseci bilo nekako nepredvidivo. Bio je dobro, ponašao se kao dobri stari Jamie, ali je onda početkom ožujka postao baš nesretan i tih, jedva da je i s kim razgovarao. »Nad njega se nadvio crni oblak«, kako moja mama kaže.

Pip: Tvoja mama misli da je Jamie bio uzrujan kada je Nat da Silva prohodala s novim dečkom, jer su se baš tada počeli zbližavati. Može li to objasniti Jamiejevu promjenu raspoloženja?

Connor: Aha, možda, vremenski se poklapa s tim. Takav je bio nekoliko tjedana i onda je iznenada opet bio O. K., smijao se i šalio, puno vremena provodio na telefonu. Imamo pravilo da ne smijemo koristiti mobitel kad se gleda Netflix, inače mama samo ode na Facebook i onda moramo vraćati kad nešto propusti. Ali primijetio sam da je Jamie stalno bio na svom mobitelu, i to ne samo na Redditu, izgledalo je kao da tipka, dopisuje se s nekim.

Pip: I bio je dobro raspoložen u to vrijeme?

Connor: Da, definitivno. Nekih tjedan i pol bio je stvarno raspoložen: razgovorljiv, nasmijan. Onakav kakav je inače. A onda se opet sve promijenilo, i to ponovno iznenada. Točno se sjećam i koji dan je bio jer smo zajedno išli gledati novi *Tomb Raider* u kino, a to je bilo 30. ožujka. Prije nego što smo trebali krenuti, Jamie je izašao iz svoje sobe i rekao da ipak neće ići, a po glasu se moglo shvatiti koliko se trudi da ne zaplače. No tata mu je rekao da mora ići s nama jer smo već kupili ulaznice. Malo su se porječkali oko toga, i na kraju je Jamie ipak išao s nama. Sjedio sam pored njega i vidio sam da plače tijekom filma. Mislio je da ga nitko ne vidi jer je bilo mračno.

Pip: Znaš li što ga je toliko uznemirilo?

Connor: Nemam pojma. Nastavio se tako ponašati nekoliko dana, zaključavao se u sobu čim bi došao s posla. Jedne sam ga večeri pitao je li O. K., a on je samo uzvratio: »Da, dobro sam«, iako nam je obojici bilo jasno da nije. Jamie i ja smo uvijek jedan drugom sve govorili. Sve. Donedavno. Ne znam što se dogodilo.

Pip: A nakon tih nekoliko dana?

Connor: Pa, onda se nekako vratio u normalu. Činio se sretan, ne baš lud od sreće, ali bolje nego prije. I stalno je bio na telefonu. Samo sam htio da opet budemo bliski, da se zafrkavamo kao i inače, pa sam jednog dana dok je tipkao na mobitelu, prije nekoliko tjedana, protrčao pored njega i zgrabio mu ga iz ruke, dobacivši mu: »S kim se to dopisuješ?« Samo sam se šalio jer i on mene tako uvijek zadirkuje. Ali Jamie to nije tako shvatio. Napao me. Pritisnuo me uza zid dok nisam ispustio telefon. Nisam ni namjeravao stvarno pogledati s kim se dopisuje, samo sam se šalio. Ali kad me onako pritisnuo uza zid, to... to kao da više nije bio moj brat. Poslije mi se ispričavao, govorio mi nešto o pravu na privatnost, ali bilo je… nekako, znaš, nisam se osjećao ugodno. I čuo sam ga jako kasno noću na mobitelu. Zapravo, gotovo svake noći u zadnja dva tjedna. A nekoliko puta prošli tjedan čuo sam kako se iskrada iz sobe kad mama i tata odu spavati. Ne znam kamo ide. Tako je bilo i prošli tjedan, na njegov rođendan. Čuo sam ga kako izlazi prije ponoći. Čekao sam budan i slušao. Vratio se oko dva i kad sam mu to sljedeće jutro spomenuo, rekao je da sam to sigurno samo umislio. I ovaj ponedjeljak sam se slučajno trgnuo iz sna u tri ujutro; prilično sam siguran da me on probudio kada se vratio kući.

Pip: Kužim.

Connor: Ali to nije normalno Jamiejevo ponašanje. Znaš ga i sama, Pip, obično je opušten, smiren. A sada mu se odjednom raspoloženje tako iznenada mijenja. Sav je tajnovit, iskrada se iz kuće. Lako se naljuti. Nešto nije u redu, jednostavno znam da nije. Mama ti je pokazala poruku, zar ne? Poslala ju je Jamieju oko pola jedan prošle noći i još uvijek nije isporučena. A telefon je bio isključen još prije toga. Ili je razbijen.

Pip: Ili mu se ispraznila baterija?

Connor: Ne. Bila je gotovo puna. Znam jer kad smo bili u autu, pitao sam Jamieja koliko je sati i on mi je pokazao ekran. Baterija je bila na osamdeset osam posto ili tako nešto. To je noviji mobitel, ne bi se tako brzo ispraznila. I zašto bi ga isključio kad je bio vani? Nema smisla.

Pip: Da, to što poruka nije isporučena u to vrijeme svakako je znakovito.

Connor: Što misliš da to znači?

Pip: Ne mogu nagađati dok ne saznam više.

Connor: To znači da je u opasnosti, zar ne? Samo mi ne želiš reći. Da ga je netko ozlijedio. Ili oteo?

Pip: Connore, još ništa ne znamo. Ništa ne isključujem, ali ne možemo donositi zaključke bez dokaza, tako to ne funkcionira. Vratimo se na jučerašnji dan. Ispričaj mi kako ti je prošao dan, kako ste ti i Jamie međusobno komunicirali? Je li se nešto bitno dogodilo?

Connor: Ovaj...

Pip: Što je bilo?

Connor: Pa, bilo je nešto.

Pip: Connore?

Connor: Nećeš reći mojoj mami, zar ne?

Pip: Sjećaš se što si me zamolio? Ovo će čuti stotine tisuća ljudi. I tvoja mama će to čuti, pa što god da je u pitanju, moraš mi reći, a onda moraš reći i njoj.

Connor: Sranje, da. Samo što... O. K., dakle, Jamie i moja mama, oni se stvarno dobro slažu. Uvijek je tako bilo. Gotovo da bi ga se moglo nazvati mamim sinom; jednostavno se dobro razumiju. Ali Jamie i tata, eh, njihov je odnos kompliciran. Jamie mi je jednom rekao da misli da ga tata mrzi, da je stalno razočaran njime. Ne razgovaraju zapravo ni o čemu, samo dopuštaju da se problemi gomilaju i onda povremeno eskaliraju u velike svađe. A onda, kad to završi i nestane neugodnosti, vrate se u normalu i cijeli ciklus se ponavlja. Eto... baš jučer su imali jednu od tih svojih velikih svađa.

Pip: Kada?

Connor: Negdje oko pola šest. Mama je bila u trgovini. Završili su prije nego što se vratila, tako da ne zna. Slušao sam sa stepenica.

Pip: Zbog čega su se svađali?

Connor: Zbog uobičajenih stvari. Tata je govorio Jamieju da se mora trgnuti, preuzeti odgovornost i srediti svoj život, da on i mama neće uvijek biti tu da mu pomognu da ponovno stane na svoje noge. Jamie je rekao da se trudi, ali da tata nikada to ne primjećuje jer ga je ionako unaprijed osudio na neuspjeh. Nisam uspio čuti cijelu svađu, ali sjećam se da je tata rekao nešto kao: »Mi ti nismo banka, mi smo ti roditelji.« Ne znam o čemu se točno radilo, možda je tata spomenuo da bi Jamie trebao plaćati stanarinu dok živi s nama. Mama misli da je to smiješno i nikada to neće dopustiti, ali tata uvijek govori da će »jedino tako naučiti«. Posljednje što su izrekli jedan drugome, prije nego što se mama vratila, bilo je...

Pip: Što?

Connor: Tata je rekao: »Pravi si niškoristi.« A Jamie mu je uzvratio: »Znam.«

Pip: Jeste li zato svi šutjeli kad ste se vozili na komemoraciju? Mama ti je to primijetila.

Connor: Da. O, Bože, bit će tako uznemirena kad joj kažem.

Pip: Trebao bi joj reći večeras, kad ja odem.

Connor: Pretpostavljam.

Pip: Onda se vratimo na tu večer. Stižete na komemoraciju i ti odlaziš pronaći naše prijatelje, a Jamie ide pronaći Nat. Ali došao je do tebe u jednom trenutku. Kad smo Zach i ja razgovarali s mojim novim susjedima, Jamie ti je prišao i razgovarali ste.

Connor: Aha.

Pip: Što ti je tada rekao?

Connor: Ispričao mi se. Bilo mu je žao zbog svađe s tatom; zna da mrzim kad se svađaju. A onda mi je rekao da će nakon komemoracije otići malo do Nat da Silve i provesti večer s njom. Mislim da su smatrali da je dobra ideja biti u društvu nekoga tko je također poznavao Sala i Andie. No rekao je i da će se vratiti kući te noći. I dok je odlazio, posljednje što mi je dobacio bilo je: »Vidimo se poslije.« Ne vjerujem da bi mi samo tako lagao u lice ako je znao da se neće vratiti. Ali mama i ja smo jutros zvali Nat; ona uopće nije vidjela Jamieja nakon komemoracije. Ne zna gdje je.

Pip: A gdje si ti otišao nakon komemoracije?

Connor: Pa, Zach i ja nismo bili raspoloženi ići na ubijačinu s Antom i Lauren, jer njih ionako nitko drugi ne zanima, pa sam otišao do Zachove nove kuće i igrali smo... *Fortnite*, pa sad, eto, cijeli svijet zna i za to. A poslije me Zach odbacio kući.

Pip: U koliko sati?

Connor: Otišli smo od Zacha malo poslije pola dvanaest, znači da sam bio kod kuće oko ponoći. Bio sam umoran, odmah sam otišao u krevet, čak nisam ni zube oprao. A Jamie se nije vratio. Spavao sam, otišao sam u krevet ne razmišljajući o Jamieju. Baš je glupo, ali ozbiljno, kako neke stvari uzimaš zdravo za gotovo. Bio sam glup. Mislio sam da će se vratiti. Trebao se vratiti. A sada je...

Osam

»Fotografije?«

»Da, neke njegove novije fotografije««, reče Pip gledajući naizmjence u jedno pa u drugo dok su otkucaji velikog kuhinjskog sata odbrojavali tišinu. Ali činili su se presporima, kao da se ona nekako kretala brže od vremena. Takav osjećaj već neko vrijeme nije imala i nedostajao joj je. »Imate li slučajno koju fotku s komemoracije na kojoj se vidi kako je bio odjeven?«

»Ne«, reče Joanna otključavajući svoj telefon i pretražujući fotografije. »Ali imam ih puno s Jamiejevog rođendana prošli četvrtak.«

»Imate li neku gdje mu se jasno vidi lice?«

»Evo, pogledaj.« Joanna joj pruži telefon preko stola. »Ima ih nekoliko, samo povlači ulijevo.«

Connor je približio stolicu da preko Pipina ramena vidi ekran. Prva fotografija prikazuje Jamieja samog, s druge strane ovog kuhinjskog stola. Tamnoplava mu je kosa začešljana u stranu, smiješak mu je jako širok, proteže se od jednog rumenog obraza do drugog, dok mu brada svijetli narančastom bojom od odsjaja svjećica na torti u obliku velike gusjenice. Na sljedećoj fotografiji nagnut je nad tortu, napuhanih obraza i spreman ugasiti svjećice, čiji se plamičci naginju kako bi mu pobjegli. Pip klizne prstom do sljedeće

74

fotke. Na njoj Jamie gleda dolje prema torti, a u ruci mu je dugačak sivi nož s crvenim plastičnim prstenom između drška i oštrice. Zabada vrh noža u vrat gusjenice, od čega je stvrdnuta čokoladna glazura napukla. Na sljedećoj fotografiji glava je gusjenice odvojena, Jamiejev pogled podignut i smješka se direktno u kameru. Zatim fotka na kojoj je torta nestala iz kadra, a zamijenio ju je poklon u Jamiejevim rukama, umotan u napola potrgani srebrni papir na točkice.

»O, da«, Connor prasne u smijeh, »Jamiejevo lice kad je shvatio da mu je tata kupio Fitbit za rođendan.«

Istina; Jamiejev osmijeh ovdje je izgledao nategnuto, isforsirano. Pip ponovno klizne palcem i time pokrene video koji je bio sljedeći na redu. I Connor je sada bio u kadru, oba brata zajedno. Jamiejeva ruka prebačena je preko Connorovog ramena. Snimka se lagano trese, a čuju se i šumovi disanja.

»Nasmiješite se, dečki«, čuje se Joannin glas na snimci.

»Pa smiješimo se«, promrmlja Jamie trudeći se da ne skine osmijeh s lica dok pozira.

»Što se događa?« pita Joannin glas.

»Bože dragi,« kaže Connor, »opet je slučajno snimila prokleti video. Zar ne?«

»Joj, mama.« Jamie se nasmije. »Zar opet?«

»Nisam,« uporna je Joanna, »nisam to pritisnula, to je ovaj glupi telefon.«

»Uvijek je kriv telefon, zar ne?«

Jamie i Connor se pogledaju, a njihovo se smijuljenje pretvara u visoki hihot dok Joanna sve upornije tvrdi da nije pritisnula tipku za snimanje. Čuje se i Arthur kako joj govori: »Daj meni da vidim, Jo.« Tada Jamie čvršće stisne ruku oko Connorovog vrata i privuče glavu svog mlađeg brata na prsa, a drugom mu rukom promrsi kosu, na što se Connor kroz smijeh pobuni. I tu video završava.

»Oprosti«, kaže Pip primjećujući kako se Connor ukočio na svojoj stolici, a Joannine su se oči napunile suzama, pa je spustila pogled prema podu. »Možeš li mi poslati sve ovo mejlom, Connore? I ostale novije fotografije koje pronađeš?« On se nakašlje. »Da, može.«

»U redu.« Pip ustane i počne pakirati *laptop* i mikrofone u torbu.

»Ideš?« upita Connor.

»Još nešto prije nego što odem«, kaže ona. »Morala bih pretražiti Jamiejevu sobu. Je li to O. K.?«

»Da. Da, naravno«, kaže Joanna ustajući. »Možemo li i mi s tobom?«

»Naravno«, kaže Pip čekajući da Connor otvori vrata i povede ih gore. »Jeste li je već pretraživali?«

»Ne baš«, kaže Joanna slijedeći ih uz stepenice, postajući sve napetija kad su čuli Arthura kako se nakašljao u dnevnom boravku. »Došla sam ovamo ranije, čim smo shvatili da ga nema. Brzinski sam provjerila je li spavao ovdje prošle noći i otišao rano ujutro. Ali nije, zavjese su još bile razmaknute. Jamie nije tip osobe koja razmiče zavjese ujutro ili pospremа krevet.« Zaustavili su se ispred vrata Jamiejeve zamračene sobe, bila su malo odškrinuta. »Jamie nije baš najuredniji«, rekla je oprezno. »Unutra je pomalo neuredno.«

»Nema veze«, odvrati Pip dajući Connoru kimanjem znak da otvori vrata, što on i učini. U sobi su se predmeti tek nazirali u polumraku sve dok Connor nije upalio svjetlo, a zatim su se pretvorili u neuredan krevet, zatrpani stol ispod prozora i otvoreni ormar iz kojega je na pod poispadala odjeća, koja je u takvim hrpama nalikovala otocima na morskoplavom tepihu.

Neuredno je bila preblaga riječ za to.

»Mogu li, ovaj…«

»Da, učini što god moraš. Zar ne, mama?« kaže Connor.

»Da«, tiho je odgovorila Joanna pogledavajući oko sebe mjesto na kojemu se nestanak njezinog sina najviše osjećao.

Pip se probijala prema stolu preskačući i izbjegavajući hrpe majica i bokserica. Prešla je prstom preko zatvorenog *laptopa* koji je ležao posred stola, preko naljepnice Iron Mana čiji su se rubovi ljuštili. Nježno ga je otvorila i pritisnula tipku za uključivanje.

»Zna li itko od vas Jamiejevu lozinku?« upitala je dok se stroj lagano zujajući pokretao, a plavi ekran Windowsa iskočio i tražio prijavu.

Connor je slegnuo ramenima, a Joanna odmahnula glavom.

Pip se nagnula da upiše *lozinka1* u okvir za unos.

Neispravna lozinka.

12345678.

Neispravna lozinka.

»Kako se zvao vaš prvi mačak?« upitala je Pip. »Onaj narančasti?«

»PeterPan«, rekao je Connor. »Sve jedna riječ.«

Pip je pokušala time.

Neispravno.

Unijela je tri puta pogrešnu lozinku i sada se pojavio prozorčić s podsjetnikom. U njemu je bila poruka koju je Jamie napisao: *Makni mi se s računala, Con.*

Connor ju je pročitao čujno udahnuvši kroz nos.

»Zaista je važno da nekako uđemo«, rekla je Pip. »Ovo nam je trenutno najjača veza s Jamiejem i onim što je radio.«

»Moje djevojačko prezime?« rekla je Joanna. »Probaj ukucati Murphy.«

Neispravna lozinka.

»Nogometni tim?« upitala je Pip.

»Liverpool.«

Neispravno. Čak i s brojevima koji zamjenjuju neka slova i dodavanjem brojki jedan i dva na kraju.

»Možeš li i dalje pokušavati?« upitala je Joanna. »Neće te nekako izbaciti?«

»Ne, nema ograničenja na Windowsu. Ali pogoditi točnu lozinku s ispravnim redoslijedom brojki i velikih slova bit će komplicirano.«

»Ne možemo li upasti nekim drugim, zaobilaznim načinom?« pitao je Connor. »Na primjer, resetirati računalo?«

»Ako ponovno pokrenemo cijeli sustav, izgubit ćemo sve datoteke. I što je najvažnije, kolačiće i spremljene lozinke na njegovom pregledniku, za njegovu e-poštu i društvene mreže. A tamo baš i trebamo ući. Ima li šanse da znate lozinku za e-poštu s kojom su povezani Jamiejevi Windowsi?«

»Ne, žao mi je.« Joannin je glas puknuo. »Trebala bih znati takve stvari. Zašto ih ne znam? Potrebna sam mu, a ne mogu mu pomoći.«

»Ne brinite se.« Pip se okrenula prema njoj. »Pokušavat ćemo i dalje, sve dok nekako ne uđemo. Ako nam ne uspije, mogu se pokušati javiti računalnom stručnjaku koji bi mogao na silu ući.«

Joanna se ponovno snuždila grleći samu sebe oko ramena.

»Joanna,« rekla je Pip ustajući, »zašto ne biste i dalje pokušavali unositi lozinke dok ja pretražujem po stvarima? Pokušajte se sjetiti Jamiejevih omiljenih mjesta, hrane, putovanja na kojima ste bili. Sve tog tipa. I probajte razne varijacije, mala slova, velika slova, zamijenite slova brojevima, stavite jedan ili dva na kraju.«

»O. K.« Lice joj se malo razvedrilo jer je imala osjećaj da je od neke koristi.

Pip je nastavila pretraživati sobu, pregledavala je ladice s obje strane stola. Jedna je sadržavala samo olovke i vrlo staro isušeno ljepilo u *sticku*. U drugoj se nalazio blok papira A4 i izblijedjeli fascikl na kojemu je pisalo *Radovi za faks*.

»Jesi li nešto pronašla?« upitao je Connor.

Odmahnula je glavom pa se spustila na koljena kako bi dohvatila koš za smeće ispod stola, naginjući se preko Joanninih nogu i izvlačeći ga. »Pomozi mi s ovim«, rekla je Connoru vadeći sadržaj koša komad po komad. Ispražnjen dezodorans. Zgužvani papirić: Pip ga je razmotala i vidjela da se radi o računu za sendvič s piletinom i majonezom od utorka 24. ovog mjeseca u 14:23 iz trgovine na glavnoj ulici. Ispod toga je bio paketić flipsa Monster Muncha s okusom ukiseljenog luka. Na vanjskoj, zamašćenoj strani vrećice bio je zalijepljen papirić. Pip ga je odlijepila i raširila. Na njemu je plavom kemijskom olovkom pisalo: *Hillary F. Weiseman lijevo 11.*

Podigla ga je prema Connoru. »Je li ovo Jamiejev rukopis?« Connor je kimnuo. »Hillary Weiseman«, rekla je Pip. »Poznajete li je?«

»Ne«, Connor i Joanna su odgovorili uglas. »Nikad čula za to ime«, dodala je Joanna.

»Pa, Jamie je očito poznaje. Izgleda da je ovo nedavno napisao.«

»Da,« rekla je Joanna, »imamo spremačicu koja nam čisti svaka dva tjedna. Dolazi srijedom, pa je sve što se u tom košu nalazi bačeno najmanje u zadnjih deset, jedanaest dana.«

»Potražimo tu Hillary, možda zna nešto o Jamieju.« Pip je izvadila mobitel. Na ekranu je bila Carina poruka: *Spremna za* Stranger Things *uskoro??* Sranje. Pip joj brzo odgovori: *Žao mi je, ne mogu večeras, kod Connora sam. Jamie je nestao. Objasnit ću ti sutra. Žao mi je xxx.* Pip pošalje poruku i pokuša zatomiti osjećaj krivnje pa klikne na preglednik i otvori 192.com za pretraživanje biračkog popisa. Utipkala je Hillary Weiseman i Little Kilton u rubriku za pretraživanje.

»Pogodak«, rekla je kad se pojavio rezultat. »Imamo jednu Hillary F. Weiseman koja živi u Little Kiltonu. Bila je na biračkom popisu ovdje... oh... od 1974. do 2006. Čekajte.« Pip otvori još jednu karticu preglednika pa ugugla ime uz *Little Kilton* i *osmrtnice*. Prvi rezultat iz *Kilton Maila* dao joj je odgovor koji je tražila. »Ne, to ne može biti ta Hillary. Umrla je 2006. u dobi od osamdeset četiri godine. Mora biti neka druga. Pogledat ću to poslije.«

Pip je raširila komadić papira među prstima i fotkala ga.

»Misliš da je to neki trag?« upitao je Connor.

»Sve je trag dok ga ne odbacimo«, odgovorila je.

Ostala je još samo jedna stvar u kanti: prazna smeđa papirnata vrećica, zgužvana u kuglu.

»Connore, možeš li, bez previše diranja, pretražiti džepove Jamiejeve odjeće?«

»A što tražim?«

»Bilo što.« Pip priječe na drugu stranu sobe. Zaustavi se da promotri krevet s plavim pokrivačem s uzorkom pa nogom zapne o nešto na podu. Bila je to šalica, unutrašnjost joj je bila skorena od šećera i čaja na dnu. Ali nije se još uhvatila plijesan. Sa šalice je bila odlomljena ručka, a ležala je nekoliko centimetara dalje. Pip je pažljivo podigla oba dijela i pokazala ih Joanni.

»Nije samo malo neuredan«, rekla je Joanna nježnim glasom punim ljubavi. »Ovo je pravi svinjac.«

Pip je šalicu, u koju je ubacila i ručku, položila natrag na noćni ormarić, odakle je vjerojatno i pala.

»Samo maramice i nešto sitniša«, rekao joj je Connor.

»Ni ja nisam imala više uspjeha«, komentirala je Joanna, brzo prelazeći prstima po tipkovnici. Zvuk tipke *Enter* postajao je sve glasniji i pun očaja sa svakim novim pritiskom.

Na noćnom ormariću, pored razbijene šalice, nalazila se i lampa, pohabani primjerak knjige *Posljednje uporište* Stephena Kinga i kabel punjača za iPhone. Bila je tu i jedna ladica ispod koje su se nalazile četiri klimave noge. Pip je pomislila da bi to moglo biti mjesto gdje Jamie vjerojatno drži svoje privatnije stvari. Okrenula se tako da Connor i Joanna ne vide što će tamo naći, za svaki slučaj, i otvorila ladicu. Bila je iznenađena što u njoj nije bilo kondoma ili nečeg sličnog. Pronašla je Jamiejevu putovnicu, bijele slušalice sa zapetljanim žicama, kutiju multivitamina s dodatkom željeza, straničnik u obliku žirafe i ručni sat. Pip je odmah privukao sat, iz jednog jedinog razloga: nije mogao pripadati Jamieju.

Kožni remen sata bio je nježne ružičaste boje, a kućište bliještavog *rose gold* premaza, s metalik cvjetićima koji su se penjali uz lijevu stranu brojčanika. Pip je prešla prstom preko njih osjećajući kako joj latice bockaju prst.

»Što je to?« upitao je Connor.

»Ženski sat«, odgovorila je Pip okrećući se. »Je li vaš, Joanna? Ili možda Zoein?«

Joanna se približila da ga izbliza pogleda. »Ne, nije. Nikada ga prije nisam vidjela. Misliš li da ga je Jamie kupio nekome?«

Pip je bilo jasno da je Joanna pomislila na Nat, ali ako je ikada postojao sat koji se Nat da Silva sigurno ne bi svidio, onda je to bio ovaj. »Ne«, rekla je Pip. »Nije nov, pogledajte — ima ogrebotina po kućištu.«

»Pa čiji je onda? Možda pripada onoj Hillary?« upitao je Connor.

»Ne znam«, rekla je Pip pažljivo vraćajući sat u ladicu. »Može nešto značiti, a može biti i potpuno beznačajno. Pričekajmo pa ćemo vidjeti. Mislim da smo za sada završili.« Uspravila se.

»O. K., što dalje?« upitao je Connor gledajući je pogledom punim nemira.

»To je sve što možemo učiniti večeras«, rekla je Pip izbjegavajući njegov razočarani pogled. Zar je stvarno mislio da će riješiti sve u samo nekoliko sati? »Vi samo nastavite pokušavati otkriti tu lozinku. Zapišite sve opcije koje ste isprobali. Pokušajte s Jamiejevim nadimcima, omiljenim knjigama, filmovima, mjestom rođenja, bilo čime što vam padne na pamet. Ja ću istražiti popis tipičnih elemenata lozinke i kombinacija, pa ću vam to sutra donijeti da suzimo izbor.«

»Hoću«, rekla je Joanna. »Neću stati.«

»I nastavite provjeravati mobitel«, rekla je Pip. »Ako mu se ona poruka u bilo kojem trenutku isporuči, želim da mi to odmah javite.«

»Što ćeš ti raditi?« upitao je Connor.

»Zapisat ću sve informacije koje sam dosad prikupila, malo uređivati, još nešto snimiti te pripremiti priopćenje za mrežnu stranicu. Sutra ujutro svi će znati da je Jamie Reynolds nestao.«

Oboje su je na vratima brzinski i nezgrapno zagrlili, nakon čega je Pip izašla u mrak. Bacila je pogled preko ramena dok je odlazila. Joanna je već ušla u kuću, bez sumnje se vraćajući odmah Jamiejevom računalu. Ali Connor je još uvijek stajao na vratima i promatrao je kako odlazi izgledajući poput uplašenog dječačića kojega je Pip nekad poznavala.

Naziv datoteke:

Komadić papira pronađen u Jamiejevom košu za smeće.jpg

Naziv datoteke:

 Savršeno ubojstvo — Dnevnik dobre cure — SEZONA 2 —
EPIZODA I — Uvod.wav

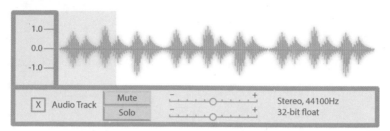

Pip: Dala sam obećanje. Sebi. Svima. Rekla sam da to više nikada neću raditi, neću više glumiti detektivku, nikada se više neću izgubiti u svijetu tajni malog grada. To više nisam bila ja. I držala bih se toga obećanja, znam da bih. Ali nešto se dogodilo i sada ga moram prekršiti.

Nestao je netko koga poznajem. Jamie Reynolds iz Little Kiltona. On je stariji brat jednog od mojih najboljih prijatelja, Connora. Dok ovo snimam, u subotu dvadeset osmog travnja u 23:27, prošlo je dvadeset i sedam sati od Jamiejevog nestanka. I nitko ništa ne poduzima u vezi s tim. Policija je njegov nestanak kategorizirala kao slučaj niskog rizika i nema dovoljno ljudi kojima bi dodijelila zadatak da ga traže. Misle da je jednostavno nekamo otišao, da zapravo nije nestao. I da budem najiskrenija, nadam se da su u pravu. Nadam se da je ovo ništa, da ovdje nema nikakvog slučaja. Da je Jamie samo otišao posjetiti nekog prijatelja i pritom zaboravio poslati poruku svojoj obitelji ili im uzvratiti propuštene pozive. Nadam se da je dobro… Nadam se da će se vratiti kući za par dana i čuditi se svoj ovoj strci. Ali nema mjesta za nadu, ne u ovom slučaju, i ako ga nitko drugi neće tražiti, onda moram ja.

Stoga: Dobro došli u drugu sezonu podcasta *Savršeno ubojstvo: Dnevnik dobre cure — Nestanak Jamieja Reynoldsa.*

NEDJELJA

DVA DANA OD NESTANKA

Naziv datoteke:

📄 Bilješke o slučaju 1.docx

Početna zapažanja

— Jamiejevo ponašanje u posljednjih nekoliko tjedana čini se neobičnim: česte promjene raspoloženja, nekoliko puta u posljednjih tjedan dana iskradao se kasno iz kuće. Ali što je radio? I sve je nekako, izgleda, povezano s njegovim mobitelom?

— Ovo nije primjereno snimiti za *podcast*, ali je li sumnjivo da Arthur Reynolds ne želi sudjelovati u istrazi? Ili je razumljivo s obzirom na to da je Jamie i prije znao nestati i ne javiti im se? Odnos im je napet, a i ozbiljno su se posvađali neposredno prije odlaska na komemoraciju. Je li u pitanju jednostavno ponavljanje obrasca: svađa s ocem → odlazak na nekoliko dana bez javljanja obitelji?

— Ali Connor i Joanna uvjereni su da Jamie NIJE samo tako otišao od kuće. Ne vjeruju ni da bi si Jamie nekako pokušao nauditi, unatoč odnedavnim promjenama raspoloženja.

— Joannina neisporučena poruka koju je poslala Jamieju u 00:36 ključan je dokaz. To znači da je Jamiejev telefon bio isključen barem otprilike od tog trenutka i više nije bio ponovno uključen. Već ta činjenica baca ozbiljnu sumnju na teoriju da je »samo tako otišao«: Jamie bi trebao mobitel da se javi prijatelju kod kojeg bi prespavao ili da koristi javni prijevoz. Znači, ako

Naziv datoteke:

 Plakat.Nestalaosoba.docx

NESTAO

(Čekam fotografiju
od Connora.)

JAMIE REYNOLDS

Dob: 24 godine Visina: 1,75 m Težina: 82 kg
Kratke plave kose tamnije nijanse, plavih očiju.

Nosio je tamnocrvenu košulju bez ovratnika,
traperice i bijele tenisice Puma.

Zadnji put viđen u petak, 27. travnja, oko 20 sati

na komemoraciji u **javnom gradskom prostoru Little Kiltona.**

HITNO: Ako ste vidjeli Jamieja nakon komemoracije ili imate bilo kakve informacije o tome gdje se nalazi, molimo nazovite **07700900382** ili se javite na e-adresu **SUDDCpodcast@gmail.com.**

Molimo vas da na gornju e-adresu pošaljete i sve fotografije i videosnimke s komemoracije u petak koje bi mogle poslužiti u istrazi.

Devet

P<small>IP JE ČEKALA NA GLAVNOJ ULICI.</small> Blijedožuto sunce lijeno je sjalo, ptice su usporeno prelijetale jutarnje nebo; čak su i automobili u prolazu zvučali pospano, a gume su im cviljele po cesti. Nikome se nije žurilo. Nimalo. Ništa nije upućivalo na to da nešto nije u redu ili da nedostaje. Sve je bilo i previše tiho, prigušeno, sve dok se Ravi nije pojavio iza ugla iz Gravelly Waya mašući i trčeći prema njoj.

Zagrlio ju je, a Pip je ugurala svoj nos pod njegovu bradu. Vrat mu je uvijek bio topao, čak i kada, prema vremenskim prilikama, nikako ne bi trebao biti.

»Blijeda si«, rekao je Ravi odmaknuvši se malo od nje. »Jesi li uspjela uhvatiti nešto sna?«

»Malo«, rekla je. I premda je zasigurno bila umorna, uopće se nije tako osjećala. Zapravo, prvi put nakon nekoliko mjeseci osjećala se bistro i fokusirano, u skladu sa samom sobom. Glava joj je zujala onim zvukom koji joj je nedostajao. Što nije bilo u redu s njom? Želudac joj se neugodno stezao. »Statistički gledano, sa svakim satom koji prođe vjerojatnost da će Jamie ikada biti pronađen postaje sve manja. Prva sedamdeset i dva sata su ključna—«

»Hej, slušaj me.« Ravi joj je podignuo bradu tako da ga može gledati ravno u oči. »Moraš se brinuti i o sebi. Ne možeš dobro razmišljati ako se ne naspavaš, jer takva nisi Jamieju ni od kakve koristi. Jesi li doručkovala?«

»Popila sam kavu.«

»A jesi li jela?«

»Ne.« Nije imalo smisla lagati mu, uvijek bi je prozreo.

»Dobro, i pretpostavljao sam da će tako biti«, rekao je vadeći nešto iz stražnjeg džepa. Bila je to energetska pločica Coco Pops koju joj je ugurao u ruku. »Molim vas, pojedite to, gospođo. Odmah.«

Pip mu je uputila pogled koji je značio da se predaje i odmotala šuškavi papirić.

»Kraljevski doručak, eto«, rekao je Ravi. »Fino omekšan toplinom moje guze.«

»Mmm, kako je ukusno«, rekla je Pip uzimajući zalogaj.

»Onda, koji je plan?«

»Connor će nam se uskoro pridružiti«, rekla je između dva zalogaja. »I Cara. Vas troje ćete krenuti postavljati plakate po gradu, a ja idem u redakciju *Kilton Maila*. Nadam se da će netko biti ondje.«

»Koliko si plakata isprintala?« upitao je.

»Dvjesto pedeset. Trajalo je sto godina — tata će poludjeti kad vidi da sam potrošila svu tintu.«

Ravi je uzdahnuo. »Mogao sam ti pomoći s tim. Ne moraš sve raditi sama, zapamti. Mi smo tim.«

»Znam. I vjerujem ti u svemu, *osim* kad su plakati u pitanju. Sjećaš li se onog mejla koji si skoro poslao odvjetničkom uredu s rečenicom ›Jasno mi je da ste veoma zaguzeti‹, umjesto zauzeti?«

Nije si mogao pomoći — grohotom se nasmijao. »Pa, zato imam curu.«

»Da ti pregledava gramatiku i pravopis?«

»Da, samo za to, ništa drugo.«

Connor je stigao nekoliko minuta poslije, žurnim koracima koji su odjekivali na pločniku i obraza rumenijih nego inače. »Oprosti«, rekao je. »Pomagao sam mami ponovno zvati bolnice. Ništa... Bok, Ravi.«

»Bok«, rekao je Ravi pa je potapšao Connora po ramenu zadržavši ruku tamo nekoliko sekundi dok su razmjenjivali pogled pun prešutnog razumijevanja. »Pronaći ćemo ga«, blago je rekao kimajući u Pipinu smjeru. »Ova ovdje je previše tvrdoglava da ne bi u tome uspjela.«

Connor se pokušao nasmijati.

»O. K., ovo je za vas.« Pip je izvukla debeli svežanj plakata, podijelila ga i svakome uručila polovicu. »Ovi plastificirani su za izloge trgovina i vanjske prostore. Oni obični su za ubacivanje u sandučiće na vratima. Obavezno ih polijepite posvuda po glavnoj ulici i ulicama oko glavnog trga. I podijelite ih svim susjedima. Connore, jesi li donio klamericu?«

»Da, dvije. I selotejp«, rekao je.

»Dobro. Trebali bismo krenuti.« Kimnula im je u znak pozdrava i ostavila ih tamo te izvadila mobitel da provjeri koliko je sati. Bilo je točno trideset i sedam sati od nestanka, bez ikakvog upozorenja ili pompe. Vrijeme joj je polako izmicalo i Pip je ubrzala korak da ga sustigne.

Netko je ipak bio ondje; vidjela je pogrbljeni lik žene i začula škljocanje ključeva ispred male redakcije *Kilton Maila*. Pip ju je prepoznala kao jednu od volonterki koje su radile za gradske novine.

Žena nije bila svjesna da je netko promatra dok je zveckala svežnjem ključeva birajući onaj kojim će otvoriti vrata.

»Bok«, rekla je Pip glasno, od čega se žena trgnula, kako je Pip i pretpostavila.

»O«, žena je uzviknula prije nego što joj je glas prešao u nervozan smijeh. »O, to si ti. Mogu li ti kako pomoći?«

»Je li Stanley Forbes ovdje?« upitala je Pip.

»Trebao bi biti.« Napokon je pronašla odgovarajući ključ i gurnula ga u bravu. »Moramo završiti izvještaj o komemoraciji prije nego što novine danas odu u tisak, pa me zamolio da mu dođem pomoći.« Otvorila je vrata. »Izvoli«, rekla je, a Pip je prešla preko praga i ušla u maleno predvorje.

»Ja sam Pip«, rekla je slijedeći ženu na putu prema stražnjem uredu i prolazeći pored dviju izlizanih sofa.

»Da, znam tko si«, rekla je žena zbacujući jaknu sa sebe. A zatim, malo manje ledenim tonom, dodala: »Ja sam Mary, Mary Scythe.«

»Drago mi je, još jednom«, rekla je, što zapravo nije bila istina. Pretpostavila je da je Mary jedna od onih osoba koje su Pip krivile za *sve te probleme* prošle godine u njihovom lijepom, živopisnom gradiću.

Mary je otvorila vrata pa su ušle u malu četvrtastu sobu s četiri radna stola s računalima, postavljena uza zidove. Bila je jednako tijesna i klaustrofobična kako ju je Pip i zapamtila. Valjda to tako mora biti kad su u pitanju male gradske novine koje se uglavnom financiraju donacijama obitelji koja živi u onoj vili gore na Beechwood Bottomu.

Stanley Forbes je sjedio za stolom postavljenim uza zid nasuprot njima, okrenut leđima. Neuredni pramenovi tamnosmeđe kose stršali su, vjerojatno jer je prstima prolazio kroz nju. Nije se nimalo obazirao na njih, već je ostao nagnut nad svojim ekranom i, sudeći po bijeloj i tamnoplavoj boji koja je njime dominirala, bio na Facebooku.

»Bok, Stanley«, rekla je Pip tiho.

Nije se okrenuo. Štoviše, nije se uopće ni pomaknuo, već je nastavio skrolati po otvorenoj stranici na svom računalu. Nije ju čuo.

»Stanley?« pokušala ga je ponovno dozvati. Ništa, ni trzaj. Je li možda imao slušalice u ušima? Nije ih mogla vidjeti.

»Iskreno,« promrmljala je Mary, »uvijek to radi. Ima najselektivniji sluh koji sam ikada vidjela. Jednostavno isključi cijeli svijet. Hej, Stan!« gotovo je podviknula izgovarajući mu ime na što je on konačno podigao pogled okrećući stolicu prema njima.

»Oh, oprosti, meni govoriš?« rekao je, a zeleno-smeđe oči kojima je najprije pogledao Mary na kraju su mu se zaustavile na Pip.

»Pa ne vidim nikoga drugog u prostoriji«, rekla je Mary lagano razdraženo, spuštajući torbu na stol koji se nalazio najdalje od Stanleyjevog.

»Bok«, ponovila je Pip prilazeći mu i premošćujući udaljenost između njih u samo četiri velika koraka.

»Z-zdravo«, rekao je Stanley ustajući. Ispružio je ruku prema njoj, s namjerom da se rukuju, ali se odjednom oči-gledno predomislio i povukao je — nakon čega se opet pre-domislio i uz osmijeh pun nelagode ponovno ispružio ruku prema njoj. Vjerojatno se nije dosjetio najprikladnijeg načina da je pozdravi, s obzirom na njihove zategnute odnose u prošlosti te činjenicu da je ona sada imala osamnaest godina, a on je bio u kasnim dvadesetima.

Pip se rukovala s njim samo da ga natjera da prekine tu nelagodnu situaciju.

»Oprosti«, rekao je Stanley vraćajući nespretnu ruku uz bok.

Nije se ispričao samo Singhovima; i Pip je prije neko-liko mjeseci dobila pismo od Stanleyja. U njemu je izrazio žaljenje zbog načina na koji je s njom razgovarao i zbog toga što je Becca Bell uzela Pipin broj iz njegovog telefona i koristila ga da bi joj prijetila. U to vrijeme to nije znao, ali svejedno mu je bilo žao. Pip se pitala koliko je zapravo bio iskren.

»Kako ti mogu…« zaustio je Stanley. »Što si…«

»Znam da će sutrašnji članak o komemoraciji vjerojatno zauzeti puno prostora u novinama. Ali možete li osigurati da izađe i ovo?« Pip je spustila ruksak da izvadi plakat koji je sačuvala za novine. Uručila ga je Stanleyju i promatrala ga dok je čitao, pri čemu su mu se oči mrštile, a obraz mu se uvlačio jer ga je grizao iznutra.

»Nestao, je li?« Pogledao je ponovno. »Jamie Reynolds.«

»Poznajete li ga?«

»Mislim da ne«, rekao je Stanley. »Možda mi je samo lice poznato. Je li iz Kiltona?«

»Da. Obitelj mu živi na Cedar Wayu. Jamie je išao u kiltonsku gimnaziju, generacija Andic i Sala.«

»A kada je nestao?« upitao je.

»Piše ovdje.« Pipin glas je od nestrpljenja postao povišen. Maryna je stolica zaškripala kad se nagnula bliže da ih bolje čuje. »Posljednji je put viđen oko osam sati na komemoraciji, dok ne saznam nešto preciznije. Vidjela sam vas kako fotografirate tamo, možete li mi te slike poslati mejlom?«

»Hm, da, O. K. A policija?« upitao je Stanley.

»Podnesena je prijava o nestanku«, odgovorila je. »Ali policija još nije reagirala. Zasada samo ja nešto poduzimam. Zato mi treba vaša pomoć.« Nasmiješila se pretvarajući se da joj nije mrsko što mora od njega tražiti pomoć.

»Nestao tijekom komemoracije?« Stanley je naglas razmišljao. »To je tek, otprilike, dan i pol?«

»Trideset sedam i pol sati«, rekla je.

»To nije baš dugo, zar ne?« Spustio je papir u ruci.

»Bez obzira na to, nestao je«, uzvratila je. »I prva sedamdeset i dva sata su ključna, posebno ako postoji sumnja da se dogodio zločin.«

»A ti misliš da postoji?«

»Da«, rekla je. »I obitelj također to misli. Onda, hoćete li mi pomoći? Možete li sutra objaviti to u novinama?«

Stanley je na trenutak podigao pogled okrećući očima dok je razmišljao. »Pa mogao bih odgoditi onaj članak o rupama na cestama do idućeg tjedna.«

»Je li to potvrdan odgovor?« pitala je.

»Da, sigurno će biti u sutrašnjim novinama.« Kimnuo je, prstima lupkajući po plakatu. »Iako, siguran sam da će se vratiti, živ i zdrav.«

»Hvala vam, Stanley.« Uzvratila mu je ljubaznim osmijehom. »Najiskrenije.« Okrenula se na petama, spremna da ode, ali Stanleyjev ju je glas zaustavio pred samim vratima.

»Tajne uvijek nekako pronađu put do tebe, zar ne?«

Deset

ZVONO NA VRATIMA glasno je zaječalo, razdirući joj uši poput vriska. Pip je skinula prst s njega, te se u bijeloj kući u nizu povratila tišina. Nadala se da je ovo prava kuća. Rekli su joj: Beacon Close, broj trinaest, tamnocrvena vrata.

Upadljivo bijeli sportski BMW bio je parkiran na prilazu, a odbljesak jutarnjeg sunca s njega, ravno prema Pipinim očima, zaslijepio ju je.

Tek što je htjela ponovno zazvoniti, začula je zvuk struganja u cilindru brave. Vrata su se naglo otvorila prema unutra i pred njom se pojavio muškarac škiljeći zbog jarke svjetlosti. Očito je to bio taj njezin novi dečko. Nosio je svježe opranu bijelu majicu s crnim Adidasovim trakama na dugim rukavima i tamne košarkaške kratke hlače.

»Da?« rekao je grubim i umornim glasom kao da se upravo probudio.

»Bok«, rekla je Pip veselo. Muškarac je imao tetovažu na prednjem dijelu vrata, siva tinta na svijetloj koži prikazivala je simetrične oblike koji su se ponavljali i pomalo nalikovali ribljim ljuskicama. Iz tog je motiva izlazilo jato ptica i letjelo prema rubu njegovog lica te mu ulazilo pod smeđu kratko ošišanu kosu. Pip ga je ponovno pogledala u oči. »Ovaaj, je li Nat da Silva tu? Tražila sam je kod roditelja, pa mi je njezina mama rekla da ću je vjerojatno ovdje pronaći.«

»Da, tu je«, rekao je šmrcnuvši. »A ti si joj prijateljica?«

»Da«, rekla je Pip, što je bila laž, ali bilo je lakše izreći to nego: *Ne, ona me još uvijek mrzi iako dajem sve od sebe da me prestane mrziti.* »Ja sam Pip… Fitz-Amobi. Mogu li ući? Trebala bih s njom hitno razgovarati o nečemu jako važnom.«

»Aha, pa dobro. Doduše, malo je rano«, rekao je i zakoračio unatrag pokazujući joj rukom da ga slijedi. »Ja sam Luke. Eaton.«

»Drago mi je.« Pip je zatvorila ulazna vrata za sobom i slijedila Lukea hodnikom pa iza ugla sve do kuhinje u stražnjem dijelu kuće.

»Nat, treba te prijateljica«, rekao je Luke dok su ulazili.

Prostorija je bila četvrtastog oblika, a kuhinjski elementi s jedne strane bili su postavljeni u obliku slova L, dok je drugu stranu ispunjavao veliki drveni stol. Na jednom kraju stola ležala je hrpa novca, činilo se, pritisnuta ključevima BMW-a. A na drugom kraju sjedila je Nat da Silva, sa zdjelicom žitarica pred sobom. Nosila je, kako se činilo, vjerojatno jednu od Lukeovih sportskih majica dugih rukava, a izblajhana joj je kosa bila začešljana u stranu.

Ispustila je žlicu punu žitarica, koja je glasno zveknula o zdjelu.

»Što ti hoćeš?« rekla je.

»Bok, Nat.« Pip je stajala ondje s osjećajem nelagode, kao zarobljena negdje između Lukea, koji je stajao na vratima, i Nat, koja je sjedila za stolom.

»Već si mi na komemoraciji rekla što si mi htjela reći«, uzvratila je Nat osorno i ponovno primila žlicu u ruku.

»O, ne, ovaj put se ne radi o suđenju.« Pip je oprezno koraknula prema Nat.

»Kakvom suđenju?« pitao je Luke stojeći iza nje.

»Ma ništa«, odgovorila je Nat punih usta. »Što hoćeš onda?«

»Radi se o Jamieju Reynoldsu«, rekla je Pip. Kroz prozor je uletio povjetarac od kojeg su zaigrale čipkaste zavjese i zašuškalo je par smeđih papirnatih vrećica na pultu. Vjerojatno vrećice iz nekog restorana s dostavom.

»Jamie je nestao«, dodala je.

Natine plave oči potamnjele su ispod obrva koje su se spustile. »Nestao? Njegova mama me jučer nazvala i pitala jesam li ga vidjela. Zar se još nije pojavio?«

»Ne, i jako su zabrinuti. Jučer su i službeno prijavili njegov nestanak, ali policija ništa ne poduzima.«

»Misliš pritom na mog brata?«

Pip joj je uletjela ravno u zamku.

»Pa, ne, razgovarala sam s inspektorom. Kaže da ne mogu ništa učiniti. Stoga su me Reynoldsi zamolili da ja preuzmem istragu.«

»Za onaj svoj *podcast*?« Nat je tu posljednju riječ izgovorila s puno prijezira u glasu, izgovarajući suglasnike što je moguće oštrije.

»Pa, da.«

Nat je progutala još jedan zalogaj žitarica. »Baš si oportunistica.«

Luke se podsmjehnuo iza nje.

»Zamolili su me«, rekla je Pip tiho. »Pretpostavljam da nisi zainteresirana da mi daš intervju.«

»A vidim, i dobro opažaš«, rekla je dok je mlijeko sa žlice kapalo na stol na pola puta između njenih usta i zdjelice.

»Jamie je rekao svom bratu da ide do tebe — do kuće tvojih roditelja — poslije komemoracije, i da će provesti večer s tobom.«

»Trebao je doći. Ali nije se pojavio.« Nat brzo pogleda prema Lukeu. »Nije mi poslao ni poruku da neće doći. Čekala sam ga. Pokušavala sam ga nazvati.«

»Znači, posljednji kontakt koji si imala s Jamiejem bio je na komemoraciji, uživo?«

»Da.« Nat je uzela još jedan zalogaj hrskavih žitarica. »Do trenutka malo poslije govora Andienih prijateljica, a onda sam primijetila kako Jamie zuri u gomilu s druge strane, kao da pokušava nešto vidjeti. Pitala sam ga što se događa, a on mi je rekao: ›Upravo sam vidio nekoga.‹«

»I?« rekla je Pip kada je Natina pauza predugo potrajala.

»Onda je otišao, pretpostavljam razgovarati s tom osobom, tko god već to bio«, rekla je.

To je bio trenutak kada je i Pip zadnji put vidjela Jamieja. Naletio joj je s leđa dok je prolazio kroz gomilu, s nekim čudnim, napetim izrazom na licu. Ali prema kome je išao?

»Imaš li pojma tko je taj ›netko‹ koga je primijetio?«

»Ne«, rekla je Nat protežući vratom uz glasno krckanje. »Očito nije netko koga poznajem jer bi mi tada spomenuo ime. Vjerojatno je s *tom osobom*. Vratit će se. Jamie je takav, prilično isključiv.«

»Njegova je obitelj uvjerena da mu se nešto dogodilo«, rekla je Pip, a noge su joj počele trnuti od predugog stajanja. »Zbog toga moram doći do svih informacija o njegovom kretanju za vrijeme komemoracije i nakon toga. Saznati s kim je razgovarao u petak navečer. Znaš li ti nešto što bi mi moglo pomoći?«

Čula je kako je Luke duboko izdahnuo iza nje prije nego što je progovorio. »Nat je u pravu, Jamie je vjerojatno samo kod nekog prijatelja. Siguran sam da se bez razloga pretjerano brinete.«

»Poznaješ li Jamieja?« Pip se osvrnula da ga pogleda.

»Ne, ne dobro, samo preko Nat. Dobri su prijatelji. Ako ona kaže da je O. K., onda je vjerojatno O. K.«

»Pa, ja—« Nat je zaustila.

»Jesi li ti bio na komemoraciji?« Pip je pitala Lukea. »Jesi li vidio—«

»Jok, nisam bio tamo.« Luke je coknuo jezikom. »Nisam poznavao nijedno od to dvoje klinaca. Stoga, ne, nisam vidio Jamieja. Nisam zapravo uopće ni izlazio iz kuće u petak.«

Pip je kimnula prema njemu, a zatim se ponovno počela okretati prema kuhinjskom stolu i samo na sekundu uhvatila Natin izraz na licu. Gledala je u smjeru Lukea, ruka joj se zamrznula u zraku dok je htjela uzeti žlicu, a usta su joj ostala blago otvorena kao da je htjela progovoriti, ali je zaboravila kako se to radi. Potom joj je pogled ponovno sletio na Pip i onaj izraz lica u trenu je ispario, tolikom brzinom da Pip više nije bila sigurna je li ga uopće vidjela niti što bi mogao značiti.

»Dakle,« rekla je Pip, sada pažljivije promatrajući Nat, »je li se Jamie te večeri ili u posljednjih nekoliko tjedana čudno ponašao?«

»Mislim da nije«, rekla je Nat. »Nismo se baš često čuli u posljednje vrijeme.«

»Jeste li se dopisivali? Razgovarali na mobitel kasno noću?« pitala je Pip.

»Pa, ne baš...« Nat je odjednom odustala od svojih žitarica, naslonila se na stolicu i prekrižila ruke ispred sebe. »Što je sad ovo?« rekla je glasom jezivo oštrim od bijesa. »Zar me ti to ispituješ? Mislila sam da si samo željela saznati kad sam zadnji put vidjela Jamieja, ali sada mi zvučiš kao da me optužuješ. Baš kao i prošli put.«

»Ne, nisam tako—«

»Pa, ni tada nisi bila u pravu, zar ne? Trebala bi naučiti nešto iz svojih pogrešaka.« Nat se odgurnula prema natrag, a oštar cvilež nogu stolice po pločicama probijao je cijelo Pipino tijelo. »Tko je tebe uopće proglasio izvršiteljicom pravde u ovom usranom gradu? Možda su svi ostali presretni što sudjeluju u tome, ali ja nisam.« Zatresla je glavom i spustila svoje blijedoplave oči. »A sada odlazi.«

»Žao mi je, Nat«, rekla je Pip. Ništa drugo nije ni mogla reći; svaki njezin pokušaj rezultirao je samo time da je Nat zamrzi još više. A samo je jedna osoba bila kriva za to. Ali Pip više nije bila ta osoba, zar ne? Ona praznina u njezinom trbuhu ponovno se razjapila.

Luke je otpratio Pip hodnikom do izlaza i otvorio joj vrata.

»Lagala si mi«, rekao je dok je Pip prolazila pored njega, a u glasu mu se čula natruha zabavljenosti. »Rekla si mi da ste prijateljice.«

Zažmirila je od bljeđtavila Lukeovog automobila, okrenula se prema njemu i slegnula ramenima.

»Mislio sam da dobro prepoznajem lažove.« Sve je jače stezao šaku oko dovratnika. »Nemoj nas uvlačiti u to, što god to već radiš. Čuješ?«

»Čujem.«

Luke se nasmijao i zatvorio vrata uz oštar tresak.

Dok se udaljavala od kuće, Pip je izvadila mobitel da vidi koliko je sati. Bilo je 10:41. Trideset osam i pol sati od nestanka. Njezin ekran bio je pretrpan notifikacijama s Twittera i Instagrama, a pristizale su i nove dok je gledala u nj. Izašla je objava koju je na mrežnoj stranici i društvenim mrežama zakazala u pola jedanaest, a u njoj je najavila drugu sezonu *podcasta*. Tako da su sada svi saznali za Jamieja Reynoldsa. Zaista više nije bilo povratka.

Stiglo joj je i nekoliko e-poruka. Još joj je jedna tvrtka ponudila sponzorstvo. Jedan mejl bio je od Stanleyja Forbesa, uz dvadeset i dva privitka, a naslovio ga je: *fotke s komemoracije.* I jedan od prije dvije minute: Gail Yardley, koja je živjela u Pipinoj ulici.

Pozdrav Pippa, pisalo je. *Upravo sam po gradu vidjela plakate nestalog Jamieja Reynoldsa. Ne sjećam se da sam ga vidjela te večeri, ali pregledala sam na brzinu svoje fotografije s komemoracije i pronašla sam ga. Možda bi trebala pogledati ovu fotku.*

Naziv datoteke:

📄 Bilješke o slučaju 2.docx

Na fotki Gail Yardley nesumnjivo je bio Jamie, stajao je ondje. Metapodaci pokazuju da je fotografija snimljena u 20:26, dakle Jamie u to vrijeme još nije nestao, tu je bio deset minuta nakon što sam ga posljednji put vidjela.

Jamie gotovo da gleda ravno u kameru, što je samo po sebi najčudnija stvar na fotografiji. Svi ostali, svako drugo lice i svaki drugi par očiju gledaju prema gore, u istu stvar: u lampione za Andie i Sala, koji u tom trenutku lebde nad krovom paviljona.

Ali Jamie gleda u drugom smjeru.

Njegovo blijedo lice posuto pjegicama praktički je u mraku, okrenuto pod blagim kutom prema Gailinoj kameri, promatra nešto iza nje. Ili nekoga. Vjerojatno istu onu osobu o kojoj je govorila i Nat da Silva.

A na licu mu je nekakav čudan izraz, ne mogu ga sasvim točno protumačiti. Ne izgleda mi baš uplašeno. Ali je nešto slično tome. Zabrinuto? Nervozno? Usta su mu napola otvorena, oči razrogačene, a jedna mu je obrva blago podignuta, kao da je zbunjen zbog nečega. Ali tko je ili što izazvalo tu reakciju? Jamie je kazao Nat da je nekoga primijetio, no zašto se morao odmah početi probijati kroz gomilu za vrijeme komemoracije? I zašto stoji baš ovdje i promatra, pretpostavljam, baš tu osobu, umjesto da joj se pridruži? Nešto je tu baš čudno.

Pregledala sam i fotografije Stanleyja Forbesa. Jamie nije ni na jednoj, ali sam ih usporedila s Gailinom fotografijom pokušavajući pronaći nju u toj gomili i saznati koga to Jamie promatra ili barem suziti izbor. Stanley ima samo jednu fotografiju usmjerenu prema tom mjestu, a fotkao ju je, kako vidim iz metapodataka, prije početka komemoracije. Vidim Yardleyjeve kako stoje tamo, nekoliko redova ispred s lijeve strane. Zumirala sam lica iza njih, ali fotografija je snimljena s prilične udaljenosti i nije baš jasna. Vidim crne policijske uniforme i visoke kape kako se sjaje, pa prema tome mogu zaključiti da pokraj Yardleyjevih stoje Daniel da Silva i Soraya Bouzidi. Ta zamućena zelena jakna kraj njih najvjerojatnije pripada inspektoru Richardu Hawkinsu. Mislim da prepoznajem još nekoliko pikseliziranih lica iza njih, to je moja školska ekipa iz generacije, ali je nemoguće reći koga je Jamie promatrao. Osim toga, ova je fotka snimljena sat vremena prije one na kojoj je Jamie; a ljudi u gomili mogli su za to vrijeme i promijeniti mjesta gdje su stajali.

— Zabilježi ova opažanja poslije za epizodu 1.

Fotka — u kombinaciji s onim što mi je Nat rekla — svakako je trag na koji se istraga treba usmjeriti. Tko je taj *netko* koga je Jamie išao tražiti u gužvi? Ta bi osoba možda mogla znati kamo je Jamie te večeri otišao. Ili što mu se dogodilo.

Ostala zapažanja

- Jamieju je te večeri nešto ili netko morao odvući pažnju jer ne odlazi do Natine kuće kako je planirao, čak joj ne šalje ni poruku da neće doći. Je li ono što vidimo na fotografiji sam početak onoga što ga je *usmjerilo drugamo?*

- Osoba s kojom je Jamie u posljednje vrijeme vodio kasne noćne telefonske razgovore i stalno se dopisivao nije bila Nat da Silva, osim ako je to jednostavno namjerno prešutjela pred Lukeom (koji izgleda prilično opasno).

- Onaj izraz na Natinom licu kad je Luke rekao da u petak uopće nije izlazio iz kuće. Možda ništa ne znači. Možda je nešto što se tiče samo njih dvoje i što ne razumijem. Ali njezina reakcija definitivno mi nije izgledala beznačajnom. Vjerojatno nema veze s Jamiejem, ali moram sve zabilježiti. (To neću spominjati u *podcastu* — Nat me već ionako dovoljno mrzi.)

Jedanaest

ZVONO IZNAD VRATA KAFIĆA zazvonilo je odzvanjajući u njezinoj glavi duže nego što je trebalo. Taj joj je neželjeni odjek naglo prekinuo sve druge misli, ali nije mogla raditi kod kuće, pa će kafić morati poslužiti. Roditelji su joj dosada vjerojatno već vidjeli plakate po gradu. Ako Pip ode kući, morat će obaviti onaj *razgovor* s njima, a za to sada nije bilo vremena. Ili jednostavno nije bila spremna.

Stiglo je još e-poruka s priloženim fotografijama s komemoracije, a notifikacija kao odgovor na njezine objave sada je već bilo na tisuće. Pip ih je upravo utišala na mobitelu jer su ih dosada već pronašli i trolovi. *Ja sam ubio Jamieja Reynoldsa*, komentar je jednog od sivih profila bez slike. Netko drugi je napisao: *A tko će tebe tražiti kada nestaneš?*

Zvono je ponovno zaječalo, ali ovaj put zajedno s Carinim glasom.

»Hej«, rekla je izvlačeći stolicu nasuprot Pip. »Ravi mi je rekao da si ovdje. Baš sam ga vidjela dok sam završavala s Chalk Roadom.«

»Ostala si bez plakata?« upitala je Pip.

»Aha. Ali nisam o tome htjela s tobom razgovarati.« Carin se glas utišao kao da joj želi ispričati neku tajnu.

»Što je u pitanju?« Pip je odgovorila šapatom imitirajući je.

»Znaš, dok sam tako lijepila plakate i gledala Jamiejevo lice te čitala kakvu je odjeću nosio, ja… pa, što ja znam.«

Cara se nagnula prema naprijed. »Znam da sam bila jako pijana i ne sjećam se baš dobro svega one noći, ali neprestano imam taj neki osjećaj da sam... ha, mislim da sam vidjela Jamieja tamo te večeri.«

»Što to govoriš?« Pip je šokirano prosiktala. »Na ubijačini?«

Cara je kimnula nagnuvši se toliko daleko prema naprijed da više nije bila u sjedećem položaju. »Mislim, ne sjećam se toga baš jasno. Više kao neki *déjà vu*. Ali kad ga zamislim u toj odjeći, mogu se zakleti da je prošao pored mene na *partyju*. Bila sam pijana, pa mi možda to tada uopće nije bilo bitno ili možda nisam shvatila, ali — hej, nemoj me tako gledati! Sigurna sam da sam ga možda, ali možda vidjela tamo.«

»Sigurna si da si ga možda, ali možda vidjela tamo?« ponovila je Pip.

»O. K., očito nisam sigurna.« Namrštila se. »Ali mislim da je to bio on.« Konačno se naslonila natrag na stolicu i razrogačila oči prema Pip, kao da je izaziva da nešto kaže.

Pip je spustila poklopac *laptopa*. »Dobro, recimo da *jesi* vidjela Jamieja tamo. Što bi, dovraga, Jamie radio na zabavi s osamnaestogodišnjacima? On ima dvadeset i četiri godine i jedini ljudi naših godina koje poznaje su vjerojatno Connorovi prijatelji.«

»Nemam pojma.«

»Je li razgovarao s nekim?« upitala je Pip.

»*Ne znam*«, rekla je Cara, prstima si masirajući sljepoočnice. »Mislim da se sjećam samo kako je u nekom trenutku prošao pored mene.«

»Ali ako je stvarno bio tamo...« Pip je zaustila pa se prekinula jer joj se misli još nisu bile dobro formirale.

»Onda je stvarno čudno«, Cara je završila Pipinu misao.

»Stvarno čudno.«

Cara je ušutjela da popije gutljaj Pipine kave. »Pa, što ćemo s tim?«

»Pa, nasreću, imamo i puno drugih svjedoka s *partyja* koji bi mogli potvrditi to što ti misliš da si možda vidjela. I onda, ako se pokaže da je to istina, onda barem valjda znamo kamo je Jamie otišao nakon komemoracije.«

Pip je prvo poslala poruku Antu i Lauren i pitala ih jesu li vidjeli Jamieja na zabavi. Antov odgovor stigao je nakon dvije minute. Očito su bili zajedno jer je odgovorio i u Laurenino ime: *Ne, nismo ga vidjeli, nismo se tamo dugo zadržavali. Zašto bi Jamie bio tamo? X.*

»Ant i Lauren ne primjećuju ništa osim jedno drugo, baš čudno«, rekla je Cara sarkastično.

Pip im je poslala novu poruku: *Imate broj Stephena Thompsona, zar ne? Možete li mi ga poslati, molim vas? Hitno je. Bez poljupca.*

Zabava je bila u Stephenovoj kući i premda joj je i dalje bio mrzak — još od prošle godine s one ubijačine na koju je otišla da sazna informacije o dileru Howieju Bowersu, a Stephen ju je nasilu pokušao poljubiti — sada je taj osjećaj netrpeljivosti morala na trenutak staviti na stranu.

Kada joj je Ant napokon poslao Stephenov broj, Pip je eksirala ostatak svoje kave i nazvala ga, uz brzinski *pssst* prema Cari. Cara je prešla prstima preko usana i potpuno ih zatvorila, ali se približila Pip da bolje čuje razgovor.

Stephen se javio nakon što je telefon zazvonio četvrti put, i to sa zbunjenim »halo«.

»Bok, Stephene«, rekla je Pip. »Ovdje Pip. Fitz-Amobi.«

»O, hej«, rekao je Stephen mijenjajući ton, koji je sada postao nježniji i dublji.

Pip je prevrnula očima prema Cari.

»Što mogu učiniti za tebe?« upitao je.

»Ne znam jesi li vidio ove plakate po gradu—«

»O, baš mi je mama spomenula da ih je vidjela. Požalila se da su joj kao ›trn u oku‹.« Začuo se zvuk koji je Pip mogla opisati samo kao glasno cerekanje. »A ti imaš neke veze s tim?«

»Da«, rekla je, najvedrijim glasom koji je u tom trenutku mogla proizvesti. »Pa, poznaješ li Connora Reynoldsa iz naše generacije? Slušaj, njegov stariji brat Jamie nestao je u petak navečer i svi su jako zabrinuti.«

»Sranje«, rekao je Stephen.

»U petak navečer organizirao si ubijačinu u svojoj kući, je li tako?«

»Jesi li i ti bila?« upitao je Stephen.

»Nažalost, nisam«, rekla je Pip. Iako, bila je ispred kuće, kad je došla pokupiti pijanu, uplakanu Caru. »Ali priča se da je Jamie Reynolds bio tamo, pa me zanima sjećaš li se da si ga možda vidio? Ili si možda čuo da je netko drugi rekao kako ga je vidio?«

»Je li opet, ono, kao, neka tvoja istraga u pitanju?« upitao je.

Pravila se da nije čula pitanje. »Jamie ima dvadeset četiri godine, visok je oko sto sedamdeset i pet centimetara, ima tamniju plavu, gotovo smeđu kosu i plave oči. Nosio je—«

»Da«, Stephen ju je prekinuo. »Mislim da sam ga možda vidio tamo. Sjećam se da sam prolazio pokraj nekog tipa u dnevnoj sobi kojeg nisam prepoznao. Izgledao je malo stariji, pretpostavio sam da je s jednom od cura. Nosio je neku košulju, tamnocrvenu.«

»Da.« Pip se uspravila kimajući prema Cari. »To bi mogao biti Jamie. Šaljem ti fotku na telefon, možeš li mi potvrditi da je to on?« Pip je spustila mobitel s uha da pronađe Jamiejevu fotografiju, onu s plakata, pa ju je poslala Stephenu.

»To je on.« Stephenov glas bio je malo dalek jer je držao telefon pred sobom dok je gledao u ekran.

»Sjećaš li se koliko je bilo sati kad si ga vidio?«

»Ah, ne baš«, rekao je. »Mislim da je bilo još rano, možda devet-deset, ali nisam siguran. Vidio sam ga samo taj put.«

»Što je radio?« upitala je Pip. »Je li razgovarao s nekim? Pio?«

»Ne, nisam vidio da razgovara s nekim. Ne sjećam se ni da je držao piće u ruci. Mislim da je samo stajao tamo, promatrao. Pomalo jezivo, kad sad malo bolje razmislim.«

Pip je silno željela podsjetiti Stephena da je on zadnja osoba koja bi nekoga smjela nazvati jezivim. Ali zadržala je jezik za zubima. »Kada su ljudi počeli dolaziti kod tebe? Komemoracija je završila oko pola devet, je li većina odmah došla k tebi?«

»Da. Živim otprilike na nešto manje od deset minuta hoda, pa je većina došla ravno s glavnog trga. Onda, rekla si da opet istražuješ, zar ne? Je li to za onaj tvoj *podcast*? Jer...« Stephen je stišao svoj glas do šapata, »pa znaš, moja mama ne zna da sam organizirao ubijačinu; bila je na *wellnessu* preko vikenda. Razbijene vaze i mrlje od pića pripisao sam našem psu. Usto nas je i policija rastjerala oko jedan; očito nas je susjed prijavio zbog buke. Ali ne želim da moja mama sazna za *party*, pa ako bi mogla da to ne spomi—«

»Koji policajac vas je došao rastjerati?« prekinula ga je Pip.

»Ma onaj da Silva. Samo je rekao svima da odu kući. Onda, nećeš spominjati zabavu, zar ne? Na svom *podcastu*?«

»O, da, naravno da neću«, Pip mu je slagala. Naravno da će je spomenuti, tim više što će možda time uvaliti Stephena *Šlataroša* Thompsona u nevolju. Zahvalila mu je i prekinula poziv.

»Bila si u pravu«, rekla je Cari i ispustila telefon na stol.

»Stvarno? Jamie je bio tamo? Pomogla sam ti?«

»Bio je i da, pomogla si mi.« Pip joj se nasmiješila. »Pa, imamo dvoje svjedoka, nijedno mi ne može dati točno vrijeme, ali mislim da možemo s priličnom sigurnošću utvrditi da je Jamie bio tamo nakon komemoracije. A sada moram pokušati pronaći fotke kao dokaz, suziti vremenski okvir. Kako da najbolje pošaljem poruku svima koji su bili na zabavi?«

»Na Facebook-grupu svih učenika te školske generacije?« Cara je slegnula ramenima.

»To ti je dobra ideja.« Pip je ponovno otvorila *laptop*. »Prvo bih trebala javiti Connoru. Kog je vraga Jamie radio tamo?« Računalo joj je uz zujanje oživjelo, na ekranu se pojavilo Jamiejevo lice s plakata, a njegove blijede oči gledale su ravno u njezine, sve dok joj se hladni trnci nisu počeli spuštati niz vrat. Poznavala ga je; to je bio Jamie. *Jamie.* Ali koliko dobro zapravo ikoga poznaješ? Gledala je u njegove oči pokušavajući odgonetnuti tajne koje su se nalazile iza tog pogleda. *Gdje si?* upitala ga je tiho gledajući ga licem u lice.

Pozdrav svima,

kao što ste možda vidjeli na plakatima po gradu, Jamie Reynolds (Connorov stariji brat) nestao je u petak navečer nakon komemoracije. Nedavno sam saznala da je Jamie viđen na ubijačini kod Stephena Thompsona u I lighmooru. Šaljem hitnu molbu svima koji su bili tamo da mi pošalju sve svoje fotke i videa koje ste snimili tamo (obećavam da ništa od toga nikada neće dospjeti do vaših roditelja ili policije). To uključuje i *storyje* na Snapchatu odnosno Instagramu ako ste ih sačuvali. Molim vas da ih što prije pošaljete na navedenu e-adresu. Dolje vam šaljem i Jamiejevu fotografiju. Ako se itko sjeća da ga je vidio na zabavi ili ima bilo kakve informacije o tome gdje je mogao biti ili kamo se kretao u petak navečer, molim vas da mi se javite mejlom ili na moj mobitel.

Hvala vam,

Pip

(fotografija) Upiši poruku, @ime…

Naziv datoteke:

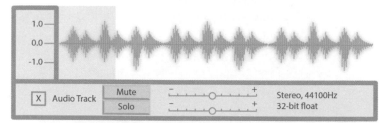

Savršeno ubojstvo — Dnevnik dobre cure — SEZONA 2 — Telefonski intervju s Georgeom Thorneom.wav

Pip: George, George, upravo sam pritisnula tipku za snimanje. Potpisat ćeš mi formular u školi sutra, ali zasada bih te htjela pitati pristaješ li da se tvoj glas koristi u *podcastu* koji će biti objavljen.

George: Da, u redu je.

Pip: O. K., premjestila sam se u stražnji dio kafića, čuješ li me sada bolje?

George: Da, puno bolje.

Pip: O. K. Znači, vidio si moju poruku na Facebooku. Vratimo se na ono o čemu si mi počeo govoriti. Možeš li krenuti ispočetka?

George: Da, dakle, vidio sam ga—

Pip: Oprosti, malo prije toga. Dakle, u petak navečer, gdje si bio?

George: O, da. U petak, nakon komemoracije, otišao sam na ubijačinu kod Stephena Thompsona. Nisam puno pio jer imamo jako važnu nogometnu utakmicu idući tjedan, vjerojatno ti je Ant rekao. Znači, sjećam se cijele večeri. I vidio sam ga, vidio sam tog Jamieja Reynoldsa u dnevnoj sobi. Stajao je naslonjen na jedan zid, nije ni s kim razgovarao. Sjećam se da sam pomislio kako ga ne poznajem i, znaš, obično su na tim zabavama uvijek isti ljudi iz škole, pa mi je zapeo za oko. Ali nisam s njim razgovarao.

Pip: O. K. Vratimo se sada na trenutak kad si ga ponovno vidio.

George: O. K. Dakle, nešto poslije izašao sam zapaliti. Ispred je bilo samo nekoliko ljudi, Jas i Katie M. su razgovarale jer je Katie plakala zbog nečega. I Jamie Reynolds je bio vani. Sjećam se toga vrlo jasno. Šetao je gore-dolje po pločniku ispred kuće i razgovarao s nekim na mobitelu.

Pip: Možeš li opisati njegovo ponašanje dok je bio na telefonu?

George: Da, pa, izgledao je nekako... uzrujano. Kao da je ljut, ali ne baš. Možda više uplašen? Glas mu je bio pomalo drhtav.

Pip: I jesi li čuo išta što je govorio?

George: Nešto malo. Dok sam palio cigaretu, čuo sam ga kako kaže:»Ne, ne mogu to učiniti.« Ili nešto slično. I to je nekoliko puta ponovio, tipa:»Ne mogu to učiniti, ne mogu.« I time mi je već privukao pažnju, pa sam ga slušao i dalje pretvarajući se da čačkam nešto na svom mobitelu. Nakon nekog vremena Jamie je počeo mahati glavom i govorio nešto poput:»Znam da sam rekao da ću učiniti sve, ali...« i onda je nekako utihnuo.

Pip: Je li te primijetio? Je li skužio da ga slušaš?

George: Mislim da nije. Mislim da nije bio svjestan ničega osim onoga što je slušao s druge strane linije. Nekako je i prekrio drugo uho kako bi bolje čuo. Neko vrijeme je šutio, kao da sluša, i dalje koračajući gore-dolje pločnikom. A onda je rekao:»Mogao bih pozvati policiju«, ili nešto slično. Definitivno se sjećam da je spomenuo policiju.

Pip: Je li to rekao kao da prijeti ili kao da time želi pomoći?

George: Ne znam, teško je točno znati. Onda je opet neko vrijeme šutio i samo slušao. Činilo mi se da je postajao sve nervozniji. Sjećam se da je spominjao neko dijete.

Pip: Dijete? Čije dijete?

George: Ne znam, samo sam čuo tu riječ. I onda je Jamie pogledao u mom smjeru i slučajno su nam se pogledi sreli, pa je očito shvatio da ga slušam. Tada se, još uvijek na telefonu, počeo udaljavati od kuće, išao je niz ulicu, a zadnje što sam čuo da kaže bilo je nešto poput:»Mislim da to ne mogu učiniti.«

Pip: U kojem je smjeru išao?

George: Prilično sam siguran da je otišao desno, prema glavnoj ulici.

Pip: I nisi ga vidio da se vraća?

George: Ne. Bio sam vani još nekih pet minuta. Nije se vratio.

Pip: A znaš li možda kada se sve to događalo?

George: Znam točno kada jer odmah nakon što je Jamie otišao, nekih trideset sekundi poslije, poslao sam poruku jednoj curi iz Cheshama s kojom se dopisujem. Poslao sam joj ovaj mem sa Spužvom Bobom... ma znaš što, to je nebitno, ali prema mom telefonu, to je bilo u 22:32, doslovno odmah nakon što je Jamie otišao.

Pip: 22:32? George, to je savršeno. Hvala ti puno. Jesi li možda uspio saznati barem nešto o osobi s kojom je Jamie razgovarao? Znaš li je li to bio muškarac ili žena?

George: Ne. Nisam ništa drugo mogao pohvatati, osim toga da se Jamieju baš nije svidjelo što mu ta osoba govori. Misliš... misliš li da je Connorov brat O. K.? Možda sam prije nekome trebao reći što sam vidio? Da sam te večeri poslao poruku Connoru...

Pip: O. K. je, pa nisi do prije sat vremena ni znao da je Jamie nestao. A tvoje informacije su mi od nevjerojatne pomoći. Connor će ti također biti jako zahvalan.

Dvanaest

SJEDILI SU, A MEĐU NJIMA su na kuhinjskom otoku stajala dva *laptopa*. Tipkali su u ritmu koji je povremeno bio ujednačen, a povremeno su se razilazili.

»Ideš prebrzo«, rekla je Pip Raviju zureći u njega preko vrha svog ekrana. »Moramo svaku pažljivo pregledati.«

»O«, rekao je sarkastično i pritom namjestio isti takav izraz lica. »Nisam bio siguran da moramo tražiti tragove i na noćnom nebu.« Okrenuo je *laptop* prema njoj pokazujući joj četiri uzastopne fotografije s kineskim lampionima kako lebde po mračnom nebu.

»Samo provjeravam, Narogušeni.«

»Tako ja nazivam *tebe*«, rekao joj je. »Nemaš prava koristiti tu riječ.«

Pip se vratila svom ekranu, pregledavajući jednu po jednu fotografije i snimke koje su joj poslali klinci s ubijačine. Ravi je prolazio kroz fotke s komemoracije, njih već više od dvjesto.

»Je li ovo najbolji način da se iskoristi vrijeme?« Ravi je brzo pregledavao još jedan niz fotografija. »Znamo da je Jamie otišao na ubijačinu nakon komemoracije i sada znamo da je odatle otišao živ i zdrav, u pola jedanaest. Zar ne bismo trebali pokušati pratiti njegova kretanja nakon tog vremena?«

»Znamo da je napustio ubijačinu,« rekla je Pip, »ali još uvijek ne znamo *zašto* je bio tamo, što je samo po sebi dovoljno čudno. A kad tome još dodamo i telefonski razgovor koji je George čuo? Takvo je ponašanje jako neobično za njega, mislim, vidio si Connorovo lice kad sam mu rekla. Nelogično je. Nema druge riječi za to. Jamiejevo ponašanje od komemoracije nadalje je nelogično. I mora biti nekako relevantno za njegov nestanak.«

»Valjda je tako.« Ravi se ponovno zagledao u ekran svog *laptopa*. »Znači, mislimo da je Jamie primijetio ›nekoga‹ na komemoraciji — tko god to bio. Uočio je tu osobu u gužvi i čekao, a onda ju je slijedio kada su krenuli prema Highmooru i otišli na ubijačinu. Je li Stephen *Šlataroš* rekao da mu se činilo kako je Jamie samo stajao tamo i promatrao?«

»Mislim da jest.« Pip je grickala donju usnicu. »To mi ima najviše smisla. Što znači da je taj ›netko‹ vjerojatno neka osoba iz škole, moje dobi ili možda iz generacije ispod mene.«

»Zašto bi Jamie slijedio nekoga iz tvoje škole?«

Pip je primijetila nelagodu u Ravijevom glasu iako ju je pokušao prikriti. Instinktivno je poželjela braniti Jamieja, ali sve što je na kraju rekla bilo je: »Stvarno ne znam.« Ništa u tome nije izgledalo dobro. Drago joj je što je poslala Connora kući s upitnikom od četiri stranice o uobičajenim elementima lozinke, da on i njegova mama nastave pokušavati ući u Jamiejevo računalo. Bilo je teže razgovarati o Jamieju dok je i on bio tamo. Ali i Pip je to teško prihvaćala. Sigurno su nešto propustili, nešto što bi objasnilo zašto je Jamie bio ondje i koga je tražio. Očito mu je moralo biti važno kad nije otišao ni do Nat i ignorirao je sve njezine pozive. Ali što je u pitanju?

Pip je pogledala na sat u donjem desnom kutu svog el na. Sada je bilo pola pet. A prema novim podacima, od trenutka kada je Jamie posljednji put viđen živ i zdrav, u 22:32, prošla su četrdeset i dva sata. Samo šest sati do četrdeset i osam. A to je period unutar kojega se većina nestalih osoba vrati: njih gotovo sedamdeset i pet posto. Ali Pip je imala osjećaj da Jamie neće biti među njima.

A tu je bio i sljedeći problem: Pipina obitelj trenutno je bila u supermarketu, mama joj je poslala poruku. Cijeli ih je dan izbjegavala, a s obzirom na to da je i Josh išao s njima i da voli impulzivno kupovati, sigurno će se i ovaj put duže zadržati (posljednji put nagovorio je tatu da kupi dvije vrećice štapića od sirove mrkve, koje su propale kad se sjetio da zapravo ne voli mrkvu). Ali čak i uz sve to Joshovo prenemaganje, uskoro će se vratiti kući, a nema šanse da dosada nisu već vidjeli plakate o Jamiejevom nestanku.

Pa, nije mogla više ništa učiniti, samo će se morati suočiti s tim kad se vrate. Ili možda izbjegavati to što duže bude mogla, tako što će pokušati zadržati Ravija da ostane što dulje; roditelji vjerojatno ne bi vikali na nju pred njim.

Pip je pregledavala još fotografija koje joj je poslala Katie C., jedna od šest cura s tim imenom iz njezine generacije. Pip je dosada našla dokaze o Jamieju samo na dvjema fotografijama od više desetaka koje je pregledala, a za jednu nije bila ni sigurna da može tvrditi da je on. Vidio se samo donji dio ruke, a virio je iza skupine dječaka koji poziraju za fotografiju u hodniku. Ta ruka, čije se tijelo nije vidjelo, nosila je tamnocrvenu košulju koja se podudarala s Jamiejevom i njegov četvrtasti crni sat. Znači, najvjerojatnije je to bio on, ali joj to ipak nije davalo korisne informacije, osim da je Jamie bio na zabavi u 21:16. Možda je tada tek stigao?

Na drugoj fotki barem mu se može vidjeti lice, odnosno u pozadini fotografije na kojoj je Jasveen, Pipina vršnjakinja, koja sjedi na plavom kauču s uzorkom. Kamera je bila fokusirana na Jas, koja se pretvarala da je jako tužna i razočarana, vjerojatno zbog ogromne crvene mrlje od pića na prednjoj strani njezine inače blještavobijele majice. Jamie je stajao nekoliko koraka iza nje, pokraj zamračenog izbočenog prozora, malo zamućen, ali mogu mu se prepoznati oči, pogled mu je bio uperen dijagonalno, nekamo izvan lijeve strane okvira. Čeljust mu je izgledala napeta, kao da stišće zube. To je moralo biti onda kada ga je vidio Stephen

Thompson; stvarno je izgledalo kao da nekoga promatra. Prema metapodacima, fotografija je snimljena u 21:38, tako da je Jamie do tog trenutka bio na zabavi najmanje dvadeset i dvije minute. Je li tamo stajao cijelo vrijeme, promatrajući?

Pip je otvorila još jednu e-poruku, onu Chrisa Marshalla, koji ide s njom na englesku književnost. Skinula je priloženu videodatoteku na *laptop*, stavila slušalice i pritisnula *play*.

Bio je to niz fotografija i kratkih videoisječaka: očigledno se radilo o Chrisovom *storyju* na Snapchatu ili Instagramu koji je spremio. Tu je bio *selfie* na kojemu on i Peter, koji sluša s njom nastavu iz politike, ispijaju po dvije boce piva, zatim kratki isječak gdje neki tip kojega Pip nije prepoznala radi stoj na rukama dok ga Chris bodri glasom koji iz mikrofona dopire isprekidano. Sljedeća je fotografija Chrisovog jezika, koji je nekako poplavio.

Zatim još jedan videoisječak, ovaj put toliko glasan u Pipinim ušima, poput eksplozije, da se štrecnula. Neki su se međusobno nadmetali tko će glasnije skandirati »Peter, Peter«, dok su drugi u sobi zviždali, rugali mu se i smijali. Bili su u prostoriji koja se čini kao blagovaonica. Stolice su bile odgurnute od stola na kojemu su s obje strane bile postavljene plastične čaše složene u dva trokuta.

Igrali su *beer pong*. Peter s politike bio je s jedne strane stola i usmjeravao udarac svijetlonarančaste stolnoteniske loptice žmireći na jedno oko dok se fokusirao. Trznuo je zapešćem i loptica mu je odletjela iz ruke te uz jedva čujan *pljus* sletjela u jednu od plastičnih čaša.

Pipine slušalice vibrirale su od vriskova koji su dolazili iz svih dijelova prostorije. Peter je urlao od sreće što je postigao pogodak dok se cura s druge strane žalila na to što sada mora eksati piće. Ali onda je Pipa pogledom odlutala u pozadinu videa jer je primijetila nešto drugo. Pauzirala ga je. Desno od staklenih kliznih vrata blagovaonice stajala je Cara. Usta su joj bila širom otvorena dok je i ona navijala, a dio tamne tekućine prelijevao joj se s vrha čaše u ovom zamrznutom trenutku vremena. A onda je Pip primijetila još nešto: u svijetložuto osvijetljenom hodniku iza Care vidjelo se stopalo koje je upravo nestajalo iza vrata. Dio noge u trapericama iste boje poput onih koje je Jamie nosio te noći i bijela tenisica.

Pip je pomaknula video četiri sekunde natrag, prije Peterovog pogotka. Pritisnula je *play* i odmah opet pauzirala. To je bio Jamie, stajao je vani u hodniku. Malo je bio mutan jer je bio u pokretu, ali sigurno je bio on: tamnoplava kosa i tamnocrvena košulja bez ovratnika, pogleda spuštenog na tamni predmet koji je čvrsto držao u rukama. Izgledao je kao mobitel.

Pip je nastavila gledati kako Jamie brzo hoda niz hodnik ne obraćajući pažnju na svu tu buku u blagovaonici, očiju uprtih u svoj telefon. Cara je na pola sekunde okrenula glavu prema njemu dok je odlazio, prije nego što je loptica sletjela u čašu, pa joj je vrištanje ponovno vratilo pažnju na ono što se događalo u prostoriji.

Četiri sekunde.

Jamie je uhvaćen na samo četiri sekunde. I onda je nestao, a posljednje što je od njega ostalo njegova je bijela tenisica.

»Pronašla sam ga«, rekla je Pip.

Trinaest

PIP JE POVUKLA KURSOR UNAZAD i pritisnula *play* da pokaže isječak Raviju.

»To je on«, potvrdio je naslonivši svoju bradu na njezino rame. »Tada ga je Cara vidjela. Pogledaj.«

»Kome trebaju nadzorne kamere kad imaš Snapchat?« zaključila je Pip. »Misliš li da ide hodnikom prema ulaznim vratima?« Okrenula se da pogleda Ravijeve oči dok je ponovno puštala video. »Ili prema stražnjem dijelu kuće?«

»Moglo bi biti i jedno i drugo«, rekao je Ravi. »Teško je reći bez poznavanja tlocrta kuće. Misliš li da možemo otići do Stephena da provjerimo?«

»Sumnjam da će nas pustiti unutra«, rekla je. »Ne želi da njegova mama zna za *party*.«

»Hm,« rekao je Ravi, »možda možemo pronaći tlocrt na stranicama za prodaju nekretnina kao što su Zoopla ili Rightmove ili tako nešto.«

Video se nastavio i nakon *beer ponga*, a uslijedio je i jedan u kojem Peter grli zahodsku školjku i povraća, dok se Chris smije iza kamere i govori mu: »Jesi li dobro, ljudino?«

Pip je pauzirala da ne moraju dalje slušati Peterovo povraćanje.

»Znaš li točno vrijeme kad je Jamie snimljen na videu?« upitao je Ravi.

»Ne. Chris mi je samo poslao spremljenu priču; nema nikakvih vremenskih oznaka ni na kojem dijelu.«

»Nazovi ga i pitaj.« Ravi je posegnuo preko stola i povukao njezin *laptop* prema sebi. »Vidjet ću mogu li pronaći tu kuću na Zoopli. Na kojem broju ono Stephen živi?«

»Devetnaest, na Highmooru«, rekla je Pip vrteći se na stolici, okrećući Raviju leđa i uzimajući svoj mobitel. Imala je Chrisov broj negdje. Znala je da ga ima jer su zajedno radili na jednom grupnom projektu prije nekoliko mjeseci. Aha, tu je: *Chris M.*

»Halo?« rekao je Chris kad se javio. Taj je pozdrav zvučao više kao pitanje; očito nije imao spremljen njezin broj.

»Bok, Chris. Ovdje Pip.«

»O, bok«, rekao je. »Upravo sam ti poslao mejl—«

»Da, hvala ti. Zato te zapravo i zovem. Onaj video gdje Peter igra *beer pong*, znaš li u koliko sati je snimljen?«

»Hm, ne sjećam se.« Chris je zijevnuo. »Bio sam prilično pijan. Ali zapravo pričekaj…« Njegov glas počeo je odjekivati i udaljavati se dok ju je stavljao na zvučnik. »Spremio sam tu priču da mogu kasnije maltretirati Petera, ali snimam videa u normalnoj aplikaciji na telefonu jer mi se Snapchat stalno ruši.«

»O, super ako ti je video ostao spremljen u albumu«, rekla je Pip. »Onda će imati točno vrijeme.«

»Sranje«, Chris je prosiktao kroz zube. »Sve sam ih izbrisao, žao mi je.«

Pipin želudac se stisnuo. Ali samo na sekundu pa je polako popustio kad se sjetila i rekla: »A album s nedavno izbrisanim fotkama?«

»O, to si se super sjetila.« Pip je čula kako Chris prstima prebire po uređaju. »Da, evo ga. Video *beer ponga* snimljen je u 21:56.«

»21:56«, ponovila je Pip zapisujući vrijeme u bilježnicu koju je Ravi upravo gurnuo prema njoj. »Savršeno, puno ti hvala, Chris.«

Pip je prekinula poziv iako je Chris još uvijek govorio. Nikad nije bila ljubiteljica tih dijelova razgovora koji bi se odugovlačili na početku i kraju poziva, a sada nije imala vremena pretvarati se. Ravi ju je često nazivao svojim malim buldožerom.

»Jesi li čuo?« upitala ga je.

Kimnuo je. »I pronašao sam Stephenovu kuću na Rightmoveu kad se ranije prodavala, posljednji put 2013. Fotografije ne otkrivaju baš puno, ali tlocrt je još uvijek tamo.« Okrenuo je ekran prema njoj pokazujući joj crno-bijeli dijagram prizemlja Stephenove kuće.

Pip je povukla *laptop* prema sebi, prstom prelazeći put od četverokuta dimenzija 17,80 m² označenog kao *blagovaonica*, pa izašla kroz dvostruka klizna vrata skrećući lijevo niz hodnik kao što je to učinio Jamie. Taj je put vodio do ulaznih vrata.

»Da«, uskliknula je. »Definitivno je napustio kuću u 21:56.« Pip je kopirala tlocrt i zalijepila ga u Paint da ga anotira. Nacrtala je strelicu niz hodnik prema ulaznim vratima i zapisala: *Jamie odlazi u 21:56.* »I gleda u mobitel«, rekla je Pip. »Misliš li da je upravo krenuo nazvati onu osobu s kojom ga je George čuo da razgovara?«

»Vjerojatno«, rekao je Ravi. »To bi značilo da se radilo o prilično dugom telefonskom pozivu. Ono, barem pola sata.«

Pip je nacrtala par strelica s vrhovima u oba smjera izvan ulaznih vrata na tlocrtu, označavajući tako Jamiejevo koračanje gore-dolje po pločniku dok je bio na telefonu. Upisala je i trajanje telefonskog poziva, a zatim nacrtala još jednu strelicu koja vodi dalje od kuće, kad se Jamie i konačno udaljio.

»Jesi li ikad razmišljala o tome da se profesionalno baviš crtanjem?« rekao je Ravi gledajući joj preko ramena.

»O, daj začepi, ovo je sasvim u redu s obzirom na to za što nam treba«, rekla je bocnuvši ga prstom u rupicu na bradi. Ravi je izgovorio »biiiiiip«, poput robota, praveći se da resetira svoje lice.

Pip ga je ignorirala. »Zapravo, ovo bi moglo pomoći objasniti i onu fotografiju na kojoj se vidi Jamie.« Otvorila je fotografiju na kojoj stoji iza Jasveen i njezine umrljane majice. Povukla ju je u stranu da podijeli ekran i postavi je pokraj fotografije tlocrta. »Tu je i kauč, pa se očito radi o dnevnom boravku, zar ne?«

Ravi se složio. »Kauč i izbočeni prozor.«

»O. K.«, rekla je Pip. »A Jamie stoji odmah desno od tog prozora.« Pokazala je na simbol izbočenog, polukružnog prozora na tlocrtu. »Ali ako pogledaš njegove oči, gleda u suprotnom smjeru, ulijevo.«

»Eto je, rješava ubojstva, a ne razlikuje lijevu od desne strane«, nasmijao se Ravi.

»To je lijeva«, tvrdila je uporno mrko ga gledajući. »Naša lijeva, njegova desna.«

»O. K., dobro, molim te, nemoj me povrijediti.« Podigao je ruke kao da se predaje, a nakrivljeni mu se osmijeh protezao između obraza. Zašto je toliko uživao u tome da je bocka? I zašto joj se sviđalo kad je to činio? To ju je izluđivalo.

Pip se okrenula natrag prema njemu, stavila prst na tlocrt, točno na mjesto gdje je Jamie stajao, i povlačila ga prateći približno onaj smjer kamo je Jamie pogledavao. To ju je dovelo do četvrtastog crnog simbola koji je stajao na suprotnom zidu. »Što to predstavlja?« upitala je.

»To je kamin«, rekao je Ravi. »To znači da je Jamie promatrao nekoga tko je stajao blizu kamina u 21:38. Vjerojatno istu onu osobu koju je slijedio još s komemoracije.«

Pip je kimnula i stavila oznake na te nove točke na tlocrtu dodajući i vrijeme.

»Dakle, ako prestanem tražiti Jamieja«, rekla je, »i umjesto toga potražim fotografije uslikane blizu kamina oko 21:38, možda ću moći suziti izbor osoba i vidjeti tko bi ta osoba mogla biti.«

»Dobar plan, narednice.«

»Vrati se ti svom poslu«, rekla je gurajući Ravija nogom oko kuhinjskog otoka. Odmaknuo se, ali ne prije nego što joj je skinuo čarapu.

Pip je čula samo jedan klik njegovog miša prije nego što je tiho rekao: »Sranje.«

»Ravi, prestani se zafrkavati—«

»Ne zafrkavam se«, rekao je, a osmijeh mu je nestao s lica. »Sranje.« Izrekao je to još glasnije ovaj put, ispustivši Pipinu čarapu.

»Što je bilo?« Pip je skliznula sa stolice i došla na njegovu stranu. »Našao si Jamieja?«

»Ne.«

»Onu osobu?«

»Ne, ali definitivno se radi o *određenoj* osobi«, rekao je Ravi mrkog izraza lica i tada je napokon vidjela što je bilo na njegovom ekranu.

Na fotografiji je bilo stotinjak lica, svi su gledali u nebo, pogleda uprtih u lampione. Najbliže osobe u kadru bile su osvijetljene sablasnim srebrnim sjajem, a umjesto očiju imale su crvene točke zahvaljujući bljeskalici s kamere. A gotovo na samom rubu, tamo gdje se gužva prorijedila, stajao je Max Hastings.

»Ne«, rekla je Pip, a ta joj je riječ sporo izlazila iz grudi sve dok ih nije potpuno napustila i ostavila ih sasvim ispražnjenima.

Bio je to Max. Stajao je tamo sam, u crnoj jakni koja se stopila s tamom večeri, a glavu mu je prekrivala kapuljača i skrivala veći dio njegove kose. No to je nedvojbeno bio on iako su mu oči bile jarkocrvene od bljeskalice, a lice blijedo i bezizražajno.

Ravi je tresnuo šakom po mramornoj ploči kuhinjskog otoka, od čega mu se zatresao *laptop*, a Maxove su oči zadrhtale. »Kog je kurca on radio tamo?« Dah mu je glasno strujao kroz nos. »Znao je da ga ondje baš nitko ne želi vidjeti.«

Pip je stavila ruku na Ravijevo rame i osjetila koliko je bijesan prema podrhtavanju njegove kože. »Jer je on takva osoba koja radi što god želi, bez obzira na to koga će time povrijediti«, rekla je.

»Ja nisam htio da bude tamo«, rekao je Ravi promatrajući Maxa. »Nije smio biti tamo.«

»Žao mi je, Ravi.« Prešla je rukom niz njegovu i ugnijezdila šaku u njegov dlan.

»I još ga moram gledati cijeli dan sutra. I slušati još više njegovih laži.«

»Ne moraš ići na suđenje«, rekla je.

»Moram. Ne radim to samo zbog tebe. Mislim, radim to jer si me zamolila, ali učinio bih sve za tebe.« Spustio je pogled. »Ali radim to i zbog sebe. Da je Sal znao kakav monstrum je Max zapravo, to bi ga potpuno slomilo. Uništilo. Mislio je da su prijatelji. Kako se *usudio* doći.« Zatvorio je *laptop* treskom, da ne vidi Maxovo lice.

»Za samo nekoliko dana neće moći ići nikamo, i to na duže vrijeme«, rekla je Pip stiskajući Ravijevu ruku. »Samo još nekoliko dana.«

Slabašno joj se nasmiješio prelazeći palcem preko njezinih prstiju. »Da«, rekao je. »Da, znam.«

Ravija je prekinuo zvuk ključa u bravi dok su se prednja vrata otvarala. Tri para nogu koračala su po drvenom podu. A zatim se začulo:

»Pip?« Glas njezine mame odjekivao je dopirući do kuhinje malo prije nje same. Promatrala je Pip podignutih obrva, a na čelu su joj bile urezane četiri bore od ljutnje. Na trenutak joj se pogled smekšao da Raviju uputi smiješak, a zatim se ponovno okrenula prema Pip. »Vidjela sam tvoje plakate«, rekla je smireno. »Kada si nas namjeravala o tome obavijestiti?«

»Ovaaj…« Pip je zaustila.

U sobi se pojavio i njezin tata, s četiri prepune vrećice u rukama, nespretno se gegajući prostorijom i prekidajući kontakt očima između Pip i njezine mame dok je spuštao namirnice na kuhinjske ormariće. Ravi je iskoristio priliku u toj kratkoj pauzi da ustane i stavi *laptop* pod ruku. Pogladio je Pip po zatiljku i rekao joj: »Sretno«, prije nego što je krenuo prema vratima, s nelagodom, ali uz puno šarma pozdravljajući njezinu obitelj na izlasku.

Izdajica.

Pip je spustila glavu, željela je jednostavno ispariti u toj svojoj kariranoj košulji, a *laptop* je postavila poput štita između sebe i svojih roditelja.

»Pip?«

Naziv datoteke:

Tlocrt kuće gdje je bila ubijačina, s oznakama.jpg

Četrnaest

»Halo?«

»Da, oprosti.« Pip je zatvorila *laptop* izbjegavajući pogled svoje majke. »Samo sam spremala neke dokumente.«

»Što znače oni plakati?«

Pip se promeškolji na stolici. »Mislim da je prilično jasno što znače. Jamie je nestao.«

»Ne pravi se pametna«, reče joj majka podbočivši se jednom rukom, što uvijek najavljuje opasnost.

Pipin tata zastane s raspremanjem namirnica — nakon što je ubacio sve što treba ići u hladnjak, naravno — pa se nasloni na pult, gotovo točno između Pip i njezine majke, ali dovoljno daleko da nije bio u središtu svađe. Bio je dobar u tome: uvijek bi zauzeo položaj na nekom neutralnom terenu, kao da je gradio neki most.

»Da, dobro ste pretpostavili«, rekla je Pip i konačno pogledala mamu u oči. »Connor i Joanna su jako zabrinuti. Misle da se Jamieju nešto dogodilo. Znači, da, istražujem njegov nestanak. I da, snimam sve o istrazi za drugu sezonu *podcasta*. Zamolili su me, i pristala sam im pomoći.«

»Ali ne razumijem«, rekla je njena majka iako je vrlo dobro razumjela. Bila je to još jedna od njenih taktika. »Završila si sa svim tim. Nakon svega što si prošla zadnji put. Nakon opasnosti u koju si se dovela.«

»Znam—« Pip je počela govoriti, ali ju je majka prekinula.

»Završila si u bolnici, Pippa, bila si predozirana. Morali su ti ispumpati želudac. Prijetio ti je netko tko je sada osuđeni ubojica.« To je bio jedini izraz kojim je Pipina mama sada nazivala Elliota Warda. Nije više mogla koristiti onu riječ, ono što joj je zapravo bio: prijatelj. To je bilo previše. »A Barney—«

»Mama, znam«, reče Pip glasom koji je postajao sve viši i pucao je unatoč trudu da ga kontrolira. »Svjesna sam svih strašnih stvari koje su se lani zbog mene dogodile, ne trebaš me stalno podsjećati na to. Svjesna sam svega, u redu? Znam da sam bila sebična, znam da sam bila opsjednuta, znam da sam bila nepromišljena i da ti svaki dan ponavljam da mi je žao, to još uvijek ne bi bilo dovoljno, O. K.?« Pip je počela osjećati onu prazninu u svom trbuhu kako se komeša i širi kao da će je cijelu progutati. »Žao mi je. Cijelo vrijeme osjećam krivnju, pa mi ne trebaš ništa govoriti. Ja sam stručnjakinja za svoje pogreške, tako da dobro razumijem.«

»Pa kako ti je uopće palo na pamet ponovno se upustiti u nešto slično?« rekla je njezina mama, blažim tonom i spuštajući ruku s boka. Pip nije znala što to točno znači, je li to znak pobjede ili poraza.

Prekinuo ih je kreštavi smijeh iz nekog crtića koji je dolazio iz dnevne sobe.

»Joshua.« Njezin tata napokon je progovorio. »Stišaj TV, molim te!«

»Ali to je *Spužva Bob* i zvuk je samo na četrnaest«, doviknuo mu je glasić.

»Joshua…«

»O. K., O. K.« Buka s televizora stišala se toliko da više nije bila glasnija od zujanja u Pipinim ušima. Tata se vratio na svoje mjesto, rukom im signalizirajući da nastave.

»Zašto?« Mama je ponovila svoje posljednje pitanje znatno ga naglašavajući.

»Zato što moram«, reče Pip. »I ako baš želiš znati istinu, rekla sam *ne*. To je bio moj izbor. Rekla sam Connoru da ne mogu ponovno prolaziti kroz to. Zato sam jučer i otišla razgovarati s policijom i zamolila ih da istraže Jamiejev nestanak. Mislila sam da mu mogu pomoći na taj način. Ali ništa neće učiniti za Jamieja jer ne mogu.« Pip je zagnjurila šake ispod laktova. »Istina je da nisam zapravo imala izbora nakon što me policija odbila. Nisam to htjela učiniti. Ali sada to ne mogu ne učiniti. Zamolili su me. Došli su k meni. A što da sam rekla *ne*? Što ako Jamieja nikada ne pronađu? Što ako je mrtav?«

»Pip, nije tvoj posao da—«

»Nije moj posao, ali osjećam da je moja odgovornost«, reče ona. »Znam da ćete oboje imati tisuću argumenata u prilog tome zašto to nije istina, ali govorim vam kako se osjećam. Osjećam odgovornost jer sam nešto započela i sada više ne mogu od toga odustati. Što god mi je to donijelo, što god nam se svima dogodilo, ipak sam prošle godine riješila slučaj dvostrukog ubojstva. A sada imam šest stotina tisuća pretplatnika koji će me slušati i u poziciji sam da to iskoristim, da pomognem ljudima. Da pomognem Jamieju. Zato nisam imala izbora. Možda nisam jedina koja može pomoći, ali ja sam jedina koja je tu sada. Radi se o Jamieju, mama. Ne bih mogla živjeti sa sobom da mu se nešto loše dogodi a da sam ja rekla *ne* jer mi je to bio lakši izbor. Sigurniji. Ono što bi moji roditelji željeli da učinim. Zato to radim. Ne zato što želim, već zato što moram. Prihvatila sam to, i nadam se da ćete i vas dvoje.«

Pip je krajičkom oka primijetila tatu kako kima, a LED svjetlo iznad njegove glave stvaralo je žute pruge na tamnoj koži njegovog čela. I mama joj je to također primijetila, pa se okrenula i mrko ga pogledala.

»Victore…« rekla je.

»Leanne«, odgovorio joj je koraknuvši prema ničijoj zemlji. »Očito je da nije nepromišljeno u to ušla; dobro je razmislila prije nego što je donijela odluku. To je sve što možemo tražiti od nje jer to je ipak njena odluka. Ipak joj je osamnaest godina.« Okrenuo se da se nasmiješi Pip, a oči su mu se zamaglile onako kao i uvijek. Onako kao svaki put kad bi joj prepričavao kako su se upoznali. Četverogodišnja Pip maršira po ovoj kući kad ju je planirao kupiti i dogovorio razgledavanje. Bila je u pratnji svoje majke jer ona taj dan nije mogla naći nikoga da je pričuva. Slijedila ih je u svaku sobu navodeći pritom neku novu činjenicu o životinjama, unatoč tome što joj je majka govorila da ušuti kako bi ovom *finom gospodinu* mogla sve reći o kuhinji visokotehnoloških specifikacija. Uvijek je govorio da su mu se obje toga dana uvukle u srce.

Pip mu je uzvratila osmijehom, a ona praznina u trbuhu počela se tek nešto malo smanjivati dajući joj sve više prostora.

»A što je sa svim rizicima, Victore?« rekla je Pipina mama iako joj se ton u međuvremenu promijenio, a ratobornost gotovo nestala iz njega.

»Sve u životu je puno rizika«, reče on. »Čak i kad prelaziš cestu. Ne bi bilo ništa drukčije ni da je novinarka ili policajka. A zar bismo je zbog potencijalnih rizika spriječili da se bavi bilo kojim od tih poslova? I još nešto: ja sam ogroman. Ako netko samo pomisli nauditi mojoj kćeri, otrgnut ću mu glavu s ramena.«

Pip se nasmijala, a mamine usne tek blago zatitrale od smiješka kojemu nije htjela popustiti. Ovu je bitku smiješak izgubio iako se dobro držao.

»U redu«, reče njena mama. »Pip, ja ti nisam neprijatelj, ja sam ti mama. Samo se brinem o tvojoj sigurnosti i sreći, a te si dvije stvari izgubila prošli put. Moja je dužnost zaštititi te, sviđalo se to tebi ili ne. Dakle, u redu, prihvaćam tvoju odluku. Ali pazit ću da ne postaneš opsesivna do te mjere da to postane nezdravo, i vjeruj mi kada ti kažem da izostanci iz škole ili zanemarivanje učenja za ispite ne dolaze u obzir«, reče ona nabrajajući prstima svaku točku. »Sigurna sam da je sve zasada u redu, ali ako se pojavi ikakva opasna situacija, čak i ona najmanja, želim da nam odmah kažeš. Obećavaš li?«

»Hvala ti.« Pip kimne osjećajući olakšanje u grudima. »Neće biti kao prošli put, obećavam.« Nije više bila ta osoba. Ovaj će put biti dobra. Hoće. Stvari će biti drukčije, govorila je tom nemirnom osjećaju koji je nikada nije napuštao. »Ali moram te upozoriti: ne mislim da je sve u redu. Drugim riječima, nisam sigurna da ćeš sutra ujutro vidjeti Jamieja na poslu.«

Mama se zarumenjela i spustila pogled stisnuvši usne. Od svih izraza lica njene majke, Pip nije bila sigurna što ovo znači. »Pa«, tiho joj uzvrati mama, »samo kažem da je Jamie vjerojatno dobro i sigurna sam da će se ispostaviti da nije ništa ozbiljno u pitanju. Zato ne želim da se sva tome predaš.«

»Ah, i ja se nadam da nije ništa ozbiljno«, odgovorila je Pip pa je uzela pakiranje mandarina koje joj je tata pružio i počela ih stavljati u zdjelu za voće. »Ali postoji nekoliko zabrinjavajućih stvari. Mobitel mu je od te noći isključen i otada više nije aktivan. A i čudno se ponašao tog dana — potpuno u neskladu sa svojim karakterom.«

Mama spremi štrucu kruha u kutiju za odlaganje. »Samo kažem, možda to što se čudno ponaša i nije baš tako nekarakteristično za Jamieja.«

»Čekaj, što?« Pip zastane i odmakne se od kutije s pahuljicama koju joj je tata dodavao.

»Oh, ma ništa«, rekla je njena mama i nastavila slagati konzerve s rajčicama. »Nisam to trebala ni spomenuti.«

»Spomenuti što?« reče Pip, a srce joj skoči do grla. Mogla je gotovo fizički osjetiti maminu nelagodu. Stisnula je oči dok je gledala u mamin zatiljak. »Mama? Zar imaš neke informacije o Jamieju?«

Naziv datoteke:

Savršeno ubojstvo — Dnevnik dobre cure — SEZONA 2 — Intervju s mamom.wav

1.0		
0.0		
-1.0		

[X] Audio Track	Mute		Stereo, 44100Hz
	Solo		32-bit float

Pip: Mama, čekaj, stani malo, sada sam postavila mikrofone. Možeš li mi reći to što si mi ranije htjela ispričati? O Jamieju?

[NERAZUMLJIVO]

Pip: Mama, moraš... doći bliže mikrofonu. Ne čuješ se odande.

[NERAZUMLJIVO]

Pip: Molim te, možeš li samo već jednom sjesti i reći mi o čemu se radi, što god da je u pitanju.

Mama: **[NERAZUMLJIVO]** ... trebam početi pripremati večeru.

Pip: Znam, znam. Trebat će nam samo nekoliko minuta. Molim te! Što si mislila time kad si rekla da to »čudno ponašanje nije baš nekarakteristično za njega«? Zar se nešto dogodilo na poslu? Jamie je radio kasniju smjenu u petak, prije komemoracije. Je li se tada čudno ponašao, misliš li na to? Molim te, mama, ovo bi stvarno moglo pomoći istrazi.

Mama: Ne... to je... ah, ne, ne bih trebala. Ne tiče me se.

Pip: Jamie je nestao. Prošla su gotovo dva puna dana. Možda je u opasnosti. Mislim da ga sada ne bi bilo briga što tko misli.

Mama:	Ali Joanna—
Pip:	Ona me i zamolila da ovo radim. Jasno joj je da može saznati neke neugodne stvari o Jamieju i pristala je na to.
Mama:	Misli li Joanna… misli li Joanna da Jamie još uvijek radi u agenciji Proctor i Radcliffe? Je li joj to rekao?
Pip:	Da, naravno, što time želiš reći? Pa tamo i radi. Bio je na poslu u petak prije nego što je nestao.
Mama:	On… Jamie više ne radi u agenciji. Napustio ju je, možda negdje prije dva i pol tjedna.
Pip:	Napustio? Je li dao otkaz? Njegova obitelj nema pojma, još uvijek misle da radi s tobom. Odlazio je na posao svaki dan. Zašto bi dao otkaz i lagao o tome?
Mama:	On… on nije dao otkaz.
Pip:	Što?
Mama:	Pip…
Pip:	Mama?
Mama:	Dogodio se incident. Ali stvarno ne želim o tome govoriti, to nema veze ni s čim. Moja poanta je bila samo da možda Jamiejev nestanak nije nešto toliko nekarakteristično za njega, i zašto bismo mu pravili dodatni problem kad—
Pip:	Mama, nestao je. Sve što se dogodilo u posljednjih nekoliko tjedana može biti relevantno. Sve. Joanna se neće naljutiti ako kažeš što se dogodilo, sigurna sam da neće. O kakvom incidentu se radi? Kada se dogodio?
Mama:	Pa… morala je biti srijeda jer Todd nije bio na poslu, a Siobhan i Olivia jesu, ali su bile vani, imale su dogovorene obilaske.
Pip:	Srijeda prije dva tjedna? Dakle, to je bilo… 11.?
Mama:	Čini mi se, da. Bila sam vani na ručku, našla sam se s Jackie u kafiću i ostavila Jamieja samog u uredu. A kada sam se vratila… pa, očito sam se vratila prije nego što je očekivao jer je…

Pip:	Što? Što je radio?
Mama:	Nekako je došao do mog ključa, očito ga je uzeo iz moje torbe ranije tijekom dana i njime otključavao ladicu mog stola dok sam bila vani. Uhvatila sam ga dok je uzimao kreditnu karticu agencije iz moje ladice.
Pip:	Što?
Mama:	Uhvatila ga je panika kad sam ušla. Sav se tresao. Izmišljao je razne izgovore zašto je uzimao karticu, rekao je da mu trebaju podaci da naruči još omotnica, pa onda da ga je Todd zamolio da nešto učini za njega. Ali znala sam da laže, a Jamie je znao da mu ne vjerujem. I onda se samo počeo ispričavati, neprestano. Rekao je da mu je žao, da mu je samo trebao novac i dodao nešto… nešto kao: »Ne bih to nikada učinio, ali pitanje je života ili smrti.«
Pip:	»Pitanje života ili smrti«? Što je pod tim mislio?
Mama:	Ne znam. Valjda je htio uzeti karticu i na bankomatu podići nekoliko stotina funti. Znao je PIN jer sam ga već prije znala poslati s tom karticom da kupi čaj za ured. Ne znam zašto mu je trebao novac, ali očito je bio očajan. Nikada prije nismo imali problema s njim. Ponudila sam mu posao da mu pomognem, da pomognem Joanni i Arthuru jer Jamie nije znao kako i gdje bi se skrasio. Vrlo je drag mladić, takav je bio još odmalena. Jamie kojeg sam iznenadila svojim preuranjenim dolaskom izgledao je gotovo kao druga osoba. Izgledao je tako uplašeno. Tako mu je bilo žao.
Pip:	Sigurno je bio očajan jer je znao, čak i da je uspio ukrasti novac, da bi ti na kraju svejedno saznala. Zašto mu je tako hitno trebao novac?
Mama:	Nikada ga to nisam pitala. Samo sam mu rekla da ostavi karticu, vrati mi ključ i obećala da neću zvati policiju. Nisam mu željela stvarati dodatne probleme; izgledalo je kao da ga ionako muči već dovoljno toga, što god to bilo. I osjećala bih preveliku krivicu da sam zvala policiju zbog

djeteta moje prijateljice koje je u nevolji. To se jedno-
stavno ne radi. Zato sam mu umjesto toga rekla da neću
nikome reći što sam vidjela, ali da više ne može raditi za
Proctor i Radcliffe i da mu istog trena raskidamo ugovor.
Rekla sam mu da mora srediti svoj život jer ću inače ipak
morati Joanni ispričati što se dogodilo. Zahvalio mi je
što nisam zvala policiju i što sam mu uopće dala priliku
za posao i onda je otišao. Posljednje što je rekao na
izlasku bilo je: »Jako mi je žao, ne bih to učinio da nisam
morao.«

Pip: A za što mu je trebao novac?

Mama: Nije rekao. Ali ako je bio spreman ukrasti od agencije i
biti uhvaćen zbog toga, za što drugo bi mu trebao novac
osim, pa, nečeg... ilegalnog... kriminalnog?

Pip: Ha, možda. Ali to ne znači da to što je nestao dva
tjedna poslije nije sumnjivo ili da je karakteristično za
njega. Štoviše, zbog ovoga sam još više uvjerena da je
Jamie u opasnosti. Da je upao u nešto loše.

Mama: Nikada nisam pomislila da bi bio spreman nešto ukrasti.
Nikada.

Pip: A jedini razlog koji ti je dao bio je da je to pitanje života
ili smrti?

Mama: To je rekao, da.

Pip: Ali čijeg života ili smrti?

Petnaest

PIP JE BILA SIGURNA da je primijetila trenutak kada se Joanni počelo kidati srce. To nije bilo kada je njoj i Connoru ispričala o ubijačini i o tome kako je Jamie pratio nekoga dotamo. Nije bilo ni kada je rekla da je napustio zabavu u pola jedanaest i da je viđen kako telefonira i spominje policiju. Čak ni kada im je rekla da im je Jamie puna dva tjedna lagao da ide na posao iako ga je izgubio. Ne, bilo je to točno kada je izgovorila one dvije riječi: života ili smrti.

Nešto se odmah promijenilo na Joanni: držanje glave, rubovi očiju, način na koji joj se koža opustila i problijedjela kao da je nešto od života iskliznulo iz nje i izašlo na hladan zrak kuhinje. I Pip je znala da je upravo potvrdila Joannine najgore slutnje. Da bude još gore, te riječi izgovorio je upravo Jamie.

»Ali ne znamo što je Jamie pod time mislio. Moguće je da je pretjerivao da umanji probleme u kojima se nalazio ili da bi izazvao suosjećanje kod moje mame«, rekla je Pip pogledavajući malo Connora, a malo Joannine oči prepune strepnje. Arthur Reynolds nije bio tu. Navodno je veći dio dana boravio izvan kuće i nijedno od njih nije znalo gdje je. *Otišao se ispuhati*, tako je barem Joanna tvrdila. »Pada li vam na pamet zašto bi Jamie trebao novac?«

»U srijedu prije dva tjedna?« pitao je Connor. »Nije bilo nikakvog rođendana ili slične prigode zbog koje bi mu trebao novac.«

»Sumnjam da je Jamie namjeravao ukrasti novac da bi kupio rođendanski poklon nekome«, primijetila je Pip što je obazrivije mogla. »Znate li je li možda imao nekih neplaćenih računa koje je morao riješiti? Račun za mobitel? Znamo da ga je posljednjih tjedana jako često koristio, bio je gotovo vezan za njega.«

»Ne vjerujem.« Joanna je konačno progovorila. »Imao je dobru plaću u agenciji za nekretnine, sigurna sam da mu je to bilo i više nego dovoljno da pokrije i račun za mobitel. Nije baš nešto ni trošio više nego obično. Jamie sebi gotovo ništa ne kupuje, ni odjeću ni išta drugo. Mislim da su mu glavni troškovi bili, pa, ručkovi.«

»U redu, istražit ću to.«

»Kamo je Jamie išao?« upitao je Connor. »Ono kada nam je rekao da ide na posao?«

»I to ću istražiti«, rekla je Pip. »Možda je samo izbivao iz kuće da ne bi nikome od vas morao reći što se dogodilo. Možda je tražio novi posao, pa bi vam tek onda, kad ga pronađe, rekao da je izgubio stari? Znam da su se Jamie i njegov tata često sukobljavali oko problema s poslom, možda je samo pokušavao izbjeći još jednu svađu oko toga.«

»Da«, rekla je Joanna češkajući se po bradi. »Arthur bi bio ljut zbog toga što je ponovno izgubio posao. A Jamie mrzi sukobe.«

»Vratimo se zabavi«, reče Pip vraćajući se onome o čemu je i htjela razgovarati. »Znate li možda s kim je Jamie razgovarao na telefonu? Možda s nekim tko bi ga mogao zamoliti da nešto učini?«

»Ne. S nama nije«, rekla je Joanna.

»Možda sa Zoe?« upitala je Pip.

»Ne, ona nije bila u kontaktu s Jamiejem tog dana. Jedina osoba s kojom znam da Jamie redovito razgovara je Nat da Silva. Ili je tako barem ranije bilo.«

»Nije bila ni ona«, reče Pip. »Rekla mi je da Jamie nije došao do nje kako su se dogovorili i da je ignorirao sve njezine poruke i pozive.«

»Onda ne znam. Žao mi je«, rekla je Joanna tihim glasom, kao da će je i on napustiti.

»Sve je u redu.« Pip je to namjerno izrekla vedrijim glasom. »Vjerojatno biste mi već i sami rekli, ali jeste li imali više sreće s lozinkom?«

»Još ne«, reče Connor. »Prošli smo kroz onaj upitnik, pokušali smo sa svim varijantama brojeva umjesto slova. Zasad ništa. Vodimo evidenciju o svemu što smo probali, mislim da dosada imamo više od šest stotina neuspjelih pokušaja.«

»O. K., samo nastavite. Sutra nakon škole vidjet ću mogu li se obratiti nekome tko može provaliti u računalo bez lozinke a da ne ošteti podatke.«

»O. K., hoćemo.« Connor je petljao prstima. Iza njega su na pultu stajale otvorena kutija žitarica i dvije zdjelice; Pip je pretpostavila da im je to bila večera. »Ima li još nešto što možemo napraviti, osim lozinke? Bilo što?«

»Pa, da, naravno«, reče ona pokušavajući brzo smisliti nešto. »Još uvijek pregledavam sve videozapise i fotografije koje su mi poslali ljudi s ubijačine. Kao što sam rekla, tražim ljude koji su stajali oko kamina u vremenu od 21:38 do oko 21:50. Jedina fotka koju sam pronašla, a koja donekle tome odgovara, fotografija je snimljena u 21:29 u smjeru kamina. Na njoj je devet ljudi, neki su naša generacija, a neki godinu mlađi. Fotografija možda ne prikazuje osobu koju je Jamie promatrao, ali je nešto što mogu... što možemo zajedno istražiti sutra u školi. Connore, mogu li ti poslati fotografiju i videosnimke da ih i ti pregledaš?«

»Da.« Uspravio se. »Učinit ću to.«

»Savršeno.«

»Ljudi mi šalju poruke«, reče Joanna. »Prijatelji i susjedi koji su vidjeli tvoje plakate s Jamiejevom slikom. Nisam izlazila iz kuće, cijeli sam dan pokušavala ono s lozinkom i zvati ga telefonom. Mogu li vidjeti fotografiju koju si odabrala za plakat?«

»Da, naravno.« Pip povuče prstom po podlozi miša da ponovno pokrene *laptop*. Otvorila je svoje nedavno zatvorene datoteke, pronašla fotografiju i okrenula računalo prema Joanni. »Odabrala sam ovu«, reče ona. »Lice mu se jasno vidi, a osmijeh mu nije preširok, jer često mislim da ljudi izgledaju prilično drukčije kad se *stvarno* smiju. Ova je uslikana prije nego što ste upalili svjećice na rođendanskoj torti, pa nema onog čudnog odbljeska od plamena. Je li to u redu?«

»Da«, tiho reče Joanna prekrivajući usta stisnutom šakom. »Da, savršena je.« Oči su joj se napunile suzama dok je pogledom prelijetala preko lica svog sina, kao da se boji da joj pogled ne zastane predugo na jednom mjestu. Što je mislila da će vidjeti ako se to dogodi? Ili je samo proučavala njegovo lice pokušavajući zapamtiti svaki detalj?

»Samo ću skoknuti do kupaonice«, reče Joanna plačljivim glasom, ustajući nesigurno sa stolice. Zatvorila je vrata kuhinje za sobom, a Connor potišteno uzdahne. Čačkao je kožicu oko noktiju.

»Otišla je gore plakati«, reče on. »Radi to cijeli dan. Znam što radi, i ona sigurno zna da ja znam. Ali ne želi plakati preda mnom.«

»Žao mi je.«

»Možda misli da ću izgubiti nadu ako je vidim kako plače.«

»Žao mi je, Connore.« Pip pruži ruku da ga dotakne, ali bio je predaleko, s druge strane stola. Umjesto toga, okrene se prema svom *laptopu* i povuče ga bliže sebi dok ju je promatralo Jamiejevo lice s fotke. »Ali učinili smo napredak danas, stvarno. Popunili smo neke praznine u događajima te noći i imamo par tragova koje moramo istražiti.«

Connor slegne ramenima pa na svom mobitelu provjeri točno vrijeme. »Jamie je posljednji put viđen u 22:32, zar ne? To znači da će za pedeset sedam minuta biti četrdeset osam sati od nestanka.« Na trenutak je zašutio. »Neće se vratiti u sljedećih pedeset sedam minuta, zar ne?«

Pip nije znala što reći na to. Znala je što je trebala reći, nešto što je trebala još jučer reći: zamoliti ga da ne dira Jamiejevu četkicu za zube, češalj ili bilo koji predmet koji bi mogao sadržavati njegov DNK, u slučaju da ikad zatreba. Ali sada nije bio trenutak za to. Nije bila sigurna da će ikada biti pravi trenutak da to izgovori. To je granica nakon koje, jednom kad je se prijeđe, više nema povratka.

Umjesto toga, pogleda u svoj ekran, u Jamiejevo polunasmiješeno lice, oči koje ju gledaju dok ona gleda njegove, kao da nije prošlo deset dana od te fotke. A onda shvati: sjedio je točno nasuprot njoj, za ovim istim stolom. Ona je bila ovdje, a Jamie je bio tamo, kao da se otvorila neka pukotina u vremenu posred ove polirane drvene površine. Sve je bilo isto kao na fotografiji iza njega: vrata hladnjaka s razbacanom kolekcijom kičastih magneta, roleta krem boje spuštena za jednu trećinu iza sudopera, drvena daska za rezanje postavljena na istom mjestu iznad Jamiejevog lijevog ramena i crni cilindrični stalak za noževe iznad njegovog drugog ramena, u kojemu se nalazilo šest noževa različitih veličina s obojenim prstenovima na ručkama.

Pa zapravo — Pipine oči poskakivale su između ekrana i tog dijela kuhinje — set noževa iza Jamieja na fotografiji bio je potpun, svi noževi bili su uredno složeni: onaj s ljubičastim, narančastim, svijetlozelenim, tamnozelenim, crvenim i žutim prstenom. Ali sada, kad pogleda u tom smjeru, vidi da jedan od noževa nedostaje. Onaj sa žutim prstenom.

»Što to gledaš?« upitao je Connor. Pip nije primijetila da stoji iza nje i gleda joj preko ramena.

»Oh, ništa«, reče ona. »Samo sam promatrala ovu fotografiju i primijetila da jedan nož nedostaje. Ma ništa«, ponovi mašući rukom da odagna tu misao.

»Vjerojatno je u perilici posuđa.« Connor priđe i otvori vrata perilice. »Hm«, reče, odmakne se od nje i prijeđe do sudopera. Počne čeprkati po njemu, i stane udarati o porculan, od čega se Pip trgne. »Netko ga je vjerojatno slučajno spremio u ladicu. Ja to stalno radim«, reče on, ali ovaj mu se put u glasu osjetila napetost dok je izvlačio ladice gotovo do kraja, a njihov je sadržaj bučno treskao.

Mora da je Pip osjetila tu strepnju dok ga je promatrala jer joj je srce poskočilo pri svakom udarcu posuđa, a neka hladnoća ispunila joj je prsni koš. Connor je kao u nekom bunilu nastavio izvlačiti ladice dok ih nije sve otvorio, pa se činilo kao da je kuhinja isturila svoje zube spremajući se zagristi ostatak prostorije. »Nema ga«, reče joj iako nije ni morao.

»Možda bi trebao pitati mamu«, reče Pip ustajući.

»Mama!« poviče Connor sada vraćajući pažnju na kuhinjske ormariće i otvarajući svaka vrata dok nije izgledalo kao da cijela kuhinja visi naopačke. I odavalo je takav osjećaj: Pipin se želudac prevrtao, a noge su joj se spoticale jedna o drugu.

Čula je kako Joanna uz tutnjavu silazi niz stepenice.

»Smiri se, Connore«, rekla je Pip pokušavajući ga umiriti. »Vjerojatno je tu negdje.«

»A ako nije,« reče on na koljenima pregledavajući ormarić ispod sudopera, »što bi to značilo?«

Što *bi* značilo? Možda je trebala još kratko zadržati ovu opasku za sebe. »To bi značilo da vam nedostaje jedan nož.«

»Što nedostaje?« upita Joanna uletjevši kroz vrata.

»Jedan od vaših noževa, onaj sa žutim prstenom«, reče Pip povlačeći *laptop* prema sebi da pokaže Joanni. »Vidite? Ovdje je na ovoj fotografiji s Jamiejevog rođendana. Ali sada ga nema u stalku.«

»Nigdje ga nema«, reče Connor bez daha. »Pregledao sam cijelu kuhinju.«

»Vidim«, reče Joanna zatvarajući neke ormariće. Ponovno pregleda sudoper uklanjajući sve šalice i čaše koje su bile unutra i provjeravajući ispod njih. Pogleda i na stalak za cijeđenje posuđa iako je Pip s mjesta gdje je sjedila vidjela da je prazan. Connor je bio pored stalka za noževe te uklanjao jedan za drugim, kao da bi se onaj sa žutim prstenom nekako mogao skrivati ispod ostalih.

»Pa, nema ga«, reče Joanna. »Nije ni na jednom mjestu gdje bi mogao biti. Pitat ću Arthura kad se vrati.«

»Sjećate li se da ste ga nedavno koristili?« upita je Pip. Počela je pretraživati fotografije s Jamiejevog rođendana. »Jamie je rezao rođendansku tortu nožem s crvenim prstenom, ali sjećate li se jeste li otad koristili i onaj sa žutim?«

Joanna pogleda u neku točku gore udesno, a oči joj počnu izvoditi minijaturne pokrete dok se pokušavala sjetiti. »Connore, koji sam dan ovog tjedna pravila musaku?«

Connorov prsni koš dizao se i spuštao u ritmu s njegovim dahom. »Hm, to je bio onaj dan kad sam kasnije došao, nakon sata gitare, zar ne? Dakle, srijeda.«

»Da, srijeda.« Joanna se okrene prema Pip. »Ne sjećam se da sam ga zapravo taj dan i koristila, ali ga uvijek koristim za rezanje patlidžana, jer je najoštriji i najširi. Sigurno bih primijetila da ga nema.«

»O. K., O. K.«, rekla je Pip pritom si dajući malo vremena za razmišljanje. »Dakle, nož je vjerojatno nestao u posljednja četiri dana.«

»Što to znači?« upita Joanna.

»Ne mora nužno značiti ništa«, reče Pip uz puno takta. »Možda nema nikakve veze s Jamiejem. Možda će se pojaviti negdje u kući gdje ga niste ni pomislili tražiti. Trenutno to tretiram samo kao informaciju o nečemu neobičnom, a želim znati sve što je neobično, bez obzira na to što to bilo. I to je sve.«

Da, trebala je to zadržati za sebe, to joj je sada potvrdila panika u njihovim očima. Pip pogleda marku noževa, mobitelom uslika stalak i prazno mjesto gdje bi trebao stajati nestali nož pokušavajući time ne privući previše pažnje na sebe. Nakon što se vratila svom *laptopu*, guglala je marku na internetu i na mrežnoj se stranici pojavi fotografija svih noževa s raznobojnim prstenovima u nizu.

»Da, to su ti«, reče Joanna stojeći iza nje.

»U redu.« Pip zatvori *laptop* i spusti ga u torbu. »Poslat ću ti fotke s ubijačine, Connore. Pregledavat ću ih dokasna, pa ako nešto uočiš, odmah mi pošalji poruku. I, vidimo se sutra u školi. Laku noć, Joanna. Lijepo spavajte.«

Lijepo spavajte? Kakva glupa fraza, naravno da neće dobro spavati.

Pip izađe iz prostorije s usiljenim osmijehom zatvorenih usta, nadajući se da joj nisu ništa mogli pročitati s lica, nikakvu primisao koja ju je upravo okupirala. Misao koja joj je pala na pamet i prije nego što se uspjela zaustaviti, još dok je gledala sliku šest noževa poredanih u nizu s prstenovima u boji između drška i oštrice i kad joj se pogled zaustavio na onaj sa žutim. A ta je misao bila sljedeća: ako biste jedan od tih noževa poželjeli koristiti kao oružje, onda biste odabrali taj. Onaj koji nedostaje.

Naziv datoteke:

 Fotografije seta noževa od prošlog četvrtka i danas.jpg

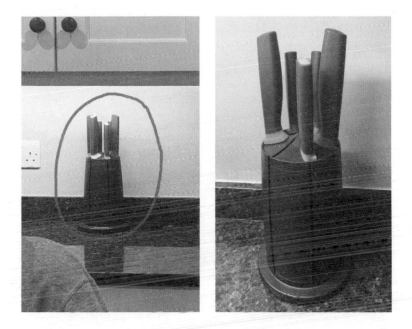

Naziv datoteke:

📄 Bilješke o slučaju 3.docx

Nestali nož:

Možda je nebitno, očajnički se nadam da je tako jer se, u suprotnom, u ovom slučaju već dogodio zlokobni obrat koji ne želim. Međutim, vremenski okvir čini se relevantnim: u istom tjednu nestali su i Jamie i nož iz njihove kuće. Tko samo tako izgubi ogroman nož u svojoj kući (nož *chefa* kuhinje, dugačak četrdesetak centimetara, prema navodima s mrežne stranice)? To se jednostavno ne događa. Očito ga je netko odnio iz kuće nakon srijede navečer.

Čudno ponašanje:

Pokušaj krađe novca iz mamine tvrtke definitivno je nekarakteristično ponašanje za Jamieja, ne poznajem ga takvog. I Reynoldsovi se slažu; nikada dosad nije ništa ukrao. Koji mu je bio plan? Uzeti karticu, otići na bankomat i podići maksimalan iznos gotovine (Google kaže da to može biti između 250 i 500 funti)? I zašto je tako očajnički želio doći do novca? Pada mi na pamet i ovo: ima li to možda veze sa ženskim satom koji sam pronašla u ladici Jamiejevog noćnog ormarića? Ne izgleda nov, a možda ga je i kupio u trgovini s rabljenim stvarima? Ili je možda i on ukraden?

I što znači onaj Jamiejev komentar da se radi o pitanju »života ili smrti«? Osjećam jezu dok sada ponovno razmišljam o tome nakon njegova nestanka. Je li govorio o sebi ili o nekom drugom? (N. B. kupnja rabljenog ženskog sata vjerojatno ne spada pod kategoriju »života ili smrti«.)

To što svojoj obitelji nije rekao da je izgubio posao ne čini mi se nužno sumnjivim ponašanjem. Naravno da je htio prikriti razlog zbog kojeg je otpušten, ali također ima smisla i da je htio sakriti činjenicu da je opet ostao bez posla, pogotovo zato što je toliko napetosti između Jamieja i njegovog oca proizlazilo upravo iz činjenice da je često mijenjao poslove, zbog nedostatka ambicije ili motivacije.

A kad već govorimo o čudnom ponašanju — gdje je bio Arthur Reynolds cijeli dan? Razumijem da ne vjeruje da je Jamie zaista nestao, misli da je vjerojatno pobjegao nakon one njihove ozbiljne svađe i da će se za nekoliko dana vratiti živ i zdrav. Dosadašnja iskustva govore u prilog toj teoriji. Ali ako su mu supruga i mlađi sin tako uvjereni da nešto nije u redu, zar ne bi i on mogao početi razmatrati tu mogućnost? Očito je da mu je supruga napola luda od brige, pa onda čak i da Arthur ne vjeruje da nešto nije u redu, zar ne bi trebao biti u njezinoj blizini i davati joj podršku? I dalje ne želi imati ništa s ovom istragom. Možda će se uskoro predomisliti, sada nakon što je prošlo četrdeset i osam sati od nestanka.

Ubijačina:

Što je Jamie radio tamo? Moja radna teorija je sljedeća: taj »netko« koga je vidio vjerojatno je osoba iz moje generacije ili godinu dana mlađa. Jamie ju je uočio na komemoraciji, a zatim slijedio dok je išla (pretpostavljam s prijateljima) do Highmoora na ubijačinu kod Stephena Thompsona. Onda se, pretpostavljam, Jamie ušuljao unutra (viđen je u 21:16) i želio razgovarati s tom »osobom« — jer zašto bi je inače slijedio? Vjerujem da je u 21:38 Jamie promatrao tu »osobu« dok je stajao blizu kamina. Fotografija u 21:29 prikazuje devet osoba oko kamina koje se daju prepoznati.

Učenici 4. razreda: Elspeth Crossman, Katya Juckes, Struan Copeland, Joseph Powrie, Emma Thwaites i Aisha Bailey.

Učenici 3. razreda: Yasmin Miah, Richard Willett i Lily Horton.

Vrijeme fotografija ne poklapa se s trenutkom kad je Jamie viđen, ali je najbliže tom vremenu od svega što imam. Sutra ću ih sve pronaći u školi i pitati ih znaju li što.

Tragovi koje treba istražiti:

- Pristiže još fotografija/videa s ubijačine — pregledati ih.
- Hillary F. Weiseman — jedina je Hillary F. Weiseman koju sam pronašla žena koja je 2006. umrla u 84.

godini u Little Kiltonu. Njena osmrtnica kaže da je iza sebe ostavila kćer i dva unuka, ali ne mogu pronaći druge Weisemane. Zašto je Jamie zapisao njezino ime u zadnjih tjedan i pol? Koja je veza između njih?

- S kim je Jamie bio na telefonu do 22:32? Dug razgovor — više od 30 min? S istom osobom s kojom se dopisivao i razgovarao posljednjih nekoliko tjedana? Nije Nat da Silva.

- Identitet »osobe« koju je Jamie opazio i zašto ju je slijedio na ubijačinu?

- Krađa novca — zašto? Pitanje života ili smrti?

PONEDJELJAK

TRI DANA OD NESTANKA

Šesnaest

Više NIJE SJEDILA SPRIJEDA. Tako je bilo prije, u istoj učionici i u isto vrijeme, kada je Elliot Ward stajao u prednjem dijelu i objašnjavao im posljedice Drugog svjetskog rata po ekonomiju.

Sada je na njegovom mjestu bio gospodin Clark, novi profesor povijesti koji je došao poslije Božića i zamijenio gospodina Warda. Bio je mlad, možda još nije ni napunio tridesetu. Imao je smeđu paperjastu kosu i uredno obrijanu bradu koja je uglavnom bila riđe boje. Bio je nadobudan i s malo previše entuzijazma birao tranzicije na svojim slajdovima u PowerPointu. I zvučne efekte. Ponedjeljak ujutro je ipak bilo malo prerano za zvukove eksplozija ručnih bombi.

Pip i nije pretjerano pozorno slušala. Sjedila je u kutu u stražnjem dijelu učionice. To je sada bilo njezino mjesto, a Connor je sjedio pokraj nje: to se nije promijenilo. Osim što je danas kasnio, a sada je nestrpljivo mlatarao nogom dok je tamo sjedio. Ni on nije obraćao pažnju na nastavu.

Pipin udžbenik bio je uspravno postavljen na njezinom stolu, otvoren na 237. stranici, ali nije hvatala bilješke. Udžbenik joj je služio kao štit, skrivao ju je od pogleda gospodina Clarka. Mobitel joj je bio naslonjen na otvorenu stranicu udžbenika, slušalice uključene, kabel provučen ispod prednjeg dijela majice, a žica joj je prolazila niz ruku tako da su same slušalice ležale u njezinoj ruci. Savršena krinka. Gospodinu Clarku moralo je izgledati kao da Pip odmara bradu na ruci dok zapisuje datume i postotke, a zapravo je pregledavala datoteke s ubijačine.

Nova hrpa e-poruka s privicima stigla joj je kasno sinoć i jutros. Vijesti o Jamieju očito su se počele širiti. Ali još uvijek nije dobila fotografije iz onog vremenskog okvira i s one lokacije s koje su joj trebale. Pip je bacila oko na sat: još pet minuta do zvona, to je dovoljno da pregleda još jedan mejl.

Sljedeći joj je poslala Hannah Revens, koja s Pip ide na engleski.

Hej, Pip, pisalo je. *Netko mi je jutros rekao da tražiš Connorovog nestalog brata i da je bio na ubijačini u petak. Totalno mi je neugodno zbog ovog videa — poslala sam ga svom dečku u 21:49 kada sam već bila superpijana — molim te, nemoj ga nikome pokazivati. Ali u pozadini se vidi lik kojega ne prepoznajem. Vidimo se u školi x.*

Pip je osjetila trnce od nervoze koji su joj se penjali uz vrat. Traženi vremenski okvir i tip kojeg Hannah ne prepoznaje. To bi moglo biti to: konačna prekretnica. Palcem je prešla na privitak i pritisnula *play.*

U uhu joj je zatreštalo: glasna glazba, cijelo čudo glasova koji brbljaju, pokoji podrugljiv uzvik i glasno bodrenje koje je sigurno dolazilo iz blagovaonice, gdje se igrao *beer pong.* Ali ovaj video snimljen je u dnevnom boravku. Hannino lice zauzima većinu kadra, a ispruženom rukom usmjerava mobitel prema dolje. Naslonjena je na stražnji dio sofe, nasuprot onoj na kojoj je Jasveen sjedila u 21:38 i čiji je rub vidljiv u pozadini.

Hannah je bila sama, s filtrom psa s Instagrama na licu i šiljastim smeđim ušima u kosi, koje su je pratile dok je vrtjela glavom. Čula se nova pjesma Ariane Grande, a Hannah je otvarala usta pretvarajući se da pjeva. Na *vrlo* dramatičan način. Uz mlataranje rukom i stisnute oči kad je to pjesma zahtijevala.

Ovo nije bila šala, zar ne? Pip je nastavila pomno gledati što se događa iza Hannine glave. Prepoznala je dva lica: Josepha Powrieja i Katyu Juckes. I sudeći po položajima obiju sofa, stajali su ispred kamina, koji nije uspio ući u kadar. Razgovarali su s nekom curom okrenutom leđima prema kameri. Duga tamna ispeglana kosa, traperice. To bi mogla biti bilo koja od desetak cura koje Pip poznaje jer puno ih baš tako izgleda.

Video je skoro završio, plava se linija indikatora sve više približavala kraju. Još šest sekundi. I tada su se dvije stvari dogodile u isto vrijeme. Djevojka duge tamne kose okrenula se i počela odmicati od kamina prema Hanninoj kameri. Istovremeno, u drugom kutu kadra, neka je osoba prešla na njezinu stranu hodajući tako brzo da se na snimci vidi samo zamućena košulja i glava iznad nje. Tamnocrvena košulja.

I kad su se dvije osobe na snimci gotovo sudarile, Jamie je ispružio ruku prema djevojčinom ramenu.

I tu video završava.

»Sranje«, prošaptala je Pip sebi u rukav, što je Connor primijetio. Točno je znala tko je ta cura.

»Što se dogodilo?« prosiktao je.

»»Ona osoba‹.«

»Ha?«

Zazvonilo je, a metalni zvuk presjekao ju je toliko da se naježila. Sluh joj je uvijek bio osjetljiviji kada je bila nenaspavana.

»Vidimo se u hodniku«, rekla je ubacujući udžbenik u torbu i raspetljavajući slušalice. Ustala je i prebacila torbu preko ramena, pa nije ni čula što je gospodin Clark dao za domaću zadaću.

Kad si u samom dnu učionice, izlaziš posljednji, nestrpljivo čekajući da svi ostali izlete. Connor je slijedio Pip do hodnika, a ona ga je odvela do najudaljenijeg zida.

»Što je bilo?« upitao je Connor.

Pip je razmotala slušalice gurajući ih jednu pa drugu u Connorove šiljaste uši.

»Joj, daj pazi malo, može?« Sklopio je dlanove preko ušiju kako bi bolje čuo, a Pip je držala svoj mobitel pred njim i pritisnula *play*. Na licu mu se na tren pojavio podsmijeh. »Uh, koji neugodnjak«, rekao je nakon nekoliko sekundi. »Jesi li mi zato htjela pokazati—«

»Naravno da nisam«, rekla je. »Pričekaj do kraja.«

Kada je odgledao do kraja, oči su mu se stisnule i rekao je: »Stella Chapman?«

»Da.« Pip mu je grubljim trzajem izvukla slušalice iz ušiju, pa je ponovno zajaukao. »›Ta osoba‹ koju je primijetio na komemoraciji i slijedio na zabavu morala je biti Stella Chapman.«

Connor je kimnuo. »I što ćemo sad?«

»Naći ćemo je za vrijeme ručka i razgovarati s njom. Pitat ćemo je otkad se poznaju, o čemu su razgovarali. Zašto ju je Jamie slijedio.«

»U redu, dobro«, rekao je Connor, a izraz lica malo mu se promijenio, kao da su mu se mišići pomaknuli, opustili. »To je dobro, zar ne?«

»Da«, rekla je ona iako *dobro* možda nije najbolja riječ. Ali barem su se napokon pomaknuli s mrtve točke.

»Stella?«

»Oh, bok«, odgovorila je Stella žvačući čokoladicu Twix. Stisnula je smeđe bademaste oči, a savršene jagodice bile su joj još izraženije zbog bronzera koji je nanijela na svoju preplanulu kožu.

Pip je točno znala gdje je čekati. Ormarići su im bili vrlo blizu, prezime Chapman bilo je samo šest ormarića dalje od prezimena Fitz-Amobi. Osim toga, svako su se jutro pozdravljale, pri čemu bi Stellin ormarić strašno zacvilio. Pip je ovaj put bila spremna na to dok je Stella otvarala vrata i stavljala unutra neke knjige.

»Što ima?« Stelline su oči lagano odlutale prema Pipinom ramenu jer je iza njega poput štita stajao Connor. Izgledao je smiješno, podbočio se poput nekog tjelohranitelja. Pip mu je uputila ljutit pogled, pa se povukao i malo opustio.

»Ideš na ručak?« upitala je Pip. »Htjela sam porazgovarati s tobom o nečemu.«

»Ovaj, da, idem do kantine. O čemu se radi?«

»Ma, ništa bitno«, rekla je Pip nonšalantno, hodajući uz Stellu hodnikom. »Htjela bih samo s tobom porazgovarati na par minuta. Možemo li ovdje?« Pip se zaustavila, gurnula vrata učionice za matematiku, koju je već ranije provjerila i uvjerila se da je prazna.

»Zašto?« Stellin glas bio je ispunjen sumnjom.

»Moj brat je nestao«, prekinuo ih je Connor ponovno se podbočivši. Pokušava li to izgledati zastrašujuće? Jer mu uopće nije uspijevalo. Pip mu je ponovno uputila onaj ljutiti pogled; obično je jako dobro znao iščitati poruku iz njezinih očiju.

»Možda si čula da istražujem njegov nestanak«, rekla je Pip. »Samo bih ti postavila nekoliko pitanja o Jamieju Reynoldsu.«

»Žao mi je.« Stella se meškoljila prstima uvijajući vrhove svoje kose. »Ne poznajem ga.«

»Ali « Connor je zaustio, no Pip ga je odmah prekinula.

»Jamie je bio na ubijačini u petak. To je zasada posljednje mjesto gdje je viđen«, rekla je. »Pronašla sam video u kojem ti prilazi kao da želi razgovarati s tobom. Samo želim znati o čemu ste razgovarali, kako se poznajete. Ništa drugo.«

Stella nije davala nikakav odgovor, ali lice joj je govorilo sve što nije uobličila u riječi: oči su joj se razrogačile, a njezino inače glatko čelo prošarale su bore.

»Zbilja ga moramo pronaći, Stella«, rekla je Pip nježnim glasom. »Mogao bi biti u opasnosti, pravoj opasnosti, a sve što se dogodilo te večeri moglo bi nam pomoći da shvatimo gdje je. Radi se o pitanju… života ili smrti«, rekla je, namjerno izbjegavajući pogledati Connora.

Stella je grickala usnicu i kolutala očima dok je donosila odluku.

»O. K.«, rekla je.

Naziv datoteke:

Savršeno ubojstvo — Dnevnik dobre cure SEZONA 2 — Intervju sa Stellom Chapman.wav

X Audio Track	Mute		Stereo, 44100Hz
	Solo		32-bit float

Stella: Je li ovo u redu?

Pip: Da, super, savršeno te čujem. Možemo li samo ponoviti onaj dio o tome kako poznaješ Jamieja Reynoldsa?

Stella: Ja... ovaj, pa... ne poznajem ga.

Connor: **[NERAZUMLJIVO]**

Pip: Connore, ne možeš pričati dok snimamo.

Connor: **[NERAZUMLJIVO]**

Stella: Ovaj... ja... ja...

Pip.   Zapravo, Connore, zašto ne odeš na ručak? Vidimo se tamo.

Connor: **[NERAZUMLJIVO]**

Pip: Oh, ne, stvarno, inzistiram. *Connore!* Vidimo se tamo. Hajde. O, i zatvori vrata, molim te. Hvala. Oprosti zbog ovoga, samo je zabrinut za svog brata.

Stella: Da, O. K. je, razumijem. Samo nisam htjela razgovarati o njegovom bratu pred njim, kužiš? Čudno je.

Pip: Razumijem. Bolje je ovako. Onda, odakle poznaješ Jamieja?

Stella: *Stvarno* ga ne poznajem. Uopće. Onda u petak je bilo prvi put da sam razgovarala s njim. Nisam imala pojma tko je dok nisam jutros vidjela plakate na putu do škole.

Pip: Pustit ću ti ovaj isječak. Ne obaziri se na Hannino lice. Vidi, u pozadini, ti odlaziš od Katye, a zatim ti Jamie prilazi.

Stella:	Da, prišao mi je. Bilo je, ovaj… čudno. Stvarno čudno. Mislim da je došlo do nekog nesporazuma ili tako nešto. Ili je samo bio zbunjen.
Pip:	Kako to misliš? O čemu je htio razgovarati s tobom?
Stella:	Pa, kao što vidiš, dotaknuo me po ramenu, pa sam se okrenula prema njemu, a on je rekao:»Leila, pa to si ti.« A ja sam mu odgovorila nešto kao:»Ne, ja sam Stella.« Ali on je nastavio:»Leila, pa to si stvarno ti«, kao da me nije čuo kad sam rekla:»Ne, ja nisam Leila.«
Pip:	Leila?
Stella:	Da. Bio je prilično uporan, pa sam mu onda rekla:»Žao mi je, ali ja tebe ne poznajem«, i počela se udaljavati, pa mi je rekao nešto poput:»Leila, ali to sam ja, Jamie. Skoro te nisam prepoznao jer ti je kosa drukčija.« U tom sam trenutku bila stvarno zbunjena. I on je izgledao stvarno zbunjeno, a zatim me pitao što radim na zabavi sa srednjoškolcima. U tom trenutku sam se već malo uplašila, i odgovorila sam mu:»Ne zovem se Leila, moje je ime Stella i ne znam tko si ti ni o čemu pričaš. Pusti me na miru ili ću početi vrištati.« I onda sam otišla. To je bilo to. Nije ništa drugo rekao niti me pratio. Zapravo je izgledao stvarno tužan kad sam otišla, ali ne znam zašto. Još uvijek ne razumijem što se dogodilo, što je mislio kad mi se obratio. Ako mu je to bila neka čudna, jeziva taktika za ulet, nemam pojma. On je stariji, zar ne?
Pip:	Da, ima dvadeset i četiri godine. Znači, samo malo, da shvatim: zove te Leila, više puta, i govori:»To sam ja, Jamie«, kada ga ti ne prepoznaješ. Zatim komentira da ti je kosa drukčija…
Stella:	Što nije istina, kosa mi je ista, ono, oduvijek.
Pip:	U redu, i zatim te pita:»Što radiš na zabavi sa srednjoškolcima?«
Stella:	Da, gotovo točno tim riječima. Zašto? Što misliš?

Pip: Stella... ima li na društvenim mrežama, na Instagramu na primjer, puno tvojih fotki? *Selfieja* ili fotki na kojima si sama?

Stella: Pa, da, ima. Većina ih je takva. Zašto?

Pip: Ništa. Koliko takvih fotki si objavila?

Stella: Ne znam, puno. Zašto?

Pip: Koliko pratitelja imaš?

Stella: Nemam ih puno. Oko osam stotina. Zašto, Pip? Zar nešto nije u redu?

Pip: Ja, ovaj, mislim... zvuči mi kao da je Jamie možda razgovarao s nekim tko se predstavlja kao druga osoba.

Stella: Netko s lažnog profila?

Pip: Netko tko se koristi tvojim fotografijama i naziva se Lellom.

Stella: Oh. Znaš, to zapravo ima smisla, sad kad si to izrekla. Da, definitivno se činilo kao da Jamie misli da me stvarno poznaje, i po načinu na koji mi se obratio, kao da očekuje da i ja njega poznajem. Kao da smo mnogo puta već razgovarali. Ali ne u stvarnom životu, očito.

Pip: Da. I ako je taj netko s lažnog profila, možda je nekako dotjerao tvoje fotke, što objašnjava i onaj komentar o *drukčijoj kosi*. Mislim da te Jamie primijetio na komemoraciji, odnosno... nekoga za koga je mislio da je Leila, i to je bilo prvi put da ju je vidio u stvarnom životu, ali bio je zbunjen jer si izgledala drukčije. Mislim da te zatim pratio na ubijačinu i čekao priliku da ti priđe. Ali bio je zbunjen i zbog toga što si bila tamo, na zabavi sa srednjoškolcima, što se družiš s osamnaestogodišnjacima, pa pretpostavljam da mu je ta Leila rekla da je starija, da je u dvadesetima.

Stella: Da, to totalno ima smisla. Sve se uklapa. Netko s lažnim profilom. To je tako očito. O, Bože, osjećam se grozno zbog onoga što sam mu rekla, sada kada znam da zapravo ništa loše nije mislio kad mi je prišao. I izgledao je baš jako razočarano poslije. Valjda je shvatio o čemu se radi, zar ne? Da ta Leila nije stvarna, da mu je lagala?

Pip: Izgleda tako.

Stella: Znači, baš je zapravo *nestao*? Ono, stvarno?

Pip: Da, *stvarno* je nestao. Odmah nakon što je saznao da je komunicirao s osobom s lažnog profila.

Šalje: harryscythe96@yahoo.com   14:41

Prima: SUDDCpodcast@gmail.com

Predmet: Jamie Reynolds

Draga Pippa Fitz-Amobi,

bok, ja sam Harry Scythe. Veliki sam obožavatelj tvog podcasta — svaka čast na prvom serijalu! Trenutno živim u Kiltonu i radim u knjižari (odakle ti i pišem). Radio sam i u petak poslijepodne i nakon zatvaranja, nekoliko prijatelja s posla i ja otišli smo na komemoraciju — nisam baš poznavao Andie ili Sala, ali mislio sam da je red otići. A zatim smo otišli u kuću mog prijatelja na Wyvil Roadu nešto pojesti i popiti pokoje pivo.

U svakom slučaju, kada smo se na kraju druženja rastajali, prilično sam siguran da smo vidjeli tog momka, Jamieja Reynoldsa, kako prolazi pored nas. Recimo, 98 posto sam siguran da je to bio on, a nakon što sam jutros vidio vaše plakate, razgovarao sam s prijateljima i oni također misle da je bio on. Pa sam pomislio da bih ti trebao što prije javiti. Dvojica mojih prijatelja koji su također bili tamo i ja trenutno radimo, pa nam se slobodno javi odnosno dođi i možemo razgovarati ako su ove informacije ikako korisne za tvoju istragu.

Srdačno,

Harry

Sedamnaest

KNJIŽARA *THE BOOK CELLAR* isticala se u glavnoj ulici. Uvijek je bila uočljiva, koliko se Pip sjećala. I to ne samo zato što je bila mjesto u kojem je osobito voljela boraviti, gdje je vukla mamu za ruku kad bi joj baš *trebala* još samo jedna knjiga. Doslovno se isticala među ostalim zgradama: vlasnik je obojio njezin vanjski dio u jarku, veselu ljubičastu boju, dok je ostatak ulice bio jednoličan, s jednostavnim bijelim fasadama i crnim ukriženim drvenim gredama. Taj je potez navodno izazvao pravi pravcati skandal prije deset godina.

Connor je stalno pokušavao sustići Pip dok su koračali pločnikom. Još uvijek nije bio sasvim uvjeren u cijelu tu *teoriju o lažnom profilu*, kako ju je nazvao. Čak i kada ga je ponovno podsjetila na to da je, prema Connorovim vlastitim riječima, Jamie u posljednjih nekoliko tjedana stalno bio na telefonu.

»Takvo se ponašanje uklapa u sve što smo dosada saznali«, nastavila je pogledavajući prema knjižari kojoj su se približavali. »Kasni noćni pozivi. I baš se trudio da mu nitko ne vidi ekran, što me navodi na zaključak da je njegov odnos s tom Leilom, s tim lažnim profilom, možda bio romantične naravi. Jamie se vjerojatno osjećao ranjivo nakon cijele te situacije s Nat da Silvom; lako je povjerovati kako se mogao zaljubiti u nekoga *online*. Posebno u nekoga tko koristi fotografije Stelle Chapman.«

»Valjda. Samo nije ono što sam očekivao.« Connor je spustio glavu među ramena, što je moglo značiti i kimanje u znak odobravanja, ali i slijeganje ramenima. Suradnja s Connorom nije baš bila onakva kao s Ravijem. Ravi je znao što reći, na što se usredotočiti, kako je potaknuti da jasno razmišlja. I zajedno bi, držeći se za ruke, dolazili do najluđih zaključaka. Jednostavno su si na taj način sjajno odgovarali, izvlačili bi ono najbolje jedno iz drugog, znali su kada razgovarati, a kada je samo bilo bitno biti prisutan. Ravi je još bio na sudu, ali ga je zvala ranije, nakon što je završila intervju sa Stellom. Čekao je početak Maxove obrane jer su odvjetnici optužbe upravo završili, pa su zajedno prošli još jednom kroz sve — činjenice o Jamieju i Leili — dok se to nije posložilo. Ali sada je već treći put objašnjavala Connoru istu stvar, a on bi svaki put slegnuo ramenima, zbog čega bi Pip počele nagrizati sumnje. A za njih nije bilo vremena, pa im je Pip pokušala pobjeći ubrzavajući korak na pločniku dok ju je Connor jedva uspijevao pratiti.

»To je jedino objašnjenje koje potkrepljuje dokaze koje imamo«, rekla je. »Nagađanja moraju pratiti dokaze, tako to funkcionira.« Usmjerila je svoju pažnju na knjižaru *The Book Cellar* zaustavivši se pred samim vratima. »Kad završimo s razgovorom ovdje, vratit ćemo se k meni pa ćemo pokušati pronaći tu Leilu na internetu i potvrditi našu teoriju. I još nešto,« dodala je okrenuvši se prema njemu, »pusti mene da govorim, molim te. Tako je bolje.«

»Aha, može«, rekao je. »Već sam ti se ispričao zbog onoga sa Stellom.«

»Znam. I jasno mi je da si samo zabrinut.« Izraz lica smekšao joj se. »Samo prepusti to meni. Zbog toga i jesam ovdje.«

Začulo se zvonce iznad staklenih vrata dok je Pip ulazila u knjižaru. Voljela je miris njezine unutrašnjosti, onaj drevni, ustajali i bezvremenski. Mogla bi se izgubiti ovdje, u labirintu tamnih polica od mahagonija, označenih zlatnim metalnim slovima. Čak i kao dijete, uvijek bi se našla pred policama s krimićima.

»Bok«, začuo se dubok glas s druge strane pulta. A onda: »O, to si ti. Bok.«

Muškarac kraj blagajne odmaknuo se od pulta i krenuo prema njima kroz prostoriju. Izgledao je kao da ovdje ne pripada, bio je visok koliko i najviše police i gotovo jednako širok, velikih i mišićavih ruku, a gotovo potpuno crna kosa bila mu je povezana u malu punđu na zatiljku.

»Ja sam Harry«, rekao je pružajući Pip ruku. »Scythe«, pojasnio je kad mu je uzvratila stisak. »Ja sam ti poslao mejl.«

»Da, hvala vam puno na tome«, rekla je Pip. »Došla sam što sam prije mogla, izašli smo odmah nakon zadnjeg sata u školi.« Ispod Connorovih stopala je zacvilio pod. »Ovo je Connor Reynolds, Jamiejev brat.«

»Bok«, rekao je Harry okrećući sada pruženu ruku i prema Connoru. »Žao mi je zbog tvog brata.«

Connor je promrmljao nekoliko nerazumljivih riječi.

»Mogu li vam postaviti nekoliko pitanja vezanih uz petak navečer, ono što ste vidjeli?« upitala je Pip. »Smeta li vam ako snimam?«

»Da, da, ma ne, u redu je. Hej, Mike«, doviknuo je tipu koji je dopunjavao police u stražnjem dijelu. »Pozovi Soph iz ureda! Sve troje smo bili tamo kad smo ga vidjeli«, objasnio je.

»Savršeno. Mogu li postaviti mikrofone ovdje?« Pokazala je prema stolu, odmah pored blagajne.

»Naravno, naravno, uvijek je mirno od četiri pa sve dok ne zatvorimo.« Harry je uklonio hrpu smeđih papirnatih vrećica kako bi Pip oslobodio mjesto da odloži svoj ruksak. Izvadila je *laptop* i dva USB mikrofona.

Soph i Mike pojavili su se iz ureda u stražnjem dijelu trgovine. Pip je uvijek zanimalo što se tamo nalazi, bila je to ona čarolija koja bi malo-pomalo nestajala svake godine kako stariš.

Pip se pozdravila i upoznala s ostalim zaposlenicima knjižare *The Book Celler* i zamolila ih da se okupe oko jednog mikrofona. A zbog Harryjeve visine morala ga je postaviti na gomilu knjiga.

Kada su svi bili spremni, Pip je pritisnula gumb za snimanje znakovito kimajući. »Onda, Harry, rekao si da si nakon komemoracije otišao do nečije kuće. Gdje je to točno bilo?«

»Bila je to moja kuća«, rekao je Mike češkajući se po bradi s malo više žestine, zbog čega je plava linija zvuka poskočila na Pipinom ekranu. Izgledao je stariji od ostalih dvoje, kao da mu je barem trideset. »Na Wyvil Roadu.«

»Gdje točno?«

»Na broju pedeset i osam, na pola puta gdje ulica zavija.«

Točno je znala o kojem mjestu govori. »O. K., dakle, proveli ste večer zajedno?«

»Da«, rekla je Soph. »Mi i naša prijateljica, Lucy. Ona danas nije tu.«

»I jeste li svi napustili Mikeovu kuću u isto vrijeme?«

»Da, ja sam vozio«, rekao je Harry. »Odbacio sam Soph i Lucy — bilo mi je usput.«

»O. K.,« rekla je Pip, »a sjeća li se itko od vas kada ste točno napustili kuću?«

»Bilo je negdje oko 23:45, zar ne?« rekao je Harry pogledavajući prijatelje. »Pokušao sam to izračunati prema vremenu kada sam stigao kući.«

Mike je odmahnuo glavom. »Mislim da je bilo malo prije toga. Već sam bio u krevetu u 23:45 jer sam pogledao na mobitel kad sam namještao alarm. Odmah sam otišao gore nakon što sam vas ispratio, a treba mi samo pet minuta da se spremim za spavanje, pa mislim da se prije radilo o 23:40.«

»23:40? Odlično, hvala vam«, rekla je Pip. »I možete li mi reći gdje ste vidjeli Jamieja? Što je radio?«

»Hodao je«, rekao je Harry zagladivši nekoliko letećih pramenova kose. »Prilično brzo... hoću reći, kao da je točno znao kamo ide. Hodao je pločnikom s Mikeove strane ulice koju je prešao samo nekoliko metara ispred nas. Uopće nas nije pogledao. Činio se potpuno usredotočen na to kamo ide.«

»A u kojem smjeru je išao?«

»Udaljavao se Wyvil Roadom od centra«, dodao je Mike.

»Je li išao do samog kraja Wyvil Roada? Ili je možda nekamo skrenuo, recimo, u Tudor Lane ili tako nekako?« upitala je držeći slušalice na ušima i pogledavajući unatrag da provjeri što Connor radi. Pažljivo je pratio razgovor, pogledom bilježeći svaku izgovorenu riječ.

»Ne znam«, rekao je Harry. »Nismo ga vidjeli, otišli smo drugim putem prema mom autu. Žao mi je.«

»I jeste li sigurni da je to bio Jamie Reynolds?«

»Da, prilično sam siguran da je bio on«, progovorila je Soph, instinktivno se nagnuvši prema mikrofonu. »Nije bilo nikog drugog tko je prolazio u to vrijeme, pa sam ga nekako bolje zapamtila, ako to ima smisla. Prepoznala sam ga kad mi je Harry pokazao vaš plakat. Prva sam izašla iz kuće, vidjela Jamieja kako nam ide ususret, a onda sam se okrenula da se pozdravim s Mikeom.«

»Što je nosio na sebi?« upitala je Pip. To nije baš bio test, ali morala se uvjeriti.

»Nosio je tamnu košulju, crvenu ili ljubičastu«, rekla je Soph tražeći potvrdu svoje tvrdnje u očima svojih prijatelja.

»Da, bordo boje«, rekao je Harry. »I traperice. I tenisice.«

Pip je otključala mobitel prelazeći po fotografijama dok nije naišla na onu gdje je Jamie na komemoraciji. Pokazala im ju je, a Soph i Harry su kimnuli. Ali samo Soph i Harry.

»Ne znam«, rekao je Mike praveći grimasu jednom stranom usta. »Mogao bih se zakleti da je nosio nešto tamnije. Mislim, bilo je to samo par sekundi i bio je mrak. Ali mislio sam da je gore nosio nešto s kapuljačom. I Lucy misli tako. I zaklinjem se da mu nisam vidio ruke jer ih je držao u džepovima, kao da je neka jakna u pitanju. Ako je samo nosio košulju, gdje su mu onda bile ruke? Ali izašao sam posljednji, pa sam ga zapravo vidio samo s leđa.«

Pip je okrenula telefon prema sebi, ponovno promatrajući Jamieja. »Nosio je samo ovo kad je nestao«, rekla je.

»Ah, onda pretpostavljam da ga nisam baš dobro vidio«, priznao je Mike povlačeći se malo unatrag.

»Sve je u redu«, nasmiješila se da ga umiri. »Teško je zapamtiti sve te sitne detalje jer niste svjesni da će poslije možda biti važni. Možete li se sjetiti još nečega o Jamieju? Kako se ponašao?«

»Ništa se nije posebno isticalo«, rekao je Harry sjedeći preko puta Soph. »Čini mi se da je prilično teško disao. Ali izgledao je samo kao lik koji nekamo žuri.«

Lik koji nekamo žuri. Pip je u glavi ponavljala te riječi, a pridružile su im se i ove: *a sada ga nigdje nema.*

»O. K.« Stisnula je da zaustavi snimanje. »Hvala vam puno svima što ste odvojili vrijeme.«

Osamnaest

Pɪᴘ sᴇ ᴠʀᴀᴛɪʟᴀ papiriću koji je držala u ruci i prelazila pogledom preko popisa koji je sastavila prije pola sata:

Leila
Leyla
Laila
Layla
Leighla
Lejla

»Pa ovo je nemoguće«, rekao je Connor odmaknuvši se od Pipinog stola kao poražen, sjedeći na stolici koju je dovukla iz kuhinje.

Pip se nestrpljivo okretala u stolici, a popis u njezinoj ruci šuškao je na povjetarcu. »Živcira me što je naša osoba s lažnim profilom odabrala ime koje se može pisati u bezbroj prokletih varijanti.« Pokušali su tražiti ime na Facebooku i Instagramu, ali bez prezimena — čak ne znajući ni pravi oblik imena — rezultati pretrage bili su brojni i beskorisni. A ni pretraživanje fotki Stelle Chapman na Instagramu nije ih nikamo dovelo. Očito se verzijama Leilina imena dovoljno manipuliralo da ih algoritam nije mogao pronaći.

»Nikad je nećemo pronaći«, rekao je Connor.

Na vratima Pipine sobe začulo se tiho kucanje poznatim ritmom, tri puta.

»Briši«, rekla je Pip pregledavajući stranicu djevojaka s imenom Leighla na Instagramu. Vrata su se otvorila, a na ulazu je stajao Ravi, napućenih usana kao da se duri, a jedna mu je obrva bila podignuta.

»O, nisam mislila na tebe.« Pip ga je pogledala, a na licu joj se pojavio osmijeh. »Mislila sam da je opet Josh. Oprosti. Bok.«

»Bok«, rekao je Ravi, napola se smiješeći dok je podizao obrve da pozdravi i Connora. Prišao je stolu i sjeo pored *laptopa*, naslonivši jedno stopalo na Pipinu stolicu i uvlačeći ga pod njezino bedro.

»Kako je bilo na suđenju?« Pip ga je gledala dok ju je nožnim prstima škakljao po nozi pozdravljajući je na taj način, što Connor nije mogao primijetiti.

»Bilo je u redu.« Naprezao je oči da na njenom ekranu vidi čime se trenutno bave. »Jutros je svjedočila i posljednja žrtva. A donijeli su i onaj neregistrirani telefon Andie Bell da dokažu da je Max od nje redovito kupovao Rohypnol. Onda je krenula obrana nakon pauze za ručak, a kao prvu svjedokinju pozvali su Maxovu mamu.«

»O, i kako je to prošlo?« upitala je Pip.

»Epps ju je pitao o Maxovom djetinjstvu, kada je gotovo umro od leukemije sa sedam godina. Mama je govorila o tome kako je bio hrabar tijekom bolesti, kako je bio *osjećajan*, brižan i *sladak*. Kako je Max bio tih i sramežljiv u školi nakon što je konačno ozdravio jer je morao ponavljati godinu. Kako je te osobine prenio i u odraslu dob. Bila je prilično uvjerljiva«, rekao je.

»Pa, mislim da je to zato što je prilično *uvjerena* da njezin sin *nije* silovatelj«, rekla je Pip. »Epps je vjerojatno ushićen, kao da je naletio na škrinju s blagom. Što može bolje humanizirati klijenta nego priča da je kao dijete bolovao od raka?«

»I ja tako mislim«, rekao je Ravi. »Snimit ćemo novi nastavak o tome poslije, može? Što sada radimo, tražimo onaj lažni profil? Ne piše se tako Leyla«, dodao je pokazujući na tu varijantu.

»To je jedna od mnogih varijanti«, uzdahnula je Pip. »Došli smo do zida.«

»A što je s onim tipom iz knjižare?« upitao je Ravi.

»Da, mislim da mu možemo vjerovati«, rekla je. »Oko 23:40 Jamie je hodao posred Wyvil Roada. Četiri svjedoka su ga vidjela.«

»Pa,« Connor je tiho rekao, »nisu se složili baš oko svega.«

»Ne?« rekao je Ravi.

»Malo su se razilazili oko toga kako je Jamie bio odjeven«, rekla je Pip. »Dvoje su ga vidjeli u tamnoj košulji, a dvoje misle da je nosio nešto poput hudice.« Okrenula se prema Connoru. »Male razlike u izjavama svjedoka su normalne. Ljudsko sjećanje nije nepogrešivo. Ali ako četvero ljudi tvrdi da su vidjeli tvog brata, a sve ostalo u njihovim izjavama štima, onda im možemo vjerovati.«

»23:40,« Ravi je razmišljao naglas, »to je više od sat vremena otkad je posljednji put viđen. A ne treba ti više od sat vremena hoda od Highmoora do Wyvil Roada.«

»Ne, ne treba.« Pip je shvatila što pod tim misli. »Morao je stati negdje između. I kladim se da to ima veze s Laylom.«

»Misliš?« upitao je Connor.

»Razgovarao je sa Stellom na ubijačini«, rekla je Pip. »Saznao je da mu se Leyla lažno predstavlja. Sljedeći put je viđen vani na mobitelu, gdje se čini uznemiren i spominje da će pozvati policiju. Očito je zvao *svoju* Lailu i rekao joj što je upravo saznao. Jamie se sigurno osjećao izdanim, uznemiren, zato Georgeov opis njegovog ponašanja ima smisla. Što god se dogodilo nakon toga, kamo god je Jamie išao, mora imati veze s tim. S Leighlom.«

»Morala je to objasniti više nego jednom, kao što vidim«, rekao je Ravi namigujući Connoru. »Samo da znaš: mrzi to raditi.«

»Učim polako«, rekao je Connor.

Pip je Raviju uputila ljutit pogled. Barem je on mogao sve pročitati iz njezinog pogleda, pa je odmah i reagirao. »Ona je također, iritantno, i uvijek u pravu, tako da...«

»U redu, sljedeći plan«, rekla je Pip. »Napravimo profil na Tinderu.«

»Samo sam rekao da si uvijek u pravu«, odgovorio je Ravi visokim i razigranim glasom.

»Da uhvatimo tu ribu u svoju mrežu.« Opalila ga je po koljenu. »Nećemo pronaći Lailu tražeći ime ovako naslijepo. Na Tinderu barem možemo suziti pretrage po lokaciji. Prema onome što je Stella navela u intervjuu, Jamie se nije činio iznenađenim kad je vidio Leylu u Little Kiltonu, već kad ju je vidio na ubijačini. To govori da mu je rekla da živi ovdje, jedino što se nikada nisu sreli u stvarnom životu jer, pa... zbog lažnog profila.«

Skinula je aplikaciju Tinder na svoj mobitel i počela kreirati novi profil, palcem kružeći iznad kućice gdje je trebalo upisati ime.

»Koje ime ćemo odabrati?« rekao je Ravi.

Pip je podigla pogled prema njemu, s očitim pitanjem u očima.

»Želiš meni napraviti profil na stranici za upoznavanje?« upitao je. »S kakvom sam ja to čudnom curom!«

»Ma zato što mi je lakše, već imam tvoje slike. Izbrisat ćemo ga odmah kad je pronađemo.«

»U redu«, Ravi se nacerio. »Ali ne možeš to zlouporabiti ni u jednoj budućoj svađi.«

»Dobro«, rekla je Pip tipkajući biografiju. »*Voli muške aktivnosti poput nogometa i ribolova.*«

»Aha,« rekao je Ravi, »da je lakše upecamo.«

»Vas dvoje«, dobacio je Connor pogledavajući jedno pa drugo kao da gleda teniski meč.

Pip je prošla postavke da promijeni preferencije. »Držat ćemo se lokalnih ljudi, unutar pet kilometara. Želimo da nam prikazuje žene«, rekla je označivši tu opciju. »A dobni raspon... pa, znamo da je Jamie mislio da je starija od osamnaest. Da stavimo između devetnaest i dvadeset šest?«

»Da, čini mi se dobro«, rekao je Connor.

»U redu.« Pip je sačuvala postavke. »Idemo u ribolov.«

Ravi i Connor nagnuli su se naprijed gledajući preko njezinih ramena dok je prstom povlačila lijevo po ekranu birajući potencijalne partnere. Među njima se pojavila Soph iz knjižare. A zatim, nešto poslije, i Naomi Ward, smiješeći im se s fotke. »To joj nećemo spomenuti«, rekla je Pip i nastavila preskočivši Naominu fotografiju.

I odjednom se pojavila. Nije očekivala da će se tako brzo dogoditi; iznenadila ju je i skoro ju je slučajno preskočila, palac joj se zaustavio tik prije nego što je njime dodirnula ekran.

Layla.

»Bože moj«, rekla je. »Layla, s A-Y. Dvadeset pet godina. Udaljena manje od dva kilometra.«

»Manje od dva kilometra? Strava«, rekao je Connor približavajući se da bolje vidi.

Pip je pregledala četiri fotografije na Laylinom profilu. Bile su to fotke Stelle Chapman, ukradene s njenog Instagrama, ali su bile odrezane i filtrirane. A glavna razlika bila je ta što je Laylina kosa bila pepeljastoplava. Bilo je dobro napravljeno; Layla se poigrala nijansama i slojevima u Photoshopu.

»*Voli čitati. Učiti. Putovati*«, Ravi je čitao iz njezine biografije. »*Ljubiteljica pasa. I iznad svega ostalog: obožava doručak.*«

»Zvuči pristupačno«, rekla je Pip.

»Da, u pravu je«, rekao je Ravi. »Doručak je najbolji.«

»Stvarno je u pitanju pravi slučaj *catfishinga*, lažni profil, bila si u pravu«, Connor se skoro ugušio koliko je oštro udahnuo. »Stella — ali plavuša. Zašto?«

»Plavuše se bolje zabavljaju, očito«, rekla je Pip, ponovno prelazeći preko Laylinih fotografija.

»Pa da, ti si brineta i aktivno mrziš zabavu. Istina«, rekao je Ravi nježno grebuckajući Pip po zatiljku.

»Aha.« Pokazala je na sam kraj biografije, gdje je pisalo: *Insta @LaylaylaylaM.* »Njezino korisničko ime na Instagramu.«

»Idemo to pogledati«, rekao je Connor.

»Evo, već sam tamo.« Prebacila se na Instagram i upisala korisničko ime u tražilicu. Stella s izmijenjenim licem pojavila se na vrhu popisa rezultata i Pip je otišla na njezin profil.

Layla Mead. 32 objave. 503 pratitelja. 101 prati.

Većina fotografija bila je preuzeta sa Stelline stranice, kosa joj je sada bila prirodno pepeljastoplave boje, ali imala je isti onaj čarobni osmijeh i savršene bademaste oči. Bilo je i drugih fotografija bez nje; filtrirana fotka *puba* u Little Kiltonu, na kojoj izgleda starinski i moćno. Nešto ispod toga nalazila se i fotografija brežuljkastih polja blizu Ravijeve kuće, s narančastim zalaskom i nebom iznad njega.

Pip je skrolala dolje i pronašla prvu objavu, fotografiju Stelle/Layle kako mazi stene bigla. Ispod fotke je pisalo: *Makeover: nova estetika, oh, i... štene!*

»Prva objava bila je 17. veljače.«

»Znači, tada je *rođena* Layla«, rekao je Ravi. »Prije samo nešto više od dva mjeseca.«

Pip je pogledala Connora i ovaj je put uspio shvatiti što će reći i prije nego što je zaustila.

»Da«, rekao je. »Uklapa se. Moj brat je sigurno onda počeo razgovarati s njom sredinom ožujka, tada mu se raspoloženje promijenilo i činio se sretnijim, bio je stalno na svom mobitelu.«

»Puno je pratitelja dobila u to vrijeme. Ah—« provjerila je popis pratitelja. »I Jamie je ovdje. Ali većina ih izgleda kao da su botovi ili neaktivni profili. Vjerojatno si je kupila pratitelje.«

»Layla se ne šali«, rekao je Ravi tipkajući na Pipinom računalu, koje mu je bilo u krilu.

»Čekaj malo«, rekla je Pip fokusirajući se na drugo ime među Laylinim pratiteljima. »Adam Clark.« Pogledala je Connora i oboje su razrogačili oči kad su ga prepoznali.

Ravi je primijetio kako su se pogledali. »Što je?« upitao je.

»To je naš novi profesor povijesti«, rekao je Connor, a Pip je pritisnula ime da provjeri je li to doista on. Profil mu je postavljen na opciju *privatno*, ali prema profilnoj slici bilo je jasno da je to on — širok osmijeh i male božićne kuglice pričvršćene na njegovu riđu prošaranu bradu.

»Onda vjerojatno Jamie nije jedina osoba s kojom je Layla razgovarala«, rekla je Pip. »Stella ne sluša povijest, a gospodin Clark je nov ovdje, pa možda ni ne zna da razgovara s lažnim profilom, ako uopće i razgovaraju.«

»Aha«, rekao je Ravi okrećući *laptop* na svom dlanu. »Layla Mead ima i profil na Facebooku. Iste fotke, a prva joj je također objavljena 17. veljače.« Okrenuo je ekran natrag prema sebi kako bi nastavio čitati. »Napisala je i status taj dan: ›Otvorila sam novi račun jer sam zaboravila lozinku starog.‹«

»Baš ti vjerujemo, Layla«, rekla je Pip vraćajući se na Laylinu stranicu i blistavi osmijeh koji je i pripadao i nije pripadao Stelli. »Trebali bismo joj poslati poruku, zar ne?« To nije bilo baš pitanje, i oboje su to znali. »Ona je osoba koja najvjerojatnije zna što se dogodilo s Jamiejem. I gdje se nalazi.«

»Misliš da se definitivno radi o curi?« upitao je Connor.

»Pa, da. Jamie je s njom razgovarao i telefonom.«

»O, pa da. Što ćeš joj napisati u poruci?«

»Pa...« Pip je grickala usnicu razmišljajući. »Ne smije doći od mene, ni od Ravija, ni s adrese podcasta. Ni od tebe, Connore. Ako ima ikakve veze s onim što se dogodilo s Jamiejem, onda vjerojatno zna i u kakvoj smo mi vezi s njim, odnosno da istražujemo njegov nestanak. Mislim da moramo biti oprezni, pristupiti joj kao stranci koji samo žele razgovarati. Vidjet ćemo možemo li postupno skužiti tko je zapravo ili što zna o Jamieju. Polako. Lažni profili ne vole biti razotkriveni.«

»Ali ne možemo samo napraviti novi profil, bit će joj sumnjivo kada vidi da nemamo nijednog pratitelja«, rekao je Ravi.

»Dovraga, imaš pravo«, promrmljala je Pip. »Pa...«

»Imam ja ideju«, rekao je Connor, kao da postavlja pitanje — kraj rečenice imao mu je uzlaznu intonaciju. »Radi se o tome da, pa, imam još jedan profil na Instagramu. Anoniman. Znate, bavim se fotografijom. Crno-bijelom fotografijom«, rekao je, stidljivo sliježući ramenima. »Ne fotkam ljude, više ptice, zgrade i tako to. Nikome nisam rekao jer sam znao da bi mi Ant krv popio.«

»Stvarno?« rekla je Pip. »To bi moglo upaliti. Koliko imaš pratitelja?«

»Popriličan broj,« rekao je, »ali ne pratim nikoga od vas s tog profila, pa nas se tamo ne može dovesti u vezu.«

»To je savršeno, baš odlična ideja«, nasmiješila se pružajući mu svoj telefon. »Možeš se prijaviti s mog telefona?«

»Da.« Uzeo ga je, ulogirao se i vratio joj ga.

»*An.On.In.Frame*«, pročitala je ime na profilu prelazeći pogledom preko prvog reda fotki, ne idući dalje, u slučaju da nije htio da vide. »Stvarno su dobre, Con.«

»Hvala.«

Vratila se na profil Layle Mead i otišla na razgovore, pa joj se otvorila prazna stranica za privatne poruke i okvir za unos.

»O. K., što da joj kažem? Kojim se vokabularom obično koriste nepoznati ljudi kad nekome prvi put šalju privatnu poruku?«

Ravi se nasmijao. »Mene pitaš?« rekao je. »Nikad nisam nekome samo tako poslao privatnu poruku, čak ni prije tebe.«

»Connore?«

»Pa, ne znam, možda nešto kao: *Hej, kako si?*«

»Da, to bi moglo biti dobro«, rekao je Ravi. »Dovoljno bezazleno dok ne saznamo kako voli razgovarati s ljudima.«

»O. K.«, rekla je Pip utipkavajući to što je predložio i pokušavajući ignorirati činjenicu da joj se prsti tresu. »Hoću li odmah ubaciti malo flerta s *Heej*, s dva e?«

»Zašto da n-ee?« u istom joj je stilu odgovorio Ravi.

»Dobro. Jesmo li spremni?« Pogledala ih je obojicu. »Da pritisnem *pošalji*?«

»Da«, rekao je Connor, a Ravi je od svojih prstiju napravio *pištolj* i uperio ga prema njoj. Pip je oklijevala, palac joj je lebdio iznad tipke za slanje dok je čitala ono što je napisala. Vrtjela je te riječi u glavi dok nisu počele gubiti oblik i smisao. A onda je udahnula i pritisnula *pošalji*. Poruka je iskočila na vrh stranice i sada je bila u sivom balončiću.

»Poslala sam«, rekla je izdišući i spuštajući mobitel u krilo.

»Dobro, a sada čekamo«, rekao je Ravi.

»Nećemo dugo«, rekao je Connor nagnuvši se da pogleda mobitel. »Piše da je vidjela.«

»Sranje«, rekla je Pip podižući ponovno telefon. »Layla je vidjela poruku. Bože moj.« I dok je gledala, pojavilo se i nešto drugo. Riječ *tipka*... na lijevoj strani ekrana. »Tipka. Jebote, već tipka.« Glas joj je zvučao nategnuto i preplašeno, kao da joj se grlo naglo stisnulo.

»Smiri se«, rekao je Ravi našavši se brzinskim skokom pokraj nje kako bi mogao vidjeti ekran.

Riječ *tipka* je nestala.

A na njezinom mjestu pojavila se nova poruka.

Pip ju je pročitala i srce joj je potonulo.

Bok, Pip, pisalo je.

To je bilo sve.

»Jebote.« Ravi ju je čvršće stisnuo za rame. »Kako zna da si to ti? Jebote, kako zna?«

»Ne sviđa mi se ovo«, rekao je Connor odmahujući glavom. »Ljudi, imam loš predosjećaj o ovome.«

»Psst«, Pip je zasiktala iako od glasnog brujanja u ušima nije mogla čuti govore li još uvijek. »Layla opet tipka.«

Tipka...

I opet nestane.

Tipka...

Pa ponovno nestane.

Tipka. I u bijelom okviru pojavi se i druga poruka.

Sve si bliže :)

Devetnaest

STISNULO JOJ SE GRLO i zarobilo joj glas, ugušilo joj riječi dok se nisu same predale i raspršile. Sve što je mogla bilo je i dalje zuriti u poruke, raspetljavati ih i ponovno ih sastavljati dok ne dobiju neki smisao.

Bok, Pip.

Sve si bliže :)

Connor je prvi nešto izgovorio. »Što to, jebote, znači? Pip?«

Vlastito joj je ime zazvučalo čudno, kao da joj nije pripadalo, izgubilo je oblik sve dok joj više nije odgovaralo. Pip je zurila u ta tri slova, neprepoznatljiva u rukama ovog stranca. Ovog stranca koji je bio udaljen manje od dva kilometra.

»Hm«, bilo je sve što je imala reći.

»Znala je da si to ti«, rekao je Ravi, a od njegovog glasa Pip se vratila u sadašnji trenutak. »Zna tko si.«

»Što znači to *Sve si bliže*?« upitao je Connor.

»Tome da pronađemo Jamieja«, rekla je Pip. *Ili saznanju o tome što se dogodilo s Jamiejem*, pomislila je u sebi, što je zvučalo gotovo isto, ali je bilo vrlo, vrlo različito. I Layla je znala. Tko god da se predstavljao kao Layla, sve je znao, Pip je sada bila uvjerena u to.

»Ali taj smajlić«, Ravi se naježio; osjetila je to kroz njegove prste.

Šok je popustio i Pip se aktivirala.

»Moram odgovoriti. Odmah«, rekla je tipkajući: *Tko si ti? Gdje je Jamie?* Nije imalo smisla više se pretvarati, Layla je bila korak ispred nje.

Pritisnula je *pošalji*, ali se umjesto toga pojavio prozor s greškom. *Poruka nije isporučena. Korisnik nije pronađen.* »Ne«, Pip je prošaptala. »Ne, ne, ne, ne.« Vratila se na Laylinu stranicu, ali ni nje više nije bilo. Profilna slika i biografija još uvijek su bile prikazane, ali sve fotke su nestale i umjesto njih je samo stajalo *Još nema objava* i natpis na vrhu aplikacije *Korisnik nije pronađen.* »Ne«, Pip je uzviknula, potpuno frustrirana, glasom koji joj je iz grla izlazio poput iskonskog krika punog ljutnje. »Deaktivirala je račun.«

»Što?« rekao je Connor.

»Nestala je.«

Ravi se požurio natrag do Pipinog *laptopa* osvježavajući stranicu Layle Mead na Facebooku. *Stranicu koju ste tražili nije pronađena.* »Jebote. Deaktivirala je i svoj Facebook.«

»I Tinder«, rekla je Pip provjeravajući i na toj aplikaciji. »Nestala je. Izgubili smo je.«

U prostoriji je zavladala tišina koja nije bila odsutnost zvuka, već je bila poput živog bića i gušila se u prostoru među njima.

»Ona zna, zar ne?« rekao je Ravi blagim glasom, jedva čujnim, ne probijajući u potpunosti tu tišinu. »Layla zna što se dogodilo s Jamiejem.«

Connor je držao glavu među dlanovima i ponovno njome odmahivao. »Ne sviđa mi se ovo«, rekao je glasom usmjerenim prema podu.

Pip ga je promatrala, kao začarana pokretom njegove glave. »Ni meni se ne sviđa.«

* * *

Dok je poslije niz hodnik ispraćala Ravija prema izlazu, namjestila je onaj svoj lažni smiješak jer ih je tamo dočekao njezin tata.

»Jesi li gotova sa snimanjem novosti sa suđenja, dušice?« upitao je potapšavši Ravija nježno po leđima; bio je to poseban tatin pozdrav rezerviran samo za njega.

»Da. Upravo sam ih učitala«, rekla je Pip.

Connor je otišao kući prije više od sat vremena, nakon što više nisu znali kako jedno drugome postavljati ista pitanja. Večeras više ništa nisu mogli učiniti. Layle Mead više nije bilo, ali zato trag nije u potpunosti nestao. Plan je bio da Pip i Connor sutra u školi pitaju gospodina Clarka što zna o njoj. A večeras, kad Ravi ode, Pip će snimiti ovo što se upravo dogodilo, završiti uređivanje intervjua, a onda će to navečer i objaviti: bit će to prva epizoda druge sezone.

»Hvala na večeri, Victore«, rekao je Ravi okrećući se prema Pip da joj uputi jedan od onih njihovih tajnih pozdrava — lagano žmirkanje očima. Uzvratila mu je trepćući, nakon čega je dohvatio kvaku na ulaznim vratima i otvorio ih.

»O«, rekao je netko, stojeći na stepenici odmah pred vratima — stisnuta šaka u zraku bila je znak da je upravo namjeravao pokucati.

»O«, uzvratio je Ravi, a Pip se nagnula da vidi tko je to. Bio je to Charlie Green, koji je stanovao četiri kuće dalje, a njegova poput hrđe crvena kosa bila mu je zabačena unatrag, otkrivajući mu lice.

»Bok, Ravi, Pip«, rekao je Charlie i nezgrapno im mahnuo rukom.

»Dobra večer, Victore.«

»Bok, Charlie«, uzvratio je Pipin tata vedrim, prodornim glasom, onim bučnim koji se uvijek uključivao pred nekim koga je smatrao gostom. Ravi je odavno prestao biti samo gost i postao nešto više, hvala Bogu. »Kako vam možemo pomoći?«

»Oprostite što smetam«, rekao je Charlie, s blagim prizvukom nervoze u glasu gledajući ih svojim svijetlozelenim očima. »Znam da je kasno i da je sutra škola, samo sam htio...« Zašutio je uhvativši Pipin pogled. »Vidio sam tvoj oglas u novinama, Pip. I mislim da imam neke informacije o Jamieju Reynoldsu. Htio bih ti nešto pokazati.«

Njezin tata dao im je dvadeset minuta, a toliko će upravo i biti dovoljno, rekao je Charlie. Pip i Ravi pratili su ga kroz ulicu u mraku, dok su narančasta ulična svjetla bacala monstruozne, predugačke sjene po njihovim stopalima.

»Znate,« rekao je Charlie okrećući se prema njima dok su hodali po pošljunčanoj stazi koja je vodila do njegovih ulaznih vrata, »Flora i ja imamo jednu od onih kamera na zvonu. Često smo se selili, živjeli smo u Dartfordu i tamo su nam nekoliko puta provalili u kuću. Zato smo instalirali kameru, da bi se Flora osjećala sigurnije, a ponijeli smo je i ovdje, u Kilton. Mislio sam da nam malo dodatnog osjećaja sigurnosti neće naškoditi, bez obzira na to koliko je grad lijep, znate?«

Uperio je prst prema kameri, maloj crnoj napravi iznad postojećeg izblijedjelog mjedenog zvona. »Detektira pokrete, pa će i nas sad vjerojatno snimati.« Mahnuo je prema kameri dok je otključavao vrata i rukom im pokazao da uđu. Pip je ova kuća bila poznata, još dok su u njoj stanovali Zach i njegova obitelj. Oboje su slijedili Charlieja u prostoriju koja je nekad bila igraonica obitelji Chen, ali sada je izgledala kao ured. Tu su bile police s knjigama i fotelja ispod polukružnog, izbačenog prozora u prednjem dijelu. I široki bijeli stol na suprotnom zidu, s dva velika monitora.

»Ovamo«, rekao je Charlie upućujući ih prema računalu.

»Lijepo ste ovo posložili«, rekao je Ravi gledajući ekrane kao da ima pojma o čemu govori.

»O, da, radim od kuće. *Web*-dizajn. Slobodnjak sam«, objasnio je Charlie.

»Kul«, uzvratio je Ravi.

»Da, uglavnom zato što mogu raditi u pidžami«, nasmijao se Charlie. »Moj tata bi vjerojatno rekao: ›Imaš dvadeset i osam godina, nađi si više pravi posao.‹«

»Te starije generacije,« Pip je rekla s neodobravanjem, »jednostavno ne razumiju moć privlačnosti pidžame. Onda, što ste nam htjeli pokazati?«

»Bok.« Novi glas začuo se u sobi, a Pip se okrenula i ugledala Floru na vratima. Kosa joj je bila svezana na potiljku, a prednji dio prevelike košulje bio joj je umrljan brašnom. Držala je Tupperwareovu posudu u kojoj su u četiri reda bili poslagani četvrtasti zdravi kolači od zobenih pahuljica. »Upravo sam ih ispekla za Joshov razred sutra. Pa sam se pitala jeste li i vi možda gladni. Bez grožđica su, obećavam.«

»Bok, Flora«, nasmijala se Pip. »Zapravo i nisam gladna, hvala vam.« Još joj se apetit nije sasvim vratio; a i ono što je jela za večeru morala je silom progutati.

Ali na Ravijevom licu pojavio se širok iskrivljeni osmijeh dok je prilazio Flori i uzimao jedan kolač iz sredine govoreći joj: »Hvala vam, izgledaju odlično.«

Pip je uzdahnula: Ravi je volio svakoga tko ga ponudi hranom.

»Jesi li im pokazao, Charlie?« upitala je Flora.

»Ne, upravo sam namjeravao. Pogledajte ovo«, rekao je i pomaknuo miš da jedan od ekrana ponovno zasvijetli. »Dakle, kao što sam vam rekao, imamo kameru na zvonu, a počinje snimati kad god detektira neki pokret i onda šalje obavijest u aplikaciju na mom telefonu. Što god snimi, učita mi se na oblak i tamo je pohranjeno sedam dana prije nego što se izbriše. Kad sam se prošlog utorka ujutro probudio, vidio sam obavijest na aplikaciji da je kamera nešto snimila usred noći. Ali kad sam sišao i provjerio, sve je izgledalo u redu, ništa nije nedostajalo ili bilo na nekom krivom mjestu, pa sam pretpostavio da je opet lisica aktivirala kameru.«

»Dobro«, rekla je Pip približavajući se dok je Charlie prolazio kroz svoje datoteke.

»Ali jučer je Flora primijetila da joj ipak nešto nedostaje. Nigdje to nije mogla pronaći, pa sam pomislio da bih ipak trebao provjeriti snimku, za svaki slučaj, prije nego što se izbriše. Nisam mislio da ću išta pronaći, ali...« Dvostrukim klikom na datoteku Charlie ju je otvorio u *video playeru*. Prebacio je na cijeli ekran i zatim pritisnuo *play*.

Bio je to pogled na prednji dio njihove kuće i obuhvaćao je okolinu u rasponu od 180 stupnjeva, niz vrt pa sve do ulaza na ogradi kroz koji su upravo prošli i preko izbočenih prozora soba s obiju strana ulaznih vrata. Sve je bilo zeleno, u nijansama svijetle i jarke, oko kojih je bila tamnija zelena svjetlost koja je predstavljala noćno nebo.

»To je noćni vid«, rekao je Charlie promatrajući njihova lica. »Ovo je snimljeno u 3:07 ujutro u utorak.«

Kod kapije je uočeno neko kretanje. Što god da je bilo, aktiviralo je kameru.

»Ispričavam se, rezolucija nije baš najbolja«, rekao je Charlie.

Zelena silueta kretala se uz stazu kroz vrt, a počele su se nazirati i zamućene ruke i noge dok se približavala kameri. I dok je hodala ravno do ulaznih vrata, počela je dobivati i lice, ono koje je prepoznala, osim što su mu nedostajale oči umjesto crnih točaka. Izgledao je uplašeno.

»Ne poznajem ga osobno, ali vidio sam njegovu sliku u današnjem *Kilton Mailu*, to je Jamie Reynolds, zar ne?«

»Da«, rekla je Pip osjećajući kako joj se grlo ponovno steže. »Što to radi?«

»Evo, ako pogledate na prozor s lijeve strane, to je ovaj ovdje, u ovoj sobi«, pokazao je Charlie na ekranu. »Očito sam ga ostavio otvorenog da nam uđe nešto svježeg zraka, a možda sam mislio da sam ga dobro zatvorio. Ali pogledajte, još je uvijek otvoren, samo par centimetara na donjem dijelu.«

Tek što je to rekao, zeleni Jamie na ekranu to je također primijetio, sagnuo se pred prozorom i provukao prste ispod proreza. Nije mu se vidio stražnji dio glave; imao je tamnu kapuljaču prevučenu preko kose. Pip je gledala kako Jamie polako otvara prozor povlačeći ga prema gore dok otvor nije bio dovoljno velik.

»Što to radi?« upitao je Ravi naginjući se bliže ekranu i pritom potpuno zaboravljajući na kolač. »Provaljuje li on to?«

Pitanje je postalo suvišno već nakon pola sekunde, kada je Jamie spustio glavu i ušao kroz prozor uvlačeći noge za sobom i ostavljajući samo prazan tamnozeleni otvor u kuću.

»Unutra je bio ukupno četrdeset i jednu sekundu«, rekao je Charlie ubrzavajući video do dijela kad se Jamiejeva glava u svjetlijoj zelenoj boji ponovno pojavila na prozoru. Izvukao se van i nezgodno se dočekao na jednu nogu. Ali izgledao je isto kao prije nego što je ušao: još uvijek uplašen i praznih ruku. Okrenuo se natrag prema prozoru naslanjajući se na laktove dok ga nije zatvorio, sve do prozorske daske. A onda se udaljio od kuće, pri čemu je ubrzao do trka dok nije stigao do kapije i nestao u noć potpuno zelene boje.

»Oh«, rekli su Pip i Ravi u isti glas.

»Ovo smo pronašli tek jučer«, rekao je Charlie. »I razgovarali smo o tome. Moja je krivica što sam ostavio prozor otvoren. I nećemo ići na policiju i prijavljivati provalu ili tako nešto jer se čini da Jamie ionako ima već više nego dovoljno problema. A ono što je uzeo, pa, ono što *pretpostavljamo* da je uzeo, nema neku veliku materijalnu vrijednost, samo sentimentalnu, pa...«

»Što je uzeo?« upitala je Pip usmjeravajući pogled brzo na Floru, pri čemu joj se instinktivno zadržao na Florinom zapešću. »Što vam je Jamie ukrao?«

»Ručni sat«, rekla je Flora i odložila posudu s kolačima na stol. »Sjećam se da sam ga ostavila ovdje prije dva vikenda jer mi je stalno zapinjao za knjigu koju sam čitala. Otada ga nisam vidjela. I to je jedina stvar koja nedostaje.«

»Je li taj sat od ružičastozlatnog metala sa svijetloružičastim kožnim remenom i metalnim cvjetićima s jedne strane?« upitala je Pip, a Charlie i Flora pogledali su se u šoku.

»Da«, rekla je Flora. »Da, točno tako. Nije bio toliko skup, ali Charlie mi ga je kupio za prvi Božić nakon što smo se upoznali. Kako si...«

»Vidjela sam ga«, rekla je Pip. »Nalazi se u Jamiejevoj sobi.«

»Oh«, zaustio je Charlie.

»Pobrinut ću se za to da vam odmah bude vraćen.«

»To bi bilo sjajno, ali ne moraš žuriti«, ljubazno se nasmiješila Flora. »Sigurno si jako zauzeta.«

»Ono što je čudno jest...« Charlie je prešao u drugi dio sobe prošavši pored Ravija, koji ga je promatrao, sve do prozora kroz koji je Jamie ušao prije samo tjedan dana, »... zašto je uzeo samo sat? Očito je da nije bio skup. A ja ostavljam i svoj novčanik u ovoj sobi, pun novaca. Tu je i moja računalna oprema, a ništa od toga nije jeftino. Zašto je Jamie ignorirao sve ostalo? Zašto je uzeo samo sat koji gotovo da nema nikakvu vrijednost? Od ulaska do izlaska prošlo je punih četrdeset sekundi, a on je uzeo jedino sat?«

»Ne znam, to je stvarno čudno«, rekla je Pip. »Ne mogu to objasniti. Tako mi je žao, ovo...« pročistila je grlo, »ovo nije Jamie kojeg poznajem.«

Charliejev pogled zaustavio se na donjoj prozorskoj dasci, gdje je Jamie provukao svoje prste. »Neki prilično vješto skrivaju tko su zapravo.«

Naziv datoteke:

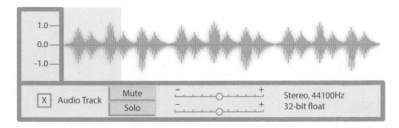

Savršeno ubojstvo — Dnevnik dobre cure — SEZONA 2 —
Odjavna špica.wav

Pip: Postoji jedna neizbježna stvar koja me konstantno proga-
nja u ovom slučaju, nešto s čime se nisam morala suočiti
prošli put. A to je vrijeme. Prolaskom svake minute i
svakog sata šanse da se Jamie vrati kući živ i zdrav po-
staju sve manje i manje. Tako kaže statistika. U trenutku
izlaska ove epizode koju trenutno slušate isteći će još je-
dan važan period: sedamdeset i dva sata otkada je Jamie
zadnji put viđen. Pri uobičajenom policijskom postupku
istrage nestanka neke osobe i kada je slučaj klasificiran
kao *visokorizičan*, sedamdeset i dva sata su poput pre-
kretnice, crte u pijesku, nakon koje se prešutno prihvaća
da se možda više ne traži osoba, već tijelo. Vrijeme ima
potpunu kontrolu nad svime, a ne ja, i to je zastrašujuće.

Ali moram vjerovati da je Jamie živ, da još uvijek ima-
mo vremena da ga pronađemo. Vjerojatnost je samo to:
vjerojatnost. Ništa nije sigurno. A ja sam bliža spoznaji
nego što sam bila jučer, pronalazim točke i spajam ih.
Mislim da je sve povezano. A ako je to istina, onda sve
vodi k jednoj osobi: Layli Mead. Osobi koja zapravo ne
postoji

Pridružite nam se i u sljedećoj epizodi.

Savršeno ubojstvo: Dnevnik dobre cure — Nestanak Jamieja Reynoldsa

Epizoda 1 Sezone 2 uspješno je učitana na *SoundCloud*.

UTORAK

ČETIRI DANA OD NESTANKA

Dvadeset

JAMIE REYNOLDS JE OČITO MRTAV.

Riječi su upadale u Connorov vidokrug i ispadale iz njega dok je držao mobitel ispred Pipinih očiju.

»Gledaj«, rekao je drhtećim glasom, možda zbog sve težeg držanja koraka s njom dok je hodala hodnikom, a možda i zbog nečeg drugog.

»Vidjela sam«, rekla je Pip usporavajući kako bi zaobišla grupu brbljavih učenika prvog razreda. »Što sam ti rekla, kojeg se vrlo važnog pravila moraš pridržavati, Con?« Pogledala ga je. »Nikad ne čitaj komentare. Ali baš nikad. O. K.?«

»Znam«, rekao je vraćajući pogled na svoj telefon. »Ali ovo je odgovor na tvoj *tweet* s linkom na epizodu i već ima sto devet lajkova. Znači li to da stotinu devet ljudi uistinu misli da je moj brat mrtav?«

»Connore—«

»I još nešto, s Reddita«, nastavio je ne slušajući je. »Ovaj tu misli da je Jamie uzeo nož iz kuće u petak navečer da se obrani, pa je morao znati da će ga netko pokušati napasti.«

»Connore.«

»Što je?« rekao je kao da se brani. »*Ti* čitaš komentare.«

»Da, čitam ih. U slučaju da mi netko ponudi neki pravi trag ili ako je netko primijetio nešto što sam ja propustila. Ali znam da je većina komentara beskorisna i da je internet prepun idiota«, rekla je preskačući prvih nekoliko stepenica. »Jesi li ti vidio Jamieja kako nosi prljavi veliki nož na komemoraciji? Ili na bilo kojoj drugoj fotografiji s ubijačine? Ne. Jer ga nije ni mogao imati uz sebe, nosio je samo košulju i traperice. Nema baš puno mjesta gdje tako odjeven možeš sakriti takvu oštricu.«

»Imaš prilično puno trolova, ha?« Connor ju je slijedio dok je prolazila kroz dvostruka vrata na kat gdje je bila nastava povijesti. »*Ja sam ubio Jamieja, a ubit ću i tebe, Pip.*«

Baš kad je to izrekao naglas, kraj njih je prolazila učenica iz nižeg razreda. Šokirano je uzdahnula, usta su joj ostala otvorena i počela se brzim korakom udaljavati u suprotnom smjeru od njih.

»Samo sam nešto čitao naglas«, Connor je povikao za djevojkom kako bi se opravdao, ali ubrzo je odustao jer je ona već nestala kroz vrata.

»Ovako ćemo.« Pip je zastala pred učionicom u kojoj je gospodin Clark imao nastavu i gledala kroz staklo na vratima. Bio je tamo, sjedio je za svojim stolom iako je odmor bio u tijeku. Pretpostavljala je da mu je kao novom učitelju prazna učionica još uvijek bila ugodnija od zbornice.

»Možeš ući sa mnom, ali ako ti uputim onaj značajni pogled, to znači da moraš otići. Jasno?«

»Da, jasno«, rekao je Connor.

Pip je otvorila vrata i lagano mahnula gospodinu Clarku u znak pozdrava.

Ustao je. »Bok, Pip, Connore«, rekao je vedro, nervozno se meškoljeći kao da nije siguran što da učini s rukama. Jedna mu je završila u valovitoj smeđoj kosi, a druga se smjestila u džepu. »Kako vam mogu pomoći? Jeste li došli zbog ispita?«

»Uhm, zapravo smo došli zbog nečeg drugog.« Pip se naslonila na jedan od stolova u prednjem dijelu učionice, pa je tako na njega prebacila težinu svog ruksaka.

»A zbog čega točno?« pitao je gospodin Clark mijenjajući izraz lica, što se primijetilo ispod njegovih teških obrva.

»Ne znam jeste li čuli, ali Connorov brat Jamie nestao je prošlog petka, a ja to istražujem. On je bivši učenik ove škole.«

»Da, da, vidio sam to jučer u gradskim novinama«, rekao je gospodin Clark. »Jako mi je žao, Connore, sigurno ti nije lako, kao ni tvojoj obitelji. Siguran sam da bi školski psiholog mogao—«

»Znači,« Pip ga je prekinula; ostalo je samo petnaest minuta prije početka sata, a vremena baš nije imala napretek, »istražujemo Jamiejev nestanak, a jedan trag doveo nas je do određene osobe. Paaa, mislimo da biste vi mogli poznavati tu osobu. I da nam možete dati neke informacije o njoj.«

»Pa, ja… Ne znam smijem li…« počeo je zamuckivati.

»Layla Mead.« Pip je izgovorila to ime, spremna na to kako će gospodin Clark reagirati. I reakcija nije izostala iako joj se on pokušavao oduprijeti, otresti je. Ali nije mogao sakriti bljesak panike u očima. »Znači, *poznajete* je?«

»Ne.« Prstima je petljao po ovratniku kao da mu je odjednom postao preuzak. »Žao mi je, nikad prije nisam čuo to ime.«

Znači, u takvu se igru htio upustiti, ha?

»Oh, O. K.,« rekla je Pip, »pogriješila sam.« Ustala je i krenula prema vratima. Iza sebe je čula gospodina Clarka kako je odahnuo s olakšanjem. A onda se zaustavila i okrenula prema njemu. »Samo,« rekla je češući se tobože zbunjeno po glavi, »nešto mi je čudno.«

»Kako, molim?« rekao je gospodin Clark.

»Pa, čudno je što nikad niste čuli za Laylu Mead ranije, s obzirom na to da je pratite na Instagramu i lajkali ste nekoliko njenih objava.« Pip je podigla pogled prema stropu, kao da traži objašnjenje. »Možda ste zaboravili na to?«

»Ja… ja«, zamuckivao je promatrajući Pip oprezno kad je koraknula prema njemu.

»Da, mora da ste zaboravili na to«, rekla je. »Jer znam da ne biste namjerno lagali o nečemu što bi moglo pomoći spasiti život našeg bivšeg učenika.«

»Mog brata«, Connor je dodao, i iako to Pip ne bi nikada priznala, tajming mu je bio savršen. A i taj staklasti, molećivi pogled u njegovim očima: baš je bio na mjestu.

»Hm, mislim… mislim da ovo nije primjereno«, rekao je gospodin Clark, a lice mu se zacrvenjelo iznad ovratnika. »Znate li koliko su sada strogi, nakon svega što se dogodilo s gospodinom Wardom i Andie Bell? Sve te mjere zaštite, ne bih smio biti sam ni s jednim učenikom ili učenicom.«

»Pa i nismo sami.« Pip je pokazala prema Connoru. »A vrata slobodno mogu ostati širom otvorena, ako tako želite. Sve što želim je pronaći Jamieja Reynoldsa, živog. A da bih to uspjela, morate mi reći sve što znate o Layli Mead.«

»Stani«, rekao je gospodin Clark, a crvenilo mu se proširilo i iznad brade, sve do obraza. »Ja sam vaš učitelj, molim vas prestanite pokušavati sa mnom manipulirati.«

»Nitko ovdje ni s kim ne manipulira«, hladno je uzvratila Pip i bacila pogled na Connora. Znala je točno što će učiniti, a i onaj osjećaj u utrobi je to znao i ponovno ju je preplavio krivnjom. *Ignoriraj ga, samo ga ignoriraj.* »Mada se pitam znate li da je Layla koristila fotografije učenice iz Kiltona koja trenutno ide ovdje u našu školu, Stelle Chapman?«

»Nisam to znao tada«, rekao je glasom koji se sve više pretvarao u šapat. »Ne predajem joj, a to sam shvatio tek prije nekoliko tjedana kad sam je vidio dok je prolazila hodnikom. Ali to je već bilo nakon što sam prestao razgovarati s Laylom.«

»Svejedno«, Pip je napravila grimasu stisnuvši zube i uvlačeći dah kroz njih. »Baš me zanima biste li imali neugodnosti ako bi to itko saznao.«

»Kako, molim?«

»Evo što ja predlažem«, rekla je zamijenivši dosadašnji izraz lica nevinim osmijehom. »Snimit ćemo intervju, a ja ću koristiti softver koji izobličuje glas. Ime vam nikada neće biti spomenuto i izbrisat ću sve informacije koje bi vas mogle potencijalno identificirati. Ali reći ćete mi sve što znate o Layli Mead. Ako to učinite, sigurna sam da nitko nikada neće saznati ništa što ne biste i sami željeli da se sazna.«

Gospodin Clark na trenutak je zastao uvlačeći obraze i pogledavajući Connora kao da bi mu on mogao pomoći. »Je li to ucjena?«

»Ne, gospodine«, rekla je Pip. »Već samo uvjeravanje.«

Naziv datoteke:

Savršeno ubojstvo — Dnevnik dobre cure — SEZONA 2 —
Intervju s Adamom Clarkom.wav

Pip: Onda, počnimo s time kako ste se vi i Layla upoznali.

Anonimna **[IZOBLIČENI GLAS]** Nikada se nismo upoznali.
osoba: Barem ne u stvarnom životu.

Pip: U redu, kako je onda započela vaša komunikacija *online*? Tko je inicirao kontakt? Jeste li se spojili na Tinderu?

Anonimna Ne, ne, nisam na tome. Bilo je to na Instagramu.
osoba: Moj profil postavljen je na privatne postavke tako da **[------------BIIIP--------------]**. Jednog dana, mislim da je to bilo krajem veljače, ta žena, Layla, poslala mi je zahtjev. Provjerio sam njezin profil, mislio sam da izgleda simpatično i očito je živjela u Little Kiltonu jer je na profilu imala i fotke na kojima se vidio i grad. A ja sam tada tek par mjeseci živio ovdje i zapravo nisam imao priliku upoznati nikoga izvan **[--BIIIP--]**. Pomislio sam da bi bilo lijepo upoznati nekoga novog, pa sam prihvatio njezin zahtjev i ja nju počeo pratiti. Lajkao sam par njenih slika.

Pip: Jeste li počeli razmjenjivati privatne poruke?

Anonimna Da, dobio sam privatnu poruku od Layle, nešto poput:
osoba: »Hej, hvala što me pratiš.« Rekla je da misli da me prepoznaje i pitala jesam li iz Little Kiltona. Inače, neću ulaziti u sve pojedinosti naših razgovora.

Pip: Da, razumijem. Onda, da pojasnimo, kakvi su bili vaši razgovori s Laylom, biste li rekli da su bili... romantične prirode? Da ste flertali?

Anonimna   ...
osoba:

Pip: U redu, ne trebate odgovarati. Glasno i jasno. Ne morate
            mi detaljno prepričati svaki razgovor, samo želim znati je
            li Layla rekla išta što bi nam moglo pomoći otkriti njezin
            identitet. Jeste li ikada razgovarali s njom telefonom?

Anonimna Ne. Samo smo se dopisivali na Instagramu. I zapravo
osoba: smo si tek tu i tamo nešto napisali i to je trajalo svega
         nekoliko dana. Najviše tjedan dana. Ništa posebno.

Pip: Je li vam Layla rekla gdje živi?

Anonimna Da, u Little Kiltonu. Nismo došli do razmjene adresa,
osoba: očito. Ali činilo se da dobro poznaje grad, govorila je da
         zna popiti piće u *King's Headu*.

Pip: Je li vam rekla još nešto o sebi?

Anonimna Rekla je da ima dvadeset i pet godina. Da živi s ocem i
osoba: da radi u kadrovskoj službi negdje u Londonu, ali da je
         trenutno na bolovanju.

Pip: Na bolovanju? Zbog čega?

Anonimna Nisam pitao. Jedva smo se poznavali, to bi bilo nepristojno.
osoba:

Pip: To mi zvuči kao klasična priča *catfishinga*. Jeste li u bilo
            kojem trenutku pomislili da vam se lažno predstavlja?

Anonimna Ne. Nisam imao pojma, sve dok nisam vidio Stellu
osoba: Chapman [----------**BIIIP**----------] i ostao šokiran što
         me netko tako prevario. Ali barem nije dugo trajalo.

Pip: Dakle, razgovarali ste samo tjedan dana? O čemu ste
            točno razgovarali? Ono što nam smijete reći.

Anonimna Puno me pitala o meni. Zapravo, baš puno. Prilično mi
osoba: je godilo upoznati nekoga tko je toliko zainteresiran za
         mene.

Pip: Zaista? Što vas je sve pitala?

Anonimna Nije izgledalo kao da me ispituje s nekom namjerom ili
osoba: tako nešto, pitanja su se prirodno pojavljivala tijekom razgovora. Na početku je htjela znati koliko imam godina, izravno me to pitala. Rekao sam joj da imam dvadeset i devet, a onda me pitala kada ću napuniti trideset i imam li već planove za proslavu okruglog rođendana. Bila je baš pričljiva. Simpatična. I željela je znati sve o mojoj obitelji, pitala je živim li još uvijek s nekim od njih, imam li braće ili sestara, kako su mi roditelji. No nekako bi izbjegavala odgovore kad bih ja njoj postavljao takva pitanja. Činilo se da je više zainteresirana za mene. Što me navelo da pomislim da nema baš neki skladan obiteljski život.

Pip: Čini se da ste se dobro slagali, zašto ste se prestali dopisivati s njom nakon tjedan dana?

Anonimna Ona je prestala slati poruke meni. Potpuno iznenada.
osoba:

Pip: Iz čista mira je prekinula kontakt s vama?

Anonimna Da, baš se osjećam posramljeno zbog toga. Nastavio
osoba: sam joj slati poruke, tipa:»Hej? Gdje si nestala?« I ništa. Nikad mi se više nije javila.

Pip: Pada li vam možda na pamet zašto je prekinula kontakt? Možda zbog nečega što ste rekli?

Anonimna Ne mislim da je to u pitanju. Znam što sam joj zadnje
osoba: rekao prije nego što je nestala. Pitala me čime se bavim, pa sam joj odgovorio i rekao da radim kao [----- BIIIP-----] u [----BIIIP ----]. I to je bilo to, više mi nikad nije odgovorila. Pretpostavljam da je možda jedna od onih osoba koje ne žele izlaziti s [--BIIIP--]. Možda misli da može naći boljega ili tako nešto.

Pip: Znam da u to vrijeme niste znali da je u pitanju lažni profil, ali gledajući iz ove perspektive, je li Layla rekla nešto čudno, nešto što bi moglo naslutiti koji je njezin stvarni identitet? Dob? Neki sleng koji nitko više ne koristi? Je li vam spomenula Jamieja Reynoldsa? Ili bilo koju drugu osobu s kojom se druži u stvarnom životu?

Anonimna osoba:	Ne, ništa takvo. Vjerovao sam da je točno ona osoba kakvom mi se predstavljala. Nije se ničim odala. Dakle, ako se radi o nekome tko se bavi kreiranjem lažnih identiteta u svrhu prevare, onda je ta osoba očito prilično dobra u tome.

Dvadeset jedan

CONNOR NIJE JEO. Gurkao je hranu po tanjuru, vrhovima svoje plastične vilice urezujući duboke crte kroz netaknutu tjesteninu.

I Zach je to primijetio; Pip je slučajno uhvatila njegov pogled preko stola dok je promatrala Connora kako sjedi i šuti u bučnoj kantini. To je zbog komentara, znala je. Nepoznate osobe na internetu sa svojim teorijama i mišljenjima. *Jamie Reynolds je sigurno mrtav.* I: *Definitivno je ubijen — čini se da je to i zaslužio.* Pip je rekla Connoru da ih ignorira, ali bilo je jasno da ne može, njihove su ga riječi pratile, ostavljale dubokog traga na njemu.

Cara je sjedila pored nje, dovoljno blizu da povremeno laktom okrzne Pip po rebrima. I ona je primijetila da je Connor šutljiv, pa je pokušala započeti razgovor o njegovoj omiljenoj temi: teorijama zavjere o Području 51.

Jedini koji to nisu primijetili bili su Ant i Lauren. Ant bi navodno trebao biti Connorov najbolji prijatelj, ali sjedio je bočno na klupi, okrenutih leđa i hihoćući se s Lauren. Pip nije mogla reći da je iznenađena. Ant se nije činio previše zabrinutim za Connora ni jučer, a Jamieja je tek jednom spomenuo. Znala je da takva situacija svima stvara nelagodu i da se većina ljudi teško upušta u takve razgovore, ali barem jednom kažeš da ti je žao. To se jednostavno tako radi.

Lauren se zacerekala na nešto što joj je Ant prišapnuo i Pip je osjetila nalet vrućine pod kožom, ali je uspjela zadržati jezik za zubima. Ovo nije bio trenutak da se započne svađa. Umjesto toga, gledala je kako Cara vadi KitKat iz torbe i polako ga gura preko stola prema Connoru. To ga je trgnulo iz transa, pa je pogledao prema njoj, a u kutovima usana nazreo se majušan, prolazan smiješak dok je odlagao vilicu i pružao ruku da uzme čokoladicu.

Cara je takav isti smiješak uputila Pip. Izgledala je umorno. Prošle su tri noći, tri noći kako je Pip nije stigla nazvati da joj pomogne zaspati. Pip je znala da je sigurno ležala budna; to su joj govorili tamni kolutovi ispod Carinih očiju. A sada su joj oči govorile nešto drugo šireći se i pogledavajući prema nekome baš kad je ta osoba prišla Pip i dodirnula je po ramenu. Okrenula se i vidjela Toma Nowaka, koji je podigao ruku i nekako joj nezgrapno mahnuo. Bio je to Laurenin bivši dečko; prekinuli su prošlog ljeta.

»Bok«, rekao je nadglasavajući buku kantine.

»Uh«, Lauren se odmah umiješala. O, sada je odjednom obraćala pažnju. »Što hoćeš?«

»Ništa«, rekao je Tom odmaknuvši pramen duge kose s očiju. »Samo moram o nečemu razgovarati s Pip.«

»Naravno«, Ant se sada ubacio uspravivši se koliko je mogao i pružajući jednu ruku ispred Lauren kako bi se uhvatio za stol. »Svaki izgovor ti je dobar da dođeš do našeg stola, zar ne?«

»Ne, radi se o...« Tom je zastao, slegnuo ramenima pa se ponovno okrenuo prema Pip. »Imam neke informacije.«

»Nitko te tu ne treba. Odlazi«, rekao je Ant, a na Laureninom licu razvukao se osmijeh kao da se zabavlja dok je obavijala ruku oko Antove.

»Ne obraćam se tebi«, rekao je Tom. Ponovno je pogledao prema Pip. »Radi se o Jamieju Reynoldsu.«

Connor je naglo podignuo glavu, trepćući očima da se riješi onog ispaćenog izraza koji je dosada imao, pa se fokusirao na Pip. Ona je podigla ruku i kimnula gestikulirajući mu time da ostane tamo gdje jest.

»O, naravno«, rekao je Ant s podsmijehom.

»Daj više prestani, Ante«, Pip je ustala i prebacila tešku torbu preko ramena. »Nitko nije impresioniran, osim Lauren.« Preskočila je plastičnu klupu i rekla Tomu da je slijedi dok su hodali prema vratima koja vode u dvorište, znajući da će ih Connor promatrati dok odlaze.

»Možemo ovdje razgovarati«, rekla je kad su izašli pokazujući mu rukom prema niskom zidiću od opeke. To je jutro padala kiša i zidić je bio još malo vlažan kad je sjela, pa se vlaga upijala u njezine hlače. Tom je raširio jaknu prije nego što je sjeo pored nje. »Onda, kakve informacije imaš o Jamieju?«

»Radi se o onoj noći kada je nestao«, rekao je Tom i šmrcnuo.

»Zbilja? Jesi li poslušao prvu epizodu? Objavila sam je sinoć.«

»Ne, nisam još«, rekao je.

»Pitam te zato što smo sastavili kronologiju Jamiejevog kretanja prošlog petka. Znamo da je bio na ubijačini od 21:16 i da je otišao odatle oko 22:32, ako si ga tamo vidio.« Tom ju je gledao zbunjeno. »Ono što želim reći je da već imam te informacije, ako si mi to htio reći.«

Odmahnuo je glavom. »Pa, ne, nešto drugo je u pitanju. Nisam bio na toj ubijačini, ali sam ga vidio. Nakon toga.«

»Zaista? Nakon 22:32?« I odjednom je Pip postala hiper-svjesna: i desetogodišnjaka koji vrište igrajući nogomet, i muhe koja je upravo sletjela na njezinu torbu, i zida koji joj pritišće kosti.

»Da«, rekao je Tom. »Nakon toga.«

»A koliko dugo nakon toga?«

»Pa, možda petnaest ili dvadeset minuta.« Lice mu se ukočilo od silne koncentracije dok se pokušavao sjetiti.

»Je li to onda bilo oko 22:50?« upitala je.

»Da. To bi moglo biti otprilike točno.«

Pip se nagnula prema naprijed čekajući da Tom nastavi.

Ali on je šutio.

»I?« rekla je, a nervoza joj je rasla iako to nije ni najmanje željela. »Gdje si ti bio? Gdje si ga točno vidio? Je li bilo negdje blizu Highmoora, tamo gdje je bila i ubijačina?«

»Da, u onoj ulici, joj, kako se ono zove… o, da, Cross Lane«, rekao je.

Cross Lane. Pip je poznavala samo jednu osobu koja je živjela u Cross Laneu, u kući sa svijetloplavim vratima i ukoso položenom stazom: Nat da Silvu i njezine roditelje.

»Vidio si Jamieja u Cross Laneu u 22:50?«

»Da, vidio sam ga, u bordo košulji i bijelim tenisicama. Pacifično se sjećam toga.«

»To je ono što je nosio, *specifično*«, rekla je škrgućući zubima zbog Tomovog izvrtanja riječi. »Što si ti tamo u to vrijeme radio?«

Slegnuo je ramenima. »Samo sam se vraćao kući od prijatelja.«

»A što je Jamie radio?« pitala je Pip.

»Hodao je. Prošao je pokraj mene.«

»U redu. A je li bio na telefonu kad je prošao pokraj tebe?« upitala je.

»Ne, mislim da nije. Nisam vidio mobitel.«

Pip je uzdahnula. Tom joj nije baš pomagao.

»U redu, jesi li još nešto vidio? Je li izgledalo kao da ide nekamo? Možda prema nekoj kući?«

»Da«, kimnuo je Tom.

»Da, što?«

»Prema kući. Hodao je prema jednoj kući«, rekao je. »Negdje na pola ulice.«

Kuća Nat da Silve bila je otprilike na sredini ulice. Pipine su se misli uzburkale, zahtijevale su da im posveti pažnju. Osjetila je kucanje vratnih žila dok joj se puls sve više ubrzavao. Dlanovi su joj postajali ljepljivi, ali ne od kiše.

»Kako znaš da je išao prema kući?«

»Jer sam ga vidio. Kako ulazi u tu kuću«, rekao je.

»Unutra?« Riječ joj je izletjela glasnije nego što je namjeravala.

»Da.« Zvučao je iznervirano, kao da je *ona* ta koja mu sve otežava.

»U koju kuću?«

»Ah«, rekao je Tom češkajući se po kosi, prebacujući razdjeljak na drugu stranu. »Bilo je kasno, nisam gledao kućne brojeve. Nisam vidio.«

»Pa, možeš li mi barem opisati kako kuća izgleda?«

Sada se već prstima čvrsto uhvatila za rub zidića i vrhovima prstiju grebala po njemu.

»Koje su boje bila ulazna vrata?«

»Uh«, pogledao ju je. »Mislim da su bila bijela.«

Pip je izdahnula. Odmaknula se od njega, podigla prste sa zida i spustila pogled. Nije bila kuća Nat da Silve, onda. Dobro.

»Čekaj«, iznenada je rekao Tom, a oči su mu se ponovno fokusirale na nju.

»Zapravo ne, mislim da nisu bila bijela. Ne, sada se sjećam… bila su pl-plava. Da, plava.«

Pipino srce odmah je reagiralo, lupanje u ušima odjekivalo joj je poput kratkih stihova u paru koji su zvučali gotovo kao: *Nat-da Sil-va, Nat-da Sil-va, Nat-da Sil-va.*

Svom se snagom trudila držati jezik za zubima, a zatim je ipak otvorila usta i upitala ga: »Kuća od bijele cigle? Obrasla bršljanom s jedne strane?«

Tom je kimnuo, sada s više znakova života na licu. »Da, to je ta. Vidio sam Jamieja kako ulazi u tu kuću.«

»Jesi li vidio još koga? Tko je bio na vratima?«

»Ne. Samo sam ga vidio kako ulazi.«

U kuću Nat da Silve.

Takav je zapravo i bio plan, da Jamie nakon komemoracije ode do Nat. Tako je rekao Connoru. Tako je i Nat rekla Pip. Ali je rekla i da se nije pojavio. Da ga je zadnji put vidjela kad se u gužvi odvojio od nje da pronađe »onu osobu«.

Međutim, Tom je vidio Jamieja kako ulazi u njezinu kuću u 22:50. Nakon ubijačine. Dakle, netko je tu lagao. A tko bi imao razloga za to?

»Tome«, rekla je. »Slažeš li se da ovo još jednom sve ponovimo, ali u snimljenom intervjuu?«

»Naravno. Nema problema.«

r/PodcastSavršenoUbojstvoDnevnikDobreCure

objavio u/hedeteccheprotecc prije 47 minuta

18

Hillary F. Weiseman kao trag?

Znam da se Pip opasno bacila u istraživanje Jamiejevih kretanja one noći. No mislim da bi bilo pogrešno zanemariti onaj papirić iz Jamiejevog koša. Znamo da spremačica dolazi kod Reynoldsovih svake druge srijede, pa je papirić koji je Pip pronašla morao biti napisan odnosno bačen u posljednjih deset dana, što se podudara s razdobljem Jamiejevog čudnog ponašanja (krađa, iskradanje iz kuće).

Pip tijekom istrage otkriva samo jednu Hillary F. Weiseman — 84-godišnju ženu koja je živjela u Little Kiltonu i umrla prije 12 godina. Dakle, da, vrlo je čudno što je Jamie nedavno zapisao ime ove stare preminule žene. Ali što ako se bilješka uopće ne odnosi na neku osobu? Možda se umjesto toga odnosi na neku lokaciju? Ako je Hillary umrla u tom gradu, pretpostavljam da je vjerojatno pokopana na mjesnom groblju. Što ako se ta bilješka ne odnosi na Hillary kao osobu, nego na njezin grob kao mjesto sastanka? Ponovno pogledajte formulaciju bilješke: *Hillary F. Weiseman lijevo 11*. Što ako to zapravo znači: grob Hillary F. Weiseman na lijevoj strani groblja u 11 sati. Vrijeme i mjesto sastanka. Što vi mislite?

🗨 59 komentara   ⭐ Nagradi   ↗ Podijeli 🔖 Spremi ...

Dvadeset dva

PIP SE TRUDILA ne gledati tu kuću. Odvraćala bi pogled, ali bilo je nečeg u vezi s njom što bi joj uvijek mamilo pogled. To nikada više nije mogla biti samo neka normalna kuća, pogotovo nakon svega čemu je svjedočila. Činila se gotovo nadnaravnom, kao da smrt lebdi zrakom oko nje, zbog čega je nekako posebno svjetlucala, kako nijedna kuća ne bi trebala svjetlucati, zajedno s neravnim krovom i zidovima od opeke zaraslima u bršljan.

Bila je to kuća obitelji Bell. Mjesto gdje je Andie umrla.

A kroz prozor dnevnog boravka Pip je vidjela zatiljak Jasona Bella i televizor koji treperi na drugom kraju prostorije. Sigurno je čuo njihove korake na pločniku ispred kuće jer je upravo tada okrenuo glavu i zagledao se u Pip. Na trenutak su uspostavili kontakt očima, a u Jasonovom pogledu pojavila se neka zlovolja kad ju je prepoznao. Pip se trgnula i spustila pogled pa su nastavili hodati ostavljajući kuću za sobom. Ali još je uvijek na neki način osjećala njegov pogled na sebi.

»Pa«, rekao je Ravi, nesvjestan toga što se upravo dogodilo; očito nije osjetio istu potrebu da pogleda kuću.

»Tu si ideju dobila od nekoga na Redditu?« upitao je dok su hodali uz cestu koja je vijugala prema crkvi na vrhu brda.

»Da, i ta je teorija dobra«, rekla je Pip. »Trebala sam se i sama toga sjetiti.«

»Je li bilo još dobrih savjeta otkako je epizoda izašla?«

»Ma ne«, rekla je, a od napora, dok su se uspinjali pa skrenuli iza ugla, pucao joj je glas. U daljini, ugniježđena među vrhovima stabala, pojavila se stara crkva. »Osim ako ne računamo i objave tipa: ›Vidjela sam Jamieja u McDonald'su u Aberdeenu.‹ Ili onu u kojoj je navodno viđen u *Louvreu* u Parizu.«

Prešli su pješački mostić iznad brze ceste, a zvuk prolazećih automobila brujao joj je u ušima.

»U redu«, rekla je dok su se približavali, a groblje se širokom stazom od središnje zgrade razdvajalo na dva dijela. »Taj korisnik Reddita misli da se ›lijevo‹ u bilješci možda odnosi na lijevu stranu groblja. Pa hajdemo onda ovim putem.« Povela je Ravija sa staze na dugačak travnjak s lijeve strane koji je ovijao brežuljak. Svugdje gdje pogledaš vide se ravne mramorne ploče i uspravni nadgrobni spomenici u vijugavim redovima.

»Kako se ono zove, Hillary…«upitao je Ravi.

»Hillary F. Weiseman, umrla je 2006.« Pip je žmirkala proučavajući natpise na grobovima dok ju je Ravi pratio.

»Znači, misliš da ti je Nat da Silva lagala?« pitao je u pauzama između čitanja imena.

»Ne znam«, odgovorila je. »Ali ne mogu oboje govoriti istinu; iskazi su im potpuno proturječni. Dakle, jedno od njih laže, ili Nat da Silva ili Tom Nowak. I ne mogu se oteti dojmu da bi Nat imala više razloga za laganje. Možda je Jamie doista i svratio k njoj te večeri, a ona samo nije htjela to reći pred svojim dečkom. Djeluje prilično opasno.«

»Kako se ono zove? Luke?«

»Eaton, da. Ili možda samo nije htjela reći da je vidjela Jamieja jer ne želi biti umiješana. Nisam se baš lijepo ponijela prema njoj zadnji put. Ili možda laže jer na neki način *jest* umiješana. Bilo je tu nešto čudno dok sam razgovarala s njima o tome gdje su bili u petak navečer, imam osjećaj da mi nisu sve ispričali.«

»Ali Jamie je viđen na Wyvil Roadu gotovo sat vremena nakon toga. Dakle, ako je doista išao k Nat, bio je živ i zdrav kad je otišao od nje.«

»Znam«, rekla je. »Pa zašto bi onda lagala o tome? Što to skriva?«

»A možda Tom laže«, rekao je Ravi sagnuvši se da bolje prouči izblijedjela slova na spomeniku.

»Možda«, uzdahnula je. »Ali zašto? I kako zna da ta kuća pripada nekome tko je... pa, osoba od interesa?«

»Hoćeš li ponovno razgovarati s Nat?«

»Nisam sigurna.« Pip je prolazila uz još jedan red grobova. »Trebala bih, ali nisam sigurna da će htjeti opet razgovarati sa mnom. Stvarno me mrzi. A ovaj tjedan joj je ionako dovoljno težak.«

»Možda bih ja mogao otići?« rekao je Ravi. »Možda nakon Maxovog suđenja.«

»Da, možda«, odgovorila je Pip, ali onda se snuždila već od same pomisli da Jamie i tada možda još uvijek ne bi bio pronađen. Ubrzala je korak. »Previše smo spori. Razdvojimo se.«

»Ne, ali ja te stvarno, stvarno volim.«

Pip je osjetila njegov smiješak iako ga nije gledala.

»Na groblju smo. Ponašaj se pristojno.«

»Ionako nas ne mogu čuti«, rekao je spustivši glavu kao da se kloni njeninog namuštenog pogleda. »U redu, ja ću ovim putem.« Krenuo je gore i prešao preko cijelog groblja da bi s te strane počeo pregledavati i onda se vratio do nje.

Pip ga je izgubila iz vida već nakon nekoliko minuta, iza neošišane živice, i činilo joj se kao da je sama. Sama, na ovom zemljištu prepunom imena. Nije bilo nikoga drugog u blizini; bilo je tiho kao usred noći iako je bilo tek šest sati.

Stigla je do kraja još jednog reda — ni u njemu nije bilo traga Hillary, kada je odjednom čula uzvik. Ravijev je glas bio slabašan jer ga je vjetar nosio dalje od nje, ali vidjela je njegovu ruku koja joj maše iznad živice i požurila se k njemu.

»Jesi li je našao?« rekla je bez daha.

»U spomen na Hillary F. Weiseman«, pročitao je stojeći iznad crne mramorne ploče sa zlatnim slovima. »Preminula 4. listopada 2006. Voljena majka i baka. Jako ćeš nam nedostajati.«

»To je ona«, rekla je Pip pogledavajući oko sebe. Taj je dio groblja bio gotovo izoliran, zaklonjen nizom živica s jedne strane i šumarkom s druge. »Ovdje si baš dobro zaklonjen. Ne može te se baš vidjeti ni s jedne strane, osim s ovog gornjeg puteljka.«

Ravi je kimnuo. »Dobro mjesto za tajni sastanak, ako se o tome radilo.«

»Ali s kim? Znamo da se Jamie nikada nije susreo s Laylom u stvarnom životu.«

»A što ovo znači?« Ravi je pokazao na mali buket cvijeća položen na Hillarynom grobu. Cvjetovi su bili osušeni i uveli, latice su otpadale dok je Pip prstima obuhvaćala plastični omot buketa.

»Očito ga je netko ovdje ostavio prije nekoliko tjedana«, rekla je primijetivši malu bijelu karticu usred cvijeća. Plava tinta razlila se po papiru zbog kiše, ali riječi su još uvijek bile donekle čitljive.

»*Draga mama, sretan ti rođendan! Nedostaješ nam svaki dan. S ljubavlju, Mary, Harry i Joe*«, pročitala je Raviju.

»Mary, Harry i Joe«, rekao je Ravi zamišljeno. »Poznajemo li ih?«

»Ne«, rekla je. »Ali pretraživala sam registar birača i nisam mogla pronaći nikoga s prezimenom Weiseman a da trenutno živi u Kiltonu.«

»Vjerojatno se onda ne prezivaju Weiseman.«

Odjednom su začuli korake na šljunčanom puteljku iznad njih kako im se približavaju. Pip i Ravi okrenuli su se na petama da vide tko je to. Pip je osjetila stezanje u prsima, kao da je uhvaćena na mjestu gdje ne bi smjela biti, dok je promatrala čovjeka koji im je ulazio u vidokrug izlazeći iza krošnje vrbe koja je treperila od vjetra. Bio je to Stanley Forbes, a i on je izgledao jednako iznenađeno što ih vidi — trgnuo se i oštro udahnuo kada ih je ugledao skrivene u sjeni.

»Sranje, prestrašili ste me«, rekao je, dlanom jedne ruke prekrivši prsa.

»Smije li se reći ›sranje‹ u blizini crkve?« Ravi se nasmiješio, čime je odmah otklonio napetost.

»Oprostite«, rekla je Pip još uvijek držeći uvenulo cvijeće u ruci. »Što vi radite ovdje?« Pitanje je sasvim na mjestu, pomislila je; nije bilo nikoga drugog na groblju osim njih, a nisu bili ovdje iz uobičajenih razloga dolaska.

»Idem, ovaj...« Stanley je izgledao zatečeno. »Idem razgovarati sa župnikom o nečemu što će sljedeći tjedan izaći u novinama. Zašto pitaš? A zašto ste vi ovdje?« uzvratio im je istim pitanjem škiljeći kako bi pročitao ime na grobu kraj kojeg su stajali.

Pa, s obzirom na to da ih je uhvatio »na djelu«, Pip je barem mogla nešto pokušati. »Hej, Stanley,« rekla je, »vi poznajete većinu ljudi u gradu, zar ne? Zbog posla u novinama. Poznajete li obitelj žene po imenu Hillary Weiseman, odnosno kćer Mary i možda dva sina ili unuka koji se zovu Harry i Joe?«

Stisnuo je oči, kao da je ovo jedno od čudnijih pitanja koju su ga upitale neke dvije osobe nakon što je na njih nabasao na groblju. »Pa, da, poznajem ih. I vi ih poznajete. Mary Scythe. Ona Mary koja volontira sa mnom u novinama. A Harry i Joe su njezini sinovi.«

I kad je to izrekao, Pip je nešto kliknulo u glavi.

»Harry Scythe. Radi li on u knjižari *The Book Cellar*?« upitala je.

»Da, mislim da tamo radi«, rekao je Stanley prebacujući se s jedne noge na drugu. »Ima li ovo veze s nestankom koji istražujete, s onim Jamiejem Reynoldsom?«

»Moguće.« Slegnula je ramenima pa na njegovom licu iščitala nešto poput razočaranja kada nije nastavila detaljno objašnjavati. Pa, ono, oprosti, ali nije željela da neki novinar amater iz malog grada prati istu priču i ometa je u istrazi. Ali možda to i nije bilo sasvim fer s njene strane; Stanley je objavio oglas o Jamiejevom nestanku u *Kilton Mailu* kako ga je i zamolila, zbog čega su joj se neki ljudi javili s određenim informacijama. »Hm,« dodala je, »htjela sam vam i zahvaliti što ste objavili obavijest o nestanku u novinama, Stanley. Nije da ste morali to učiniti, ali stvarno je pomoglo. Dakle, da. Hvala vam. Za to.«

»Sve O. K.«, nasmiješio se pogledavajući nju pa Ravija. »I nadam se da ćete ga pronaći. Zapravo, siguran sam da hoćete.« Podigao je rukav da pogleda na sat. »Moram ići, ne želim da me župnik čeka. Hm. Da. U redu. Bok.« Nezgrapno im je mahnuo dlanom koji mu je bio u razini struka i otišao prema crkvi.

»Harry Scythe bio je jedan od svjedoka koji su vidjeli Jamieja na Wyvil Roadu«, rekla je Pip Raviju tiho, gledajući kako Stanley odlazi.

»Zbilja?« rekao je Ravi. »Mali grad.«

»Baš«, rekla je Pip vraćajući uvelo cvijeće na Hillaryn grob. »Baš *jest* mali grad.« Nije bila sigurna znači li to išta drugo osim toga. I nije bila sigurna da im je dolazak ovamo objasnio onaj komadić papira iz Jamiejevog koša, osim da postoji mogućnost da se ovdje s nekim susretao, na istom ovom sjenovitom mjestu. Ali bilo je previše nejasno, previše neodređeno da bi se moglo smatrati pravim tragom.

»Hajdemo. Moramo završiti novosti sa suđenja«, rekao je Ravi uzimajući je za ruku, provlačeći prste među njezine.

»Također, ne mogu vjerovati da si stvarno zahvalila Stanleyju Forbesu.« Namjestio je tobože šokiranu facu gledajući u križ.

»Prestani.« Gurnula ga je laktom.

»Stvarno si bila fina prema nekome.« Nastavio je govoriti s onim glupim izrazom lica. »Bravo. Zaslužila si zlatnu medalju, Pip.«

»Začepi.«

Dvadeset tri

KUĆA REYNOLDSOVIH PROMATRALA ju je, a prozori na katu bili su žute boje i nisu treptali. Ali samo na sekundu, a onda su se vrata otvorila i Joanna Reynolds se pojavila na njima.

»Došli ste.« Joanna je uvela Pip u hodnik, u čijem se dnu pojavio i Connor. »Hvala što ste odmah došli.«

»Ma nema na čemu.« Pip je spustila torbu s ramena i izula se. Ona i Ravi upravo su završili snimanje novih vijesti sa suđenja Maxu Hastingsu, gdje su razgovarali o dva svjedoka obrane, Maxovim prijateljima s fakulteta, kada je Joanna nazvala.

»Zvučalo je hitno kad ste zvali«, rekla je Pip pogledavajući jedno pa drugo. Iza zatvorenih vrata dnevnog boravka čuli su se zvukovi televizije. Valjda je Arthur Reynolds unutra i još uvijek odbija imati bilo kakve veze s ovim. Ali Jamieja sada već nema četiri dana, kada će mu otac konačno popustiti? Pip ga je shvaćala: teško je izaći iz duboke jame kad se jednom sam tamo dovedeš. Ali valjda se morao već zabrinuti?

»Da, mislim da jest.« Joanna je rukom pozvala Pip da je slijedi hodnikom, pa se počela penjati stepenicama za Connorom.

»Radi li se o njegovom računalu?« pitala je Pip. »Jeste li uspjeli ući?«

»Ne, ne radi se o tome«, rekla je. »Pokušavali smo. Isprobali smo više od sedam stotina opcija. I ništa.«

»O. K., jučer sam poslala mejl dvojici računalnih stručnjaka, pa ćemo vidjeti što će nam oni reći.« Pip se penjala stepenicama pokušavajući ne zapeti o Joannine pete.

»Pa što onda nije u redu?«

»Slušala sam prvu epizodu koju si objavila sinoć i to nekoliko puta«, brzo je govorila Joanna ostajući bez daha na pola stepenica. »Onaj intervju s očevicima iz knjižare, onima koji su ga vidjeli na Wyvilu u 23:40. Nešto me mučilo u vezi s tim intervjuom, i napokon sam shvatila što.«

Joanna ju je odvela u Jamiejevu neurednu spavaću sobu, gdje je Connor upalio svjetlo i već ih čekao.

»Je li u pitanju Harry Scythe?« pitala je Pip. »Poznajete li ga?«

Joanna je odmahivala glavom. »Mislim na onaj dio gdje su pričali o tome što je Jamie nosio na sebi. Dvoje svjedoka mislilo je da su ga vidjeli u tamnocrvenoj košulji, onoj za koju znamo da ju je nosio kad je odlazio od kuće. Ali to su bile prve dvije osobe koje su ga vidjele jer je Jamie tada išao prema njima. Ostalo dvoje svjedoka došlo je do vrata poslije, kad je Jamie već prošao. Dakle, vidjeli su ga s leđa. A oni su mislili da možda ipak nije nosio tamnocrvenu majicu, već nešto tamnije, s kapuljačom i džepovima jer nisu vidjeli Jamiejeve ruke.«

»Da, ne slažu se oko toga«, rekla je Pip. »Ali to se može dogoditi u iskazima očevidaca kad su takve sitne stvari u pitanju.«

Joannine oči sada su iskrile, gotovo ostavljajući svjetleći trag u smjeru Pipinog lica, kamo je gledala. »Da, a mi smo instinktivno povjerovali onima koji su ga vidjeli u košulji jer smo pretpostavili da je Jamie upravo to nosio na sebi. Ali što ako je ono drugo dvoje u pravu, oni koji su ga vidjeli u crnoj dukserici? Jamie ima crnu duksericu«, rekla je,

»s patentnim zatvaračem. Stalno ju je nosio. Ako je bila otkopčana, možda ne biste puno vidjeli s prednje strane i fokusirali biste se na košulju koju je nosio ispod.«

»Ali nije nosio crnu duksericu kad je napustio kuću u petak«, rekla je Pip pogledavajući prema Connoru. »I nije ju nosio sa sobom, nije imao ruksak ili nešto slično.«

»Ne, definitivno ju nije nosio sa sobom«, uskočio je Connor. »To sam isprva i ja rekao. Ali...« Davao je znak svojoj mami da nastavi.

»Međutim,« Joanna je preuzela riječ, »tražila sam je svugdje. Svugdje. U njegovom ormaru, ladicama, među svim tim hrpama odjeće, u košari za rublje, na hrpi za glačanje, u ormarima u našoj sobi, Connorovoj i Zoeinoj. Jamiejeva crna dukserica nije ovdje. Nije u kući.«

Pipin dah zaustavio se u prsima. »Nije ovdje?«

»Provjerili smo, ono, tri puta na svim mjestima gdje bi se mogla nalaziti«, rekao je Connor. »Proveli smo posljednjih nekoliko sati tražeći je. Nestala je.«

»Dakle, ako su u pravu,« rekla je Joanna, »ako je to dvoje svjedoka u pravu i vidjeli su Jamieja u crnoj dukserici, onda...«

»Onda se Jamie vratio kući«, rekla je Pip i osjetila hladnoću od koje je zadrhtala i koja se počela širiti krivim putem, prolazeći joj pokraj trbuha i ispunjavajući šupljine u nogama. »Između ubijačine i trenutka kad je viđen na Wyvil Roadu Jamie se vratio kući. Ovamo«, rekla je gledajući oko sebe po sobi novim očima: razbacana hrpa odjeće, možda je nastala kad je Jamie u panici tražio dukSericu. Razbijena šalica pokraj njegovog kreveta, možda se i to dogodilo slučajno, u žurbi. Nestali nož u kuhinji. Ako ga je Jamie zaista i uzeo, možda je upravo zbog toga navratio kući.

»Da, upravo to«, rekla je Joanna. »To sam i ja pomislila. Jamie je navratio do kuće.« Rekla je to s toliko nade u glasu, toliko neskrivene nade, njezin mali dječak vratio se kući, kao da joj čak ni onaj dio koji je uslijedio ne može to uzeti, a taj je dio činjenica da je zatim opet otišao i nestao.

»Ako se stvarno vratio i uzeo duksericu,« rekla je Pip pritom izbjegavajući spomenuti nestali nož, »onda je to moralo biti između, recimo, 22:45, nakon što se vratio pješice iz Highmoora, i 23:25, jer bi mu trebalo najmanje petnaest minuta da dođe negdje na pola Wyvil Roada.«

Joanna je kimnula, pažljivo upijajući svaku njezinu riječ.

»Ali…« Pip je prekinula i počela iznova, upućujući pitanje Connoru. Tako je bilo jednostavnije. »Ali zar tvoj tata nije došao kući iz *puba* oko 23:15?«

Joanna je ipak odgovorila umjesto njega. »Da, jest. Otprilike tada. Očito Arthur uopće nije vidio Jamieja, pa je Jamie morao doći i otići prije nego što se Arthur vratio.«

»Jeste li ga pitali o tome?« rekla je Pip oprezno.

»O čemu?«

»O tome gdje je bio te večeri?«

»Da, naravno«, rekla je Joanna oštro. »Vratio se iz *puba* oko 23:15, kao što si rekla. Jamieju nije bilo traga.«

»Znači da je Jamie morao doći ranije, zar ne?« pitao je Connor.

»Da«, rekla je Pip, ali uopće nije o tome razmišljala. Već o tome da je Tom Nowak rekao da je vidio Jamieja kako ulazi u Nat da Silvinu kuću na Cross Laneu u 22:50. Je li bilo vremena i za jedno i za drugo? Posjetiti Nat, vratiti se kući i ponovno otići? Ne, zapravo, ne bez preklapanja vremena Jamiejevog kretanja s Arthurovim. Ali Arthur je rekao da je bio kod kuće u 23:15 i nije vidio Jamieja. Nešto se ovdje nije slagalo.

Ili Jamie uopće nije išao k Nat, već se vratio kući ranije i otišao prije 23:15, kad mu se otac vratio kući. Ili je

Jamie doista *otišao* k Nat, nakratko, pa se vratio kući, što se poklapa s vremenom kad mu je otac bio kod kuće, s tim da ga Arthur jednostavno nije primijetio u kući ili kada je ponovno odlazio. Ili ga je Arthur zapravo primijetio i iz nekog razloga lagao o tome.

»Pip?« ponovila je Joanna.

»Oprostite, što ste rekli?« rekla je Pip trgnuvši se iz svojih misli i vraćajući se u prostoriju.

»Govorila sam da sam, dok sam tražila Jamiejevu crnu duksericu, pronašla nešto drugo.« Joannin se pogled smrknuo dok se približavala Jamiejevoj bijeloj košari za rublje. »Prekopala sam i ovo«, rekla je dižući poklopac i vadeći odjevni predmet s vrha. »A ovo sam pronašla otprilike na sredini.«

Bio je to sivi pamučni džemper. Pokazivala ga je Pip držeći ga za šavove na ramenima. A na prednjoj strani, otprilike pet centimetara ispod ovratnika, bile su kapljice krvi, osušene i crvenkastosmeđe boje. Ukupno sedam mrlja, svaka u promjeru manja od centimetra. I jedan dugačak trag krvi na manšeti jednog rukava.

»Sranje.« Pip je zakoračila naprijed da bolje pogleda krv.

»To je džemper koji je nosio za rođendan«, rekla je Joanna, a Pip ga je prepoznala s plakata polijepljenih po cijelom gradu.

»Čuo si ga kako se kasno te noći iskrao iz kuće, je li tako?« Pip je pitala Connora.

»Da.«

»A nije se slučajno ozlijedio kod kuće te večeri?«

Joanna je odmahivala glavom. »Otišao je u svoju sobu i bio je sasvim dobro. Činio se sretnim.«

»Izgleda kao da je krv kapala odozgo, nije ga poprskala«, rekla je Pip kružeći prstom ispred džempera. »A rukav izgleda kao da je njime obrisao izvor krvi.«

»Je li to Jamiejeva krv?« Joanna je potpuno problijedjela, boja joj je jednostavno iščezla s lica.

»Moguće. Jeste li primijetili sutradan da je imao nekakve posjekotine ili modrice?«

»Ne«, rekla je Joanna tiho. »Barem ne na mjestima gdje bismo ih mogli vidjeti.«

»Mogla bi biti tuđa krv«, razmišljala je Pip naglas i odmah požalila zbog toga. Joannino se lice izobličilo, a jedna joj je suza pobjegla i slijevala se niz obraz.

»Žao mi je, Joanna«, rekla je Pip. »Nisam to trebala re...«

»Ne, nisi ti kriva«, rekla je Joanna nastavljajući plakati i pažljivo stavljajući džemper natrag na vrh košare. Još dvije suze počele su joj se slijevati niz lice utrkujući se na putu prema bradi. »Ma jednostavno me muči taj osjećaj, kao da uopće ne poznajem svog sina.«

Connor je prišao svojoj mami i privio je u zagrljaj. Ponovno se skupila, gotovo nestala u njegovim rukama, jecajući mu na prsima. Bio je to užasan, iskonski plač koji je Pip zadavao bol samo dok ga je slušala.

»Bit će sve u redu, mama«, šaputao joj je Connor u kosu gledajući prema Pip, ali ni ona nije znala što reći da nekako popravi situaciju.

Joanna se malo pribrala, uzdahnula i uzalud pokušala obrisati oči od suza. »Nisam sigurna da ga prepoznajem.« Žurila je u Jamiejev džemper. »Pokušao je ukrasti od tvoje mame, dobio otkaz i tjednima nam lagao. Provalio je u nečiji dom usred noći i ukrao sat koji mu uopće ne treba. Iskradao se po noći. Vratio se kući s tudom krvlju na odjeći, možda. Ne prepoznajem takvog Jamieja«, rekla je zatvarajući oči kao da može zamisliti svog sina ispred sebe, onog kojeg je poznavala.

»Ovo nije on, takvo ponašanje uopće mu nije nalik. On nije ta osoba; on je nježan, obziran. Priprema mi čaj kad dođem s posla, pita me kako mi je prošao dan. Razgovaramo, o tome kako se on osjeća, kako se ja osjećam. Mi smo tim, on i ja, otkad se rodio. Znam sve o njemu — osim što to očito više nije istina.«

Pip se uhvatila kako i sama zuri u džemper umrljan krvlju i ne može skrenuti pogled. »Ima tu i puno više toga nego što trenutno razumijemo«, rekla je. »Mora postojati razlog za takvo ponašanje. Nije se samo tako promijenio nakon dvadeset četiri godine, nije samo stisnuo prekidač. Postoji razlog, i ja ću ga pronaći. Obećavam vam.«

»Samo želim da se vrati.« Joanna je stisnula Connorovu ruku uhvativši Pipin pogled. »Želim da nam se naš Jamie vrati. Onaj koji me još uvijek zove Jomumma jer zna da me to nasmijava. Taj mi je nadimak dao kad je imao svega tri godine, kad je saznao da imam i ime i da nisam samo mamica. Smislio je Jomumma, da mi vrati moje ime, a da mu i dalje budem mama.« Joanna je naglo šmrcnula, što ju je cijelu protreslo i ramena su joj zadrhtala. »Što ako nikada više ne čujem da me tako zove?«

Ali oči su joj bile suhe, kao da je isplakala sve što je mogla isplakati i sada je bila prazna. Šuplja. Pip je prepoznala izraz u Connorovim očima dok je grlio svoju mamu: bio je to strah. Čvrsto ju je stisnuo, kao da je to jedini način na koji može spriječiti da mu se mama raspadne.

Ovo nije bilo vrijeme da ih Pip promatra, ovo je bio njihov intimni trenutak. Trebala bi ih ostaviti same.

»Hvala što ste me zvali, u vezi s duksericom«, rekla je dok je polako hodala unatrag prema vratima Jamiejeve sobe. »Svaka nova informacija vodi nas korak bliže, sa svakom novom informacijom… Ja… Bilo bi mi pametnije da se vratim snimanju i uređivanju *podcasta*. Možda i da potražim one računalne stručnjake.« Bacila je pogled na zatvoreni poklopac Jamiejevog *laptopa* kad je došla do vrata. »Imate li koju od onih velikih vrećica za zamrzavanje sa zatvaračem?«

Connor je napravio zbunjenu facu, ali ipak je kimnuo.

»Stavite taj džemper unutra i čuvajte ga na hladnom mjestu, daleko od sunčeve svjetlosti.«

»U redu.«

»Doviđenja«, rekla je gotovo šapatom dok ih je napuštala i prolazila hodnikom. Ali već nakon tri koraka nešto ju je zaustavilo. Fragment misli, koji je prebrzo kružio da bi ga uhvatila. A kada se konačno smirio, vratila se tri koraka natrag do Jamiejevih vrata.

»Jomumma?« rekla je.

»Da.« Joanna je podigla pogled prema Pip, kao da je gotovo previše težak.

»Želim reći... jeste li probali Jomumma?«

»Što?«

»Oprostite, mislim na Jamiejevu lozinku«, rekla je.

»N-ne«, rekla je Joanna užasnutog izraza na licu upućujući pogled Connoru. »Mislila sam, kad si rekla da probamo s nadimcima, da misliš samo na Jamiejeve nadimke.«

»Ma O. K. Ali stvarno bi moglo biti bilo što«, rekla je Pip prilazeći Jamiejevom stolu. »Mogu li sjesti?«

»Naravno.« Joanna je stala iza Pip, a Connor joj je bio s druge strane dok je otvarala *laptop*. Lica su im se oslikavala na crnom ekranu, izdužena poput lica duhova. Pip je pritisnula tipku za pokretanje računala i pojavio se plavi ekran za prijavu, s praznim bijelim poljem za lozinku koje je zurilo u nju.

Utipkala je *Jomumma*, a slova su se pretvarala u crne točkice dok ih je unosila u okvir. Zastala je, a prst joj je lebdio iznad tipke *Enter* dok se na sobu iznenada spustila potpuna tišina. Joanna i Connor zadržavali su dah.

Pritisnula je i odmah se pojavilo:

Netočna lozinka.

Jamie i Joanna su izdahnuli iza nje, a dah jednoga od njih pomrsio joj je napola podignutu kosu.

»Žao mi je«, rekla je Pip ne želeći se okrenuti prema njima. »Mislila sam da vrijedi pokušati.« I zaista je vrijedilo, a možda bi bilo korisno probati još nekoliko puta, pomislila je.

Probala je opet, zamijenivši slovo »o« nulom.

Netočna lozinka.

Probala je s jedinicom na kraju. A zatim s dvojkom. I onda s jedan, dva, tri i jedan, dva, tri, četiri. Zamjenjujući na razne načine nulu i »o«.

Netočna lozinka.

Veliko J. Malo j.

Veliko M na početku *Mumma.* Malo m.

Pip je spustila glavu i duboko uzdahnula.

»U redu je.« Connor joj je stavio ruku na rame. »Pokušala si. Stručnjaci će to znati, zar ne?«

Da, ako joj ikada odgovore na e-poruku. Očito još nisu našli vremena, što nije nikako bilo u redu, jer su zapravo svi drugi imali vremena napretek, osim Pip. I Jamieja.

No uvijek joj je bilo previše teško odustati, nikada nije bila dobra u tome. Tako je probala još jednu stvar. »Joanna, koje ste godine rođeni?«

»O, šezdeset šeste«, rekla je. »Iako čisto sumnjam da Jamie to zna.«

Pip je upisala *Jomumma66* i pritisnula *Enter.*

Netočna lozinka. Ekran joj se rugao, a ona je osjećala kako u njoj raste bijes provocirajući je trncima u rukama da zgrabi *laptop* i tresne ga o zid. Taj gorući, iskonski stvor za kojega do prije godinu dana nije znala ni da postoji u njoj. Connor ju je dozivao imenom, ali ono više nije pripadalo osobi koja je sjedila na stolici. Ali kontrolirala ga je, gurala ga natrag. Grizući jezik, pokušala je ponovno, udarajući prstima po tipkama.

JoMumma66

Netočna lozinka.

Jebemu.

Jomumma1966

Netočna lozinka.

Jebemu.

JoMumma1966.

Neto...

Jebemu.

J0Mumma66.

Dobro došli natrag.

Čekaj, što? Pip je zurila u mjesto gdje bi trebalo stajati *Netočna lozinka*. Ali umjesto toga pojavio se kotačić i počeo vrtjeti odražavajući se u tami njezinih očiju. I te tri riječi: *Dobro došli natrag.*

»Ušli smo!« Skočila je sa stolice napola kašljući, a napola se smijući. To su bili zvukovi koji su joj izlijetali iz grla.

»Ušli smo?!« Joanna je ponovila Pipine riječi s tonom nevjerice.

»J0Mumma66«, rekao je Connor podižući ruke u stilu pobjednika. »To je to. Uspjeli smo!«

Pip nije znala kako se to dogodilo, ali odjednom su se, u nekom čudnom, zbunjujućem zanosu, sve troje nespretno grlili dok je brujanje Jamiejevog *laptopa* koji se budio dopiralo iza njih.

Dvadeset četiri

»Jᴇsᴛᴇ ʟɪ sɪɢᴜʀɴɪ da želite ovo vidjeti?« upitala je Pip gledajući uglavnom u Joannu, s prstom nad mišem, spremna otvoriti Jamiejevu povijest pretraživanja u Google Chromeu. »Ne znamo što bismo sve mogli naći.«

»Razumijem«, odgovorila je, čvrsto se šakama držeći za naslon stolice, odlučna da ostane u sobi.

Pip je brzinski bacila pogled prema Connoru, koji je kimnuo dajući joj do znanja da je to u redu.

»O. K.«

Kliknula je i u novoj se kartici otvorila Jamiejeva povijest pretraživanja. Zadnji unos bio je u petak, 27. travnja, u 17:11. Gledao je na YouTubeu videokompilaciju *Epic Faila*. Ostale stranice koje je posjećivao uključivale su Reddit, još par videa na YouTubeu i niz stranica na *Wikipediji*, od vitezova templara do Slender Mana.

Prebacila se na dan ranije, gdje ju je jedan rezultat pretraživanja posebno privukao: Jamie je dva puta u četvrtak, dan prije nego što je nestao, posjetio stranicu Layle Mead na Instagramu. Također je pretraživao *nat da silva, silovanje, suđenje maxu hastingsu*, što ga je dovelo do stranice Pipinog *podcasta*, savršenoubojstvodnevnikdobrecurepodcast.com, gdje je, čini se, tog dana slušao epizodu u kojoj su ona i Ravi razgovarali o suđenju.

Pogledom je brzo prelazila ostale dane, a pojavili su se rezultati s Reddita i *Wikipedije* i maratonsko gledanje Netflixa. Tražila je nešto što bi se nekako isticalo kao neobično. *Stvarno* neobično, ne samo neke stranice o neobičnim pojavama na *Wikipediji*. Prešla je s ponedjeljka na prethodni tjedan, i nešto ju je navelo da zastane, nešto od četvrtka 19., Jamiejevog rođendana. Jamie je guglao *što se smatra napadom?* i zatim je, nakon pregledavanja nekoliko rezultata, upisao pitanje *kako se boriti?*.

»Ovo je čudno«, rekla je Pip pokazujući na rezultate prstom. »Ovo je pretraživao u jedanaest i trideset u noći svog rođendana. One noći kad si ga čuo da se kasno iskrada, Connore, one noći kad se vratio s krvavim džemperom.« Brzo je pogledala prema sivom džemperu koji je još uvijek ležao zgužvan na košari za rublje. »Izgleda kao da je znao da će se te noći sukobiti s nekim. Kao da se pripremao za to.«

»Ali Jamie se nikad nije ni s kim tukao. Mislim, oči to, ako je morao čak i guglati kako se to radi«, rekao je Connor.

Pip je mogla još štošta na to reći, ali joj je pažnju privukao jedan drugi rezultat koji se nalazio niže. Ponedjeljak 16., nekoliko dana ranije, Jamie je pretraživao pojam *strogi očevi*. Pip se zakašljala, ali je uspjela iskontrolirati svoju reakciju, brzo prelazeći preko toga prije nego što su i njih dvoje to vidjeli.

Ali nije mogla zaboraviti što je vidjela. I sada nije mogla prestati razmišljati o njihovim žestokim svađama, ili o gotovo potpunom nedostatku zabrinutosti kod Arthura zbog činjenice da mu je najstariji sin nestao, ili o tome da je moguće da su se on i Jamie možda ipak susreli te noći kod kuće. I odjednom je postala previše svjesna činjenice da Arthur Reynolds upravo sjedi u sobi ispod nje, osjećala je njegovu prisutnost kao nešto fizičko, što prodire do nje kroz tepih.

»Što je ovo?« iznenada upita Connor, od čega se Pip trgnula.

Odsutno je prelazila preko rezultata, ali odjednom je stala, pogledom prateći Connorov prst. Rezultat pretraživanja na Googleu u utorak, 10. travnja, u 1:26 ujutro, bio je vrlo neobičan niz upita, počevši s *rakom mozga*. Jamie je kliknuo na dva rezultata na mrežnoj stranici britanskog sustava javnog zdravstva, NHS-a, jedan je govorio o *tumorima na mozgu*, drugi o *malignom tumoru mozga*. Nekoliko minuta poslije Jamie se vratio na Google i upisao *neoperabilni tumor na mozgu* kliknuvši na stranicu udruge za oboljele od raka. Zatim je te noći unio još nešto u Google: *eksperimentalna liječenja raka mozga*.

»Hm«, rekla je Pip. »Znam da i ja tražim svakakve stvari na internetu, kao i Jamie, očito, ali ovo se čini drukčijim od uobičajenog pretraživanja. Ovo se čini nekako... ciljano, namjerno. Znate li nekoga tko ima rak mozga?« Pip je upitala Joannu.

Ona je odmahnula glavom. »Ne.«

»Je li Jamie ikada spomenuo da poznaje nekoga tko ga ima?« ovo je pitanje uputila Connoru.

»Ne, nikada.«

Ostalo je još jedno pitanje koje je Pip željela postaviti, ali nije mogla: je li moguće da je Jamie istraživao o tumoru mozga jer je saznao da ga on ima? Ne, to nije bilo moguće. To nije nešto što bi mogao sakriti od svoje mame.

Pip je pokušala dalje pretraživati, ali došla je do kraja rezultata. Jamie je očito obrisao stariju povijest pretraživanja. Bila je spremna ići dalje kada joj je posljednjih nekoliko pojmova za pretraživanje upalo u oči, a koje je ranije samo preletjela i nije registrirala jer su se skrivali među rezultatima o tumoru na mozgu i videima o psima koji hodaju na stražnjim nogama. Devet sati nakon pretraživanja informacija o raku mozga, vjerojatno nakon što je otišao spavati i probudio se sutradan, Jamie je ukucao u Google *kako brzo zaraditi novac* kliknuvši na članak pod naslovom *11 lakih načina za brzu zaradu.*

To nije bilo nešto najčudnije što se može pronaći na računalu jednog dvadesetčetverogodišnjaka koji još uvijek živi s roditeljima, ali tajming pretraživanja jest. Samo dan nakon što je Jamie to pretraživao, Pipina mama uhvatila ga je kad je pokušavao ukrasti njezinu službenu kreditnu karticu. To je moralo biti povezano. Ali zašto se Jamie probudio u utorak 10. s tako očajničkom željom da se dokopa novca? Nešto se moralo dogoditi dan ranije.

Pip je najvažnije bilo pristupiti Jamiejevim i Laylinim privatnim porukama jer bi tako mogla pronaći i onaj lažni profil, pa je, nadajući se da će joj to uspjeti, u alatnu traku upisala *Instagram. Molim te samo da su Jamiejeve lozinke spremljene, molim te, molim te, molim te.*

Otvorila se početna stranica i automatski je bila ulogirana na Jamiejev profil.

»To«, zaskvičala je, ali ju je prekinulo glasno zujanje. Bio je to njezin mobitel u stražnjem džepu, koji je glasno vibrirao dodirujući stolicu. Izvukla ga je. Zvala ju je mama, a kad je bacila pogled na sat, Pip je točno znala i zašto. Bilo je deset sati, sutra je imala školu, i sada će zbog toga imati problema. Uzdahnula je.

»Moraš li ići, dušo?« Joanna je očito pročitala poruku na ekranu gledajući preko njenog ramena.

»Hm, vjerojatno bih trebala. Mogu li... bi li vam smetalo da ponesem Jamiejev *laptop* sa sobom? Tako bih ga mogla detaljno pregledati noćas, posebno njegove društvene mreže, a sutra vam javiti što sam pronašla?« Osim toga, pomislila je da Jamie vjerojatno ne bi želio da njegova mama i mlađi brat čitaju privatnu korespondenciju s Laylom. Naročito ako te poruke nisu bile, znate... za njihove oči.

»Da, da, naravno«, rekla je Joanna dodirujući Pip po ramenu. »Ti si ta koja zapravo i zna što s tim treba.«

Connor se složio uz tiho »aha« iako je Pip osjećala da silno želi poći s njom i da im stvarni život ne stoji stalno na putu. Škola, roditelji, vrijeme.

»Poslat ću ti poruku *odmah čim* pronađem nešto važno«, uvjeravala ga je okrećući se prema računalu da minimizira prozor Chromea, a plavi ekran s temom robota ponovno se pojavio. Računalo je imalo Windows 10, a Jamie je odabrao prikaz u obliku aplikacija. To ju je na početku zbunilo, prije nego što je uočila aplikaciju Chromea, uredno smještenu pokraj kvadrata Microsoft Worda. Prije nego što ga je poklopila, bacila je pogled i na ostale aplikacije: Excel, 4OD, Sky Go, Fitbit.

Zastala je, nešto ju je zaustavilo, jedva primjetni obrisi jedne ideje, koja se još uvijek nije u potpunosti formirala u konačnu. »Fitbit?« Pogledala je prema Connoru.

»Da, sjećaš se da mu ga je tata kupio za rođendan. Bilo je očito da ga Jamie nije želio, zar ne?« Connor je pitao svoju mamu.

»Pa, znaš, gotovo je nemoguće Jamieju odabrati poklon koji će mu se svidjeti. Tvoj otac je samo htio biti od pomoći. Mislim da je to bila lijepa ideja«, rekla je Joanna, tonom koji je postajao sve odrješitiji i defenzivniji.

»Ma znam, samo kažem.« Connor se ponovno obratio Pip. »Tata mu je napravio račun i preuzeo aplikaciju na mobitelu i ovdje jer je rekao da Jamie to nikada ne bi sam učinio, što je vjerojatno točno. I Jamie ga je *stvarno* i nosio otada, mislim uglavnom da skine tatu s… mislim, da tata bude sretan«, rekao je letimice pogledavši prema mami.

»Pričekaj«, rekla je Pip, a ona ideja od maloprije potpuno se formirala, postala jasna i utiskivala joj se u mozak. »Crni sat koji je Jamie imao na ruci one noći kad je nestao, to je njegov Fitbit?«

»Da«, rekao je Connor polako, nesigurno, ali bilo mu je jasno da Pip ima neku ideju; samo još nije u potpunosti uspio pratiti njezine misli.

»O, moj Bože«, rekla je, a glas joj je popucao dok je izlazio iz njezinih usta. »Kakav je to model Fitbita? Ima li GPS?«

Joanna se trgnula, kao da je Pipin entuzijazam uletio ravno u nju. »Još uvijek imam kutiju, pričekaj«, rekla je i istrčala iz sobe.

»Ako ima GPS,« rekao je Connor, bez daha, iako on nije bio tip koji bi trčao, »znači li to da možemo vidjeti gdje se točno nalazi?«

Nije mu trebao Pipin odgovor. Ne gubeći ni trenutak vremena, kliknula je na aplikaciju Fitbit i zurila u nju dok se na ekranu nije pojavila šarena nadzorna ploča.

»Ne.« Joanna se vratila u sobu čitajući s plastične kutije. »To je model Charge HR, ne spominje GPS, samo očitava otkucaje srca i prati aktivnosti i kvalitetu sna.«

Ali Pip je to već i sama otkrila. Na kontrolnoj ploči Jamiejevog računala nalazile su se ikone za brojanje koraka, otkucaje srca, potrošene kalorije, spavanje i aktivne minute. Ali ispod svake od ikona nalazile su se iste riječi: *Podaci nisu učitani. Sinkroniziraj i pokušaj ponovno.* To je bila obavijest za danas, utorak, 1. svibnja. Pip je kliknula na ikonu kalendara na vrhu i vratila se na dan ranije. I tamo je isto pisalo: *Podaci nisu učitani. Sinkroniziraj i pokušaj ponovno.*

»Što to znači?« upitao je Connor.

»Da trenutno ne nosi Fitbit«, rekla je Pip. »Ili nije bio u blizini mobitela da sinkronizira podatke.«

Ali kada je preskočila nedjelju i subotu i kliknula na petak, dan kada je nestao, ikone su oživjele, pojavile su se kompletne kružnice u debelim trakama zelene i narančaste boje. A one riječi nestale su i zamijenili su ih brojevi: 10 793 učinjena koraka toga dana, 1649 potrošenih kalorija. Na grafu s otkucajima srca bili su rastući i padajući blokovi u jarkim bojama.

A Pip je osjetila kako joj vlastito srce reagira, preuzima kontrolu i pulsira u vršcima prstiju dok njima prelazi po podlozi za miš. Kliknula je na ikonu s brojem koraka i otvorila se nova stranica, s grafikonom koji pokazuje raspodjelu Jamiejevih koraka tijekom dana.

»O, moj Bože!« rekla je, očiju uprtih u sam kraj grafikona. »Imamo podatke i nakon što je Jamie zadnji put viđen. Pogledajte.« Pokazivala ih je Joanni i Connoru, koji su joj se približili piljeći u ekran. »Hodao je, sve do ponoći. Dakle, nakon 23:40, kada je viđen na Wyvil Roadu, napravio je...« Označila je stupce između 23:30 i 00:00 kako bi izračunala točan broj. »Tisuću osamsto dvadeset i osam koraka.«

»Kolika je to udaljenost?« upitala je Joanna.

»Upravo guglam«, rekao je Connor tipkajući po svom telefonu. »To je oko kilometar i pol.«

»Zašto naglo prestaje baš u ponoć?« upitala je Joanna.

»Jer se ti podaci prenose na sljedeći dan«, rekla je Pip pritisnuvši tipku za povratak na Jamiejevu kontrolnu ploču s podacima od petka. Prije nego što je prešla na subotu, primijetila je nešto u Jamiejevom grafu s otkucajima srca i kliknula na ikonu da zumira.

Izgledalo je kao da je broj otkucaja Jamiejevog srca u stanju mirovanja s oko osamdeset u minuti i na toj je brojci ostao najveći dio dana. Zatim, oko pola šest, došlo je do niza povećanja na oko sto otkucaja u minuti. Tada se Jamie svađao s ocem, prema Connorovim riječima. Smirilo se na par sati, ali zatim je broj otkucaja počeo ponovno rasti na više od devedeset, što je bilo dok je Jamie slijedio Stellu Chapman i čekao da ugrabi priliku da s njom razgovara na zabavi. A zatim se ubrzalo, za vrijeme dok je bio vani, kada ga je George vidio da najvjerojatnije razgovara s Laylom na telefonu. Ostalo je na toj razini, malo iznad sto, dok je Jamie hodao. Nakon 23:40, kada je viđen na Wyvil Roadu, srce mu je postupno ubrzavalo rad, dostižući sto tri otkucaja u minuti u ponoć.

Zašto mu je tako brzo kucalo? Je li trčao? Ili je bio uplašen?

Odgovori bi se morali nalaziti u podacima iz ranih jutarnjih sati u subotu.

Pip je prešla na njih i stranica joj se odmah učinila nepotpuna u usporedbi s danom ranije, a obojene kružnice bile su jedva započete. Ukupno samo 2571 korak. Otvorila je izbornik s brojem koraka preko cijelog ekrana i osjetila nešto teško i hladno kako joj vuče želudac u noge. Ti su koraci učinjeni između ponoći i oko pola jedan i onda… ništa. Nema podataka. Graf se potpuno prekida i pokazuje se jedna dugačka linija uz brojku nula.

Ali unutar toga je bilo još jedno kraće razdoblje gdje izgleda da Jamie nije napravio nijedan korak. Ili je mirno stajao ili sjedio. To je bilo odmah nakon ponoći, i Jamie se nije pomaknuo nekoliko minuta, ali nije dugo trajalo jer je malo nakon pet minuta poslije ponoći ponovno bio u pokretu i hodao sve do trenutka kada se sve zaustavilo, malo prije 00:30.

»Jednostavno sve staje«, rekao je Connor, a u oči mu se vratio onaj izgubljeni pogled.

»Ali ovo je nevjerojatno«, rekla je Pip pokušavajući ga vratiti s tog mjesta kamo ga je pogled odveo. »Možemo koristiti ove podatke i pokušati pratiti kamo je Jamie otišao, gdje je bio malo prije pola jedan. Broj koraka nam govori da se incident, ili što god da je u pitanju, dogodio tada, što se poklapa, Joanna, s vašom porukom u 00:36, koja nije isporučena. A može nam reći i gdje se to dogodilo. Dakle, od 23:40, kada je viđen kod zavoja na Wyvil Roadu, Jamie nastavlja hodati ukupno dvije tisuće dvadeset i četiri koraka prije nego što se zaustavio na nekoliko minuta. A zatim je hodao još dvije tisuće tri stotine sedamdeset i pet koraka, i kamo god ga to odvelo, tamo se dogodilo to što se dogodilo. Možemo koristiti ove brojke da odredimo krajnje rubove područja kojim se kretao, počevši od mjesta gdje je posljednji put viđen na Wyvil Roadu. A zatim unutar te zone možemo potražiti bilo kakav trag koji nas može odvesti do Jamieja ili nam reći kamo je otišao. Ovo je dobro, vjerujte mi.«

Connor se pokušao slabašno nasmiješiti, ali njegove oči govorile su nešto drugo. Joanna je također izgledala uplašeno, ali njezine su usne bile stisnute i izgledala je odlučno.

Pipin telefon ponovno je zazvonio u džepu. Ignorirala ga je vraćajući se na kontrolnu ploču kako bi provjerila Jamiejeve otkucaje srca u tom razdoblju. Broj je već bio visok, iznad sto, ali čudno je bilo to što mu je srce u tih nekoliko minuta kada se nije kretao počelo sve brže kucati. Samo trenutak prije nego što je ponovno počeo hodati, skočilo je na sto dvadeset i šest otkucaja u minuti. Spustilo se, ali samo malo, tijekom onih dodatnih dvije tisuće tri stotine sedamdeset i pet koraka. A onda, u posljednjim minutama prije nego što je prošlo pola sata iza ponoći, Jamiejevo je srce doseglo vrhunac od sto pedeset i osam otkucaja u minuti.

I tada je sve postalo ravno.

Palo je sa sto pedeset i osam direktno na nulu i više nakon toga nije bilo otkucaja. Joanna je očito pomislila isto jer je upravo tada iz dubine grla užasnuto izdahnula i dlanovima pokrila lice da zadrži emocije u sebi. Potom je ta pomisao obuzela i Connora ostavljajući ga otvorenih usta i očiju koje su trepćući promatrale taj oštri pad na grafu.

»Srce mu je stalo«, rekao je, tako tiho da ga je Pip jedva čula, dok su mu prsa podrhtavala. »On je… je li on…«

»Ne, ne«, rekla je Pip odlučno, podignutih dlanova, iako je to bila laž, jer je i ona osjećala isto. Ali morala je sakriti svoj strah, zato je i bila ovdje. »To ne znači nužno to. To samo znači da Fitbit više nije pratio podatke o Jamiejevim otkucajima srca, u redu? Jamie ga je vjerojatno samo skinuo, vjerojatno je to sve što nam ovo pokazuje. Molim vas, nemojte odmah misliti na najgore.«

Ali na licima im je mogla iščitati da je više zapravo ni ne slušaju, pogledi su im bili fiksirani na tu ravnu liniju koja se pružala u beskonačnost. A ta misao, ona je bila poput crne rupe, koja je gutala i ono malo nade koja im je preostala, i Pip nije mogla ništa ni reći ni smisliti što bi im rekla, da ponovno popuni tu prazninu.

Naziv datoteke:

Bilješke o slučaju 4.docx

Skoro su mi sve lađe potonule kada sam se sjetila da se ne može ući u privatne poruke na *desktop*-verziji Instagrama, već samo na mobilnoj aplikaciji. Ali ispalo je O. K.: Jamie je istim mejlom još bio prijavljen na *laptopu*. Poslala sam zahtjev za resetiranje lozinke s Instagrama, a zatim sam se prijavila na Jamiejev profil sa svog mobitela. Odmah sam otišla u Jamiejeve poruke koje je razmjenjivao s Laylom Mead. Nije ih bilo *jako* puno; dopisivali su se otprilike osam dana. Sudeći po kontekstu, izgleda da su se prvo povezali na Tinderu, pa je Jamie prebacio razgovor na Instagram, a zatim su prešli na WhatsApp, gdje ih više ne mogu pratiti. Početak njihovog razgovora bio je ovakav:

> Pronašao sam te…

eto, jesi. nije baš da sam se skrivala od tebe :)

kako ti je prošao dan?

> Ono, bilo je dobro, hvala. Upravo sam napravio najbolju večeru ikad i moguće je da sam najbolji kuhar na svijetu.

A i skroman si, vidim. Onda, što si napravio?

Možda možeš jednog dana i meni to skuhati.

> Bojim se da sam se malo previše nahvalio. U biti je to samo obična tjestenina sa sirom.

Većina je njihovih poruka takva: dugi razgovori / flertanje. Trećeg dana otkad su se počeli dopisivati, otkrili su da oboje vole seriju *Peaky Blinders* i Jamie je rekao da mu je životna ambicija da postane gangster iz 20-ih godina prošlog stoljeća. Čini se da je Layla bila vrlo zainteresirana za Jamieja, stalno ga je nešto ispitivala. Ali primijetila sam i nekoliko čudnih poruka:

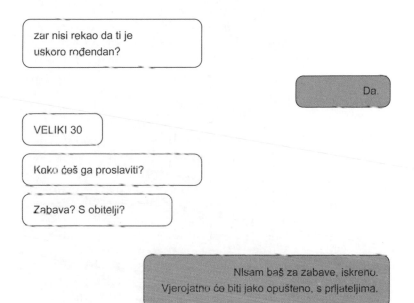

zar nisi rekao da ti je
uskoro rođendan?

Da.

VELIKI 30

Kako ćeš ga proslaviti?

Zabava? S obitelji?

Nisam baš za zabave, iskreno.
Vjerojatno će biti jako opušteno, s prijateljima.

Ovo mi je posebno privuklo pažnju jer me zbunilo zašto Layla misli da je Jamie šest godina stariji nego što jest: da ima dvadeset i devet i uskoro puni trideset. Odgovor se nalazi niže u njihovom razgovoru. Ali kada sam prvi put vidjela ove poruke, nisam ih mogla ne usporediti s onim što je gospodin Clark govorio: da je Layla postavljala vrlo direktna pitanja o njegovoj dobi i da je to čak nekoliko puta spomenula. A čudno je bilo što je i on imao dvadeset i devet i da će uskoro napuniti trideset. Možda je to slučajnost, ali osjećala sam da je ipak vrijedno da to zabilježim.

Još je jedna čudna stvar i to što Jamie i Layla stalno spominju da Jamie živi sam u maloj kući u Kiltonu, što uopće nije istina. I tu mi je sve postalo jasnije kada sam došla do kraja njihovog razgovora na Instagramu:

nadam se da ćemo se jednog dana naći.

Da, naravno. Stvarno bih to voljela :)

Slušaj, Layla. Moram ti nešto reći. Nije mi lako to izreći, ali stvarno te volim. Stvarno. Nikada nisam osjećao ovako nešto prema nekome i zato ti moram nešto priznati. Zapravo nemam 29 godina, za nekoliko tjedana napunit ću 24. I nisam uspješni menadžer u financijskoj tvrtki u Londonu, to nije istina. Radim na prijamu stranki u jednoj agenciji, a taj mi je posao našla obiteljska prijateljica. I ne posjedujem kuću, još uvijek živim s roditeljima i bratom. Jako mi je žao, nikada mi nije bila namjera nikoga prevariti, pogotovo ne tebe. Čak nisam ni siguran zašto sam izmislio sve te laži na svom profilu. Napravio sam ga kad sam bio u jako lošem stanju, osjećao sam se jako nesigurno zbog sebe, svog života ili zapravo zato što nemam nikakav život, i mislim da sam izmislio nekog muškarca, onakvog kakav želim biti, a to nisam pravi ja. Što nije bilo u redu od mene, i žao mi je. No nadam se da ću jednog dana postati ta osoba, a mogućnost da sretnem nekoga poput tebe motivira me da to pokušam. Žao mi je, Layla, i razumijem ako si ljuta na mene. Ali, ako ti to želiš, stvarno bih volio i dalje razgovarati s tobom. Uz tebe sve izgleda bolje.

Što je jaaaaaaako zanimljivo. Dakle, i Jamie je na neki način glumio nekog drugog i prevario osobu koja se također lažno predstavljala. Lagao je na Tinderu o svojoj dobi, poslu, o tome gdje i kako živi. Najbolje je to sam objasnio: *osjećao sam se nesigurnim.* Pitam se je li taj osjećaj povezan s onim što se dogodilo s Nat da Silvom, s time što je izgubio nekoga tako važnog zbog starijeg tipa poput Lukea Eatona. Zapravo, pitam se ima li Luke dvadeset i devet godina i je li to razlog zbog kojeg je Jamie odabrao baš tu dob, da mu ojača samopouzdanje ili da time u svojoj glavi racionalizira zašto je Nat odabrala Lukea, a ne njega.

Nakon te duge poruke Layla tri dana ne odgovara Jamieju. Za to vrijeme Jamie i dalje pokušava ponovno uspostaviti kontakt, dok se konačno nije dosjetio nečega što je djelovalo:

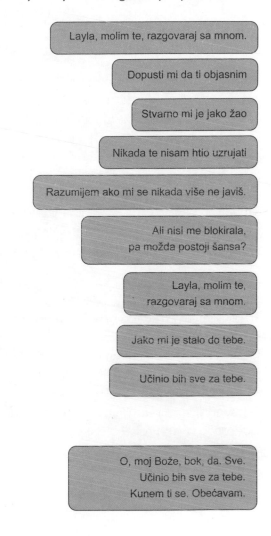

Layla, molim te, razgovaraj sa mnom.

Dopusti mi da ti objasnim

Stvarno mi je jako žao

Nikada te nisam htio uzrujati

Razumijem ako mi se nikada više ne javiš.

Ali nisi me blokirala, pa možda postoji šansa?

Layla, molim te, razgovaraj sa mnom.

Jako mi je stalo do tebe.

Učinio bih sve za tebe.

Baš sve?

O, moj Bože, bok, da. Sve. Učinio bih sve za tebe. Kunem ti se. Obećavam.

ok

hej, koji ti je broj?
Prebacimo se na WhatsApp

Tako sam sretan što opet razgovaraš sa mnom. Broj je 07700900472

Ne znam, ali od nečega u ovom razgovoru hvata me jeza. Ignorirala ga je tri dana, a onda se jednostavno vrati s tim »Baš sve?«. Čini se jezivim, ali možda su mi ti osjećaji ostali još od onog mog kratkog razgovora s Laylom. Tko je *zapravo* Layla? Ništa od ovoga ne pomaže mi da je identificiram. Vrlo je oprezna, dobro održava pravu mjeru zagonetnosti. Da je barem Layla dala Jamieju svoj broj umjesto što je tražila njegov, sada bih bila u drukčijoj poziciji: mogla bih izravno nazvati Laylu ili potražiti vlasnika tog broja. Ali tu sam gdje sam, još uvijek me muče ta dva pitanja. Tko je zapravo Layla? I kako je ona povezana s Jamiejevim nestankom?

Ostale bilješke

Tražila sam informacije o brzini otkucaja srca, samo mi je trebao neki kontekst za ono što sam vidjela na grafičkim prikazima. Ali sada bih radije da nisam. Jamiejevi otkucaji srca rastu do 126 u toj početnoj fazi u 00:02, dok se još nije kretao, a zatim sve do 158 neposredno prije nego što se očitavanje podataka prekida. I taj je raspon otkucaja u minuti — kažu stručnjaci — brzina otkucaja srca osobe koja se nalazi u stanju reakcije na stres koja se naziva *bori se ili bježi*.

Naziv datoteke:

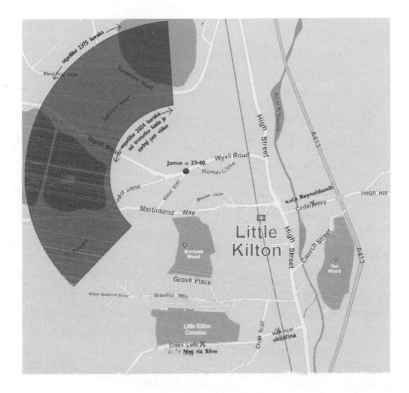 Karta s mjestima na kojima je Jamie viđen i područje potrage.jpg

SRIJEDA

PET DANA OD NESTANKA

🗓 Događaji

2. svibnja   Dobrovoljna potraga za nestalim Jamiejem Reynoldsom

Privatno: Organizatorica: Pip Fitz-Amobi

🕔 Danas u 16:30

📍 Gimnazija Little Kilton, Kilton Grammar Drive, Little Kilton, HP16 0BM

✉ Domaćica: Pip Fitz-Amobi

81 dolazi   12 možda   33 pozvano

Pozdrav svima!

Kao što ste možda čuli, stariji brat Connora Reynoldsa, Jamie, nestao je prije pet dana, a ja u svom *podcastu* istražujem njegov nestanak.

Ali trebam vašu pomoć! Nedavno sam saznala neke informacije koje mi otkrivaju približno područje posljednje poznate lokacije na kojoj se Jamie nalazio. To područje treba pretražiti da bi se otkrio bilo kakav trag koji upućuje na točno mjesto gdje se Jamie nalazio u petak navečer i na ono što mu se dogodilo. Međutim, područje je prilično veliko, pa očajnički trebam dobrovoljce da mi pomognu u potrazi.

Ako ste voljni pomoći, molim vas da se nađemo na brifingu danas poslije škole u 16:30 na kraju parkirališta. Ako skupimo dovoljno dobrovoljaca, podijelit ćemo se u tri tima, koje ćemo voditi Connor Reynolds, Cara Ward i ja. Molim vas, dođite i javite se nekome od nas troje da vas uključimo u jedan od timova.

Hvala vam i molim vas da mi potvrdite namjeravate li doći.

X

Dvadeset pet

SVAKI JOJ JE KORAK bio promišljen, oprezan, a pogled usmjeren na šumsko tlo i blato koje joj se lijepilo oko cipela. Tragovi vlastitih otisaka uhodili su je šumom, poput dokaza da je bila tamo. Ali ona je tražila otiske nekog drugog: šiljaste vertikalne linije potplata tenisica Puma koje je Jamie nosio kada je nestao.

I ostali su činili isto, pogledi su im bili usmjereni prema dolje, kružeći po tlu i tražeći bilo kakav trag koji je Pip spomenula na brifingu. Pojavilo se osamdeset i osam volontera nakon škole, većina je bila njezinih vršnjaka, ali i nekoliko drugih. Tridesetero učenika u Connorovom timu upravo pretražuje polja iza škole i kucaju na sva vrata u najudaljenijem dijelu Martinsend Waya i Acres Enda te u donjem dijelu Tudor Lanea raspitujući se kod stanara je li netko vidio Jamieja u petak navečer između 00:02 i 00:28. Dvadeset i devet ljudi u Carinom timu, koji su se kretali sjevernije, pretražuje polja i poljoprivredna zemljišta blizu Old Farm Roada i Blackfield Lanea. A dvadeset i devet ljudi ovdje s Pip, koji su se raširili u dugačku liniju, udaljeni jedni od drugih dva metra, pretražuje šumu, Lodge Wood, od jednog kraja do drugog.

Zapravo trideset ljudi jer im se upravo pridružio i Ravi. Suđenje Maxu danas je ranije završilo; bio je njegov red da svjedoči. Ravi joj je mrzovoljno rekao, s čudnim odsjajem u očima nalik mržnji, da su se Max i njegov odvjetnik prilično dobro snašli. Imali su dobro pripremljene odgovore na sva pitanja tužiteljstva u unakrsnom ispitivanju. Uslijedile su završne riječi obiju strana, a zatim je sudac pozvao porotu da se udalji i donese odluku.

»Jedva čekam da vidim njegovo lice sutra kada ga osude. Kad bih ti barem to mogao snimiti«, rekao je Ravi gazeći nogom po šipražju u potrazi za tragovima, što je podsjetilo Pip na ono vrijeme kada su u ovoj šumi rekonstruirali ubojstvo Andie Bell kako bi dokazali da Sal nije imao dovoljno vremena da je ubije na način na koji su tvrdili da jest.

Pip je pogledala prema osobi koja joj je stajala s druge strane i razmijenila slabašan i nategnut osmijeh sa Stellom Chapman. Ali pogled joj je uzvratilo lice Layle Mead, od čega je osjetila ledene trnce kako joj klize niz leđa. Već su bili vani više od sat vremena, a sve što je njezin tim pronašao bio je zavezani paketić psećeg izmeta i zgužvani paketić čipsa s okusom škampa.

»Jamie!« Povikao je netko niže u tom redu.

Izvikivanje Jamiejevog imena već je neko vrijeme trajalo. Pip nije znala tko je prvi započeo, tko je prvi uzviknuo njegovo ime, ali se proširilo i sporadično čulo s raznih mjesta od osoba koje su sporo koračale u toj liniji.

»Jamie!« I ona ga je dozivala. To je doslovno bilo uzvikivanje u prazno i vjerojatno nije imalo smisla. Nije bilo moguće da je Jamie još uvijek ovdje; a ako je bio, onda više ne bi ni mogao čuti svoje ime. Ali barem se činilo da zapravo nešto poduzimaju.

Pip je zastala zaustavivši na trenutak kretanje cijele linije dok se saginjala da provjeri nešto ispod podignutog korijena drveta. Ništa.

Zazvonio joj je telefon miješajući se s krckanjem pod njihovim nogama. Stigla joj je poruka od Connora: *O. K., podijelili smo se u manje grupe od po tri osobe koje su išle od vrata do vrata, upravo smo obišli cijeli Tudor Lane i prelazimo na polja. Jeste li pronašli nešto? X*

»Jamie!« Pip je bila sretna što nije morala proći kroz Tudor Lane, ulicu u kojoj živi Max Hastings, iako je njegova kuća zapravo bila izvan područja potrage. Ionako nitko nije bio kod kuće; on je zajedno s roditeljima boravio u skupom hotelu blizu zgrade Krunskog suda dok je trajalo suđenje. Svejedno, bila je sretna što nije morala prići ni blizu te kuće.

Ništa još, odgovorila je.

»Jamie!« Ali dok je slala poruku, na ekranu joj se pojavio dolazni poziv od Care.

»Hej«, Pip je odgovorila gotovo šapatom.

»Hej«, rekla je Cara, a vjetar je hučao kroz mikrofon njezinog telefona. »Ovaj, netko iz mog tima je upravo nešto pronašao. Rekla sam svima da stanu, da ne ulaze dalje u zaštićeni prostor oko dokaza, kako bi ti rekla. Ali, ovaj, trebaš doći ovamo. Odmah.«

»O čemu se radi?« upitala je Pip dok joj se od panike mijenjao glas. »Gdje si?«

»Na farmi. Napuštenoj farmi na Sycamore Roadu. Znaš na koju mislim.«

Pip je točno znala o kojoj se radi. »Dolazim«, rekla je.

Ona i Ravi sada su trčali pa skrenuli u Sycamore Road, prema farmi koja se nalazila na brežuljku. Bijele opeke njezine zgrade, sada izblijedjele, bile su prošarane komadima pocrnjelih drvenih greda, a krov je izgledao kao da propada prema unutra, onako kako ne bi trebao izgledati, kao da tone pod samom težinom neba. A tu se nalazilo i ono mjesto iza napuštene zgrade, mjesto skriveno od pogleda, gdje je Becca Bell skrivala tijelo svoje sestre pet i pol godina. Andieno je tijelo cijelo vrijeme bilo ondje i raspadalo se u septičkoj jami.

Pip se spotaknula dok je sa šljunka prelazila na travnati dio, a Ravi joj je instinktivno dodirnuo ruku da joj pomogne uspraviti se. Dok su se približavali kući, uočila je skupinu ljudi nalik na točkice, bio je to Carin tim u šarenoj odjeći, u kontrastu prema izblijedjeloj zgradi i zapuštenom zemljištu, obraslom visokim stabljikama korova koji joj je pokušavao zgrabiti stopala.

Svi su još uvijek stajali u proriječenoj formaciji i svi su pogledi bili usmjereni prema istom mjestu: malenom šumarku čija su se stabla razgranala tako blizu same zgrade, kao da je polako pokušavaju zaposjesti.

Cara je stajala na čelu grupe, s Naomi, te rukom dozivala Pip da im se pridruži i svima preko ramena vikala da se povuku.

»Što je?« rekla je Pip, sva zadihana. »Što ste našli?«

»Tamo, u visokoj travi, dolje uz ono drveće.« Naomi je pokazala prstom.

»Našli smo nož«, rekla je Cara.

»Nož?« Pip je ponovila tu riječ koračajući u smjeru u kojem je gledala, prema stablima. I točno je znala o kojem se nožu radi. Znala je to i prije nego što ga je uopće i vidjela.

Ravi je bio uz nju dok se saginjala da pogleda. I da. Bio je tamo, napola sakriven u travi: sivi nož sa žutim prstenom oko drška.

»To je onaj koji je nestao iz kuhinje Reynoldsovih, zar ne?« upitao je Ravi, ali nije mu trebao Pipin odgovor, njezine su mu oči dovoljno govorile.

Proučavala ga je stisnutim očima ne usuđujući mu se još više približiti. Odatle, s nekoliko metara udaljenosti, nož je izgledao čisto. Možda je na njemu bilo nekoliko mrlja od prljavštine, ali nije bilo krvi. Barem ne dovoljno da bi bila uočljiva. Šmrcnula je pa izvadila mobitel da fotografira nož i mjesto gdje je ležao, a zatim se povukla gestikulirajući Raviju da dođe do nje.

»O. K.«, rekla je Pip, a panika joj se počela pretvarati u pravu strepnju. Ali znala je kontrolirati strah i dobro ga usmjeriti. »Cara, možeš li nazvati Connora? Reci mu da raspusti sve iz svog tima i da odmah dođe ovamo.«

»Naravno, odmah«, rekla je i telefon joj je već bio na pola puta do uha.

»Naomi, kad Cara završi, možeš li joj reći da nazove Zacha i da raspusti i moj tim?«

Ona i Ravi svoj su tim povjerili Zachu i Stelli Chapman. Neće ništa naći tamo u šumi jer je Jamie očito došao ovamo. Bio je ovdje, ponio je sa sobom nož koji je uzeo iz kuće. Ovdje, na samom rubu zone potrage, što znači da se Jamie nakratko zaustavio negdje drugdje prije nego što je pješice došao do farme. A ovdje, upravo ovdje u 00:28, njegov je Fitbit prestao očitavati otkucaje srca i broj koraka. A tu je bio i nož.

Nož je bio dokazni materijal. A dokazi se moraju obrađivati na pravi način i ne smije se poremetiti lanac nadležnosti. Nitko ovdje nije dodirnuo nož i nitko ga neće dodirnuti sve dok ne dođe policija.

Pip je utipkala broj policijske postaje u Amershamu. Odmaknula se od ostatka skupine i prstom začepila drugo uho zbog jakog vjetra.

»Pozdrav, Eliza«, rekla je. »Da, ovdje Pip Fitz-Amobi. Da. Ima li koga u postaji? Aha. Možete li mi učiniti uslugu i zamoliti nekoga tko je slobodan da dođe na farmu na Sycamore Roadu u Kiltonu? Da, to je mjesto gdje je Andie B... Ne, radi se u otvorenom slučaju nestale osobe. U pitanju je Jamie Reynolds. Pronašla sam nož koji je povezan s njegovim nestankom i treba ga se pokupiti i službeno dokumentirati kao dokaz. Znam da bih trebala nazvati drugi broj... možete li mi učiniti uslugu, samo ovaj put, Eliza, kunem se, samo ovaj put.« Zastala je slušajući odgovor s druge strane. »Hvala vam, hvala.«

»Doći će za petnaest minuta«, rekla je vraćajući se Raviju. Kad već imaju tih petnaest minuta na raspolaganju, mogli bi ih iskoristiti da pokušaju shvatiti zašto bi Jamie dolazio ovamo.

»Možeš li zamoliti ostale da se ne približavaju onom drveću?« Pip je rekla Naomi.

»Da, naravno.«

»Hajde.« Pip je povela Ravija prema ulazu u kuću, čija su crveno obojena vrata visjela sa šarki, poput razjapljenih usta.

Ušli su, a unutrašnjost kuće obavila ih je svojom prigušenom svjetlošću. Prozori su bili zamagljeni od mahovine i prljavštine, a stari tapison pod njihovim je nogama škripao, prekriven mrljama. Čak je i smrad podsjećao na nešto napušteno: plijesan, ustajalost i prašinu.

»Kada se useljavamo?« Ravi je rekao gledajući oko sebe s gađenjem.

»Kao da tvoja soba izgleda puno bolje od ovoga.«

Nastavili su hodnikom, a stara, izblijedjela tapeta plave boje ljuštila se i odvajala u rolama koje su otkrivale bijelu podlogu, poput malih valova koji se lome o zidove. Prolaz pod zakrivljenim stropom vodio je u veliku prostoriju, najvjerojatnije nekadašnji dnevni boravak. Tamo se nalazilo i stubište na suprotnoj strani, požutjelo i oronulo. Na prozorima su visjele otužne, izblijedjele zavjese koje su možda u nekom drugom životu bile cvjetnog uzorka. Dvije stare crvene sofe na sredini bile su prekrivene sitnom, sivom prašinom.

Kad je Pip prišla bliže, primijetila je trag u prašini na jednom od jastuka na sofi: bila je to okrugla mrlja žarkije boje na crvenoj tkanini. Kao da je netko ovdje sjedio. I to ne tako davno.

»Pogledaj.« Ravi joj je pokazivao na sredinu sobe, gdje su bile tri manje metalne kante, prevrnute kao stolice. Oko njih je ležala razbacana ambalaža za hranu: omoti za kekse, paketići čipsa, ispražnjene tube Pringlesa. Bile su tu i prazne boce piva i opušci rukom motanih cigareta. »Možda ipak nije tako napušteno«, rekao je Ravi sagnuvši se da podigne jedan od opušaka i podigavši ga do nosa. »Miriše na travu.«

»Super, a sada si ostavio i svoje otiske na tome, ako je ovo mjesto zločina.«

»O, pa da«, rekao je i iskesio se, očiju punih krivnje. »Možda ću ovaj ponijeti kući da ga se riješim.« Strpao ga je u džep i uspravio se.

»Zašto bi se ljudi dolazili ovdje družiti i pušiti?« rekla je Pip promatrajući prizor, a iz svakog kutka iskakala su joj nova pitanja. »Prilično morbidno. Zar ne znaju što se ovdje dogodilo, da je na ovom mjestu pronađeno Andieno tijelo?«

»Vjerojatno je to čak i dio njegovog šarma«, rekao je Ravi produbljujući svoj glas da zvuči kao da čita tekst najave za film. »*Stara napuštena kuća u kojoj se dogodilo ubojstvo, savršeno mjesto da se povuče koji dim i nešto prezalogaji.* Izgleda da oni koji ovamo dolaze to čine prilično često, a nagađam i da se radi o noćnoj aktivnosti. Možda bismo se mogli vratiti večeras, postaviti zasjedu da vidimo tko dolazi? Možda su povezani s Jamiejevim nestankom ili su možda nešto vidjeli prošlog petka.«

»Zasjedu?« Pip se nasmiješila. »U redu, naredniče.«

»Hej, ti si narednica. Nemoj me vrijeđati mojim nadimcima za tebe.«

»Stigla je policija«, Naomi im je doviknula u kuću dok su Pip i Ravi pokazivali Connoru i Cari što su unutra pronašli.

»Idem razgovarati s njima.« Pip se požurila natrag hodnikom i izašla u vanjski svijet. Škiljila je dok se ponovno navikavala na svjetlost. Na šljunčanom putu zaustavio se policijski auto i otvorila su se vrata s obiju strana. Daniel da Silva izašao je s vozačke strane, poravnavajući policijsku kapu, a Soraya Bouzidi s druge.

»Bok«, Pip ih je pozdravila dok im je išla ususret.

»Eliza je rekla da si ti u pitanju«, rekao je Daniel, koji nije mogao ili nije želio maknuti prijezir sa svog lica. Nije mu nikako bila draga, još otkako je onda i njega stavila na popis sumnjivih osoba i potencijalnih Andienih ubojica, ali Pip to nije smetalo jer ni on njoj nije baš bio nešto pretjerano drag.

»Da, ja sam. Uzrok svih nevolja u Little Kiltonu još od 2017.«, rekla je rezignirano, primijetivši kako se Soraya nasmiješila. »Dođite sa mnom, ovuda.« Vodila ih je preko trave pokazujući im prema malom šumarku.

Daniel i Soraya nastavili su hodati prema visokoj travi s korijenjem. Promatrala ih je kako gledaju prema nožu, a zatim kako se pogledavaju.

»Što je ovo?« Daniel joj je doviknuo.

»To je nož«, rekla je. A zatim mu dala i dodatnu informaciju: »Isti onaj nož koji je nestao sa stalka u kući Reynoldsovih. Jamie Reynolds, sjećaš se, nestala osoba? Prijatelj tvoje sestre?«

»Da, ja—«

»Broj predmeta četiri, devet, nula, nula, jedan, pet, dva—«

»Da, O. K.«, prekinuo ju je. »A što je sve ovo?« Pokazao je rukom prema učenicima, koji su još uvijek bili okupljeni malo dalje od kuće.

»To je tim koji je sudjelovao u potrazi«, rekla je Pip. »Kad policija ne želi ništa poduzeti, onda valjda moraš zamoliti srednjoškolce da ti pomognu.«

Mišići na Danielovom licu trzali su se dok si je grizao jezik. »Dobro«, viknuo je iznenadivši je te glasno tri puta pljesnuo rukama. »Hajde kući, svi! Odmah!«

Istog su se trena razišli i raspršili u manje grupe međusobno se nešto došaptavajući. Pip im je zahvalno kimnula dok su prolazili kraj policije i odlazili prema cesti. Ali sestre Ward nisu otišle, kao ni Connor ni Ravi, već su i dalje stajale na ulazu u kuću.

»Ovaj je nož ključan dokaz u slučaju nestale osobe«, rekla je Pip pokušavajući ponovno preuzeti kontrolu. »Treba ga pokupiti i službeno dokumentirati te predati službeniku za dokaze.«

»Da, poznata nam je procedura s dokazima«, rekao je Daniel namršteno. »Jesi li ti ovo stavila ovdje?« Pokazao je na nož.

»Ne«, rekla je, a onaj gorući, iskonski osjećaj gnjeva opet se budio u njoj. »Naravno da nisam. Nisam ni bila ovdje kad je pronađen.«

»Mi ćemo ga uzeti«, Soraya se uključila i stala između Daniela i Pip pokušavajući ih tako smiriti. »Pobrinut ću se da se to odradi po pravilima, ne brini se.« Pogled u njezinim očima bio je tako drukčiji od Danielovog: ljubazan, bez ijednog traga sumnje.

»Hvala«, rekla je Pip dok se Soraya vraćala prema policijskom autu. Kad je bila izvan dometa čujnosti, Daniel da Silva ponovno je progovorio ne gledajući Pip. »Ako saznam da se ne radi ni o kakvom stvarnom slučaju i da policija uzaludno troši vrijeme zbog tebe—«

»Stvarno je«, procijedila je kroz stisnute zube. »Jamie Reynolds je stvarno nestao. Nož je stvarno ovdje. I jasno mi je da policija nema dovoljno resursa da se posveti svakom slučaju kao da je prioritetan, ali molim te, poslušaj me. Reci Hawkinsu. Nešto gadno se ovdje dogodilo. Znam da jest.«

Daniel joj nije odgovorio.

»Čuješ li me?« nastavila je. »Neka prljava igra je u pitanju. Netko je možda i mrtav. A ti ništa ne poduzimaš. Nešto se dogodilo Jamieju, i to upravo ovdje.« Pokazala je prema nožu. »I ima veze s osobom s kojom je Jamie razgovarao online. Žena po imenu Layla Mead, ali to nije njezino pr...«

I odjednom je zamucala i zaustavila se, pogledom brzinski prelazeći po njegovom licu. Jer čim je spomenula Laylino ime, Daniel je istog trena reagirao. Frknuo je kroz nos, nosnice su mu se raširile i spustio je pogled kao da ga pokušava sakriti od nje. Lagano rumenilo proširilo mu se preko obraza dok mu je svijetlosmeđa valovita kosa pala preko čela.

»Znaš Laylu«, rekla je Pip. »Jesi li i ti s njom razgovarao?«

»Nemam pojma o čemu govoriš.«

»Razgovarao si s Laylom«, rekla je. »Znaš li tko je ona zapravo?«

»Nisam razgovarao ni s kim«, rekao je Daniel tihim glasom koji je šištao i podrhtavao i od kojeg su se Pip naježile dlačice na vratu. »Ni s kim, razumiješ me? I ako čujem da izgovoriš još jednu riječ o ovome…«

Ostavio je rečenicu nedovršenom puštajući Pip da popuni tu prazninu. Odmaknuo se od nje i namjestio uobičajeni izraz lica, baš dok se Soraya vraćala iz auta, s plavim plastičnim rukavicama na rukama u kojima je stiskala papirnate vrećice za skupljanje dokaza.

Naziv datoteke:

 Fotografija noža izvan napuštene kuće.jpg

Naziv datoteke:

📄 Bilješke o slučaju 5.docx

Nož
___

Pronađen na lokaciji koja odgovara podacima o broju Jamiejevih koraka prije nego što ih je njegov Fitbit prestao očitavati i prije nego što mu se mobitel isključio. Mislim da to potvrđuje da je Jamie bio taj koji je uzeo nož, što znači da je *morao* svratiti do kuće, između trenutka odlaska s ubijačine i trenutka kad je viđen na Wyvil Roadu, po svoju duksericu i nož. Ali zašto mu je trebalo oružje? Što ga je toliko uplašilo?

Ako se Jamie teoretski doista vratio kući, kako se to uklapa u kretanje Arthura Reynoldsa? Kako je Jamie imao dovoljno vremena posjetiti Nat da Silvu, otići kući i uzeti hudicu i nož, i to sve prije nego što mu se otac vratio kući u 23:15? Ne samo da je premalo vremena već je to gotovo nemoguće izvesti. Nešto u mojoj kronologiji događaja ne štima, a to znači da netko laže. Trebala bih ponovno razgovarati s Nat, možda će mi dati iskrenije odgovore o Jamieju kad njezin dečko nije tamo?

Daniel da Silva

Razgovarao je s Laylom Mead; njegova reakcija to je jasno pokazala. Je li moguće da zna tko je ona zapravo? Očito je pokušavao sakriti činjenicu da je i na koji način s njom povezan, je li to zato što nešto zna? Ili samo ne želi da te informacije dođu do njegove supruge, koja se brine o novorođenoj bebi dok Daniel — pretpostavljam — vodi neprimjerene razgovore s nekom drugom ženom *online*? Prošle godine stekla sam dojam da mu takvo ponašanje nije strano.

I još jedno zapažanje — sada znamo da je Layla Mead razgovarala s trojicom muškaraca: Jamiejem, Adamom Clarkom i Danielom da Silvom. A malo je čudno da su sva trojica muškaraca u dobi od 29 ili su nedavno navršila 30 godina (dobro, znamo da

Jamie nije toliko star, ali tako mu je isprva pisalo na profilu). I svi izgledaju slično: bijelci, sa smećkastom kosom. Je li to slučajnost ili tu ima još nečega?

Napuštena kuća na farmi

Jamie je bio tamo u petak navečer. Ili, u svakom slučaju, ispred kuće. I očito je da mjesto nije tako napušteno kako smo mislili. Moramo saznati tko tamo dolazi i zašto. I ima li veze s Jamiejevim nestankom.

Zasjeda večeras. Pokupit ću Ravija malo prije ponoći i tamo ćemo se sastati s Connorom i Carom. Samo moram pričekati da mama i tata zaspu. Parkirala sam auto niz cestu i rekla im da sam ga ostavila kod škole, pa me neće čuti kad krenem. Moram se sjetiti preskočiti treću stepenicu — onu koja škripi.

Savršeno ubojstvo: Dnevnik dobre cure — Nestanak Jamieja Reynoldsa

Epizoda 2 Sezone 2 uspješno učitana na *SoundCloud*.

Dvadeset šest

CONNOR JE VEĆ BIO TAMO kad su se zaustavili, živahnih očiju koje su bliještale u punom snopu farova Pipinog automobila. Bili su na Old Farm Roadu, tik prije skretanja na Sycamore Road. Ravi joj je pružio ruksak, ruka mu se kratko zadržala na njezinoj, a zatim su izašli iz automobila.

»Hej«, Pip je šapnula Connoru. Ponoćni vjetar plesao joj je kroz kosu bacajući je preko njezinog lica. »Jesi li uspio izaći bez problema?«

»Da«, rekao je. »Mislim da mama nije spavala jer sam je čuo kako šmrca. Ali nije me čula.«

»Gdje je Cara?« pitala je Pip gledajući prema njezinom autu parkiranom desetak metara niz cestu.

»Ostala je još malo u autu, na telefonu je sa sestrom«, rekao je Connor. »Naomi je očito primijetila da se iskrala iz kuće. Mislim da se Cara nije baš previše trudila biti tiha kad je izlazila jer, kako sama kaže, ›i baka i djed su mi praktički gluhi‹.«

»Aha, kužim.«

Ravi je prišao Pip i stao pokraj nje štiteći je tako od prodornog vjetra.

»Jesi li vidjela komentare?« rekao je Connor vrlo grubim glasom. Je li bio ljut? Bilo je gotovo previše mračno da to utvrdi.

»Još nisam«, rekla je. »Zašto?«

»Pa, prošlo je, ono, tri sata otkako si objavila epizodu, a jedna je teorija na Redditu već vrlo popularna.«

»Koja?«

»Misle da je moj tata ubio Jamieja.« Da, definitivno je bio ljut sudeći prema tonu dok joj se obraćao. »Govore da je uzeo nož iz naše kuće i slijedio Jamieja niz Wyvil Road. Ubio ga, očistio nož i bacio ga i privremeno sakrio njegovo tijelo. Da je još bio vani kad sam se ja vratio kući oko ponoći jer nisam ›doista vidio‹ tatu kad sam došao. I onda kako ga nije bilo tijekom vikenda jer se rješavao Jamiejevog tijela. Motiv: tata mrzi Jamieja jer je ›totalno, jebeno razočaranje‹.«

»Rekla sam ti da ne čitaš komentare«, rekla je Pip smireno.

»Teško je ne čitati kad ti ljudi optužuju tatu da je jebeni ubojica. On nije ništa učinio Jamieju. I nikada ne bi!«

»Nisam to ni rekla.«

»Dobro, ali komentiraju *tvoj podcast*. Što misliš, odakle im takve ideje?«

»Ti si mene zamolio da se upustim u ovo, Connore. Prihvatio si rizik koji to nosi sa sobom.« Osjetila je mrklu noć kako ih pritišće. »Samo sam izložila činjenice.«

»Dobro, ali te *činjenice* nemaju nikakve veze s mojim tatom. Ako netko laže, onda je to Nat da Silva. A ne on.«

»O. K.« Pip je podigla ruke. »Ne želim se prepirati s tobom. Samo pokušavam pronaći Jamieja, dobro? To je jedino što radim.«

Cara je upravo izašla iz auta koji je bio dalje niz ulicu i podigla ruku u znak pozdrava dok im je prilazila.

Ali Connor je nije primijetio. »Da, znam.« Također nije primijetio ni kako Pip podiže obrve prema njemu upozoravajući ga da ušuti. »Ali traženje Jamieja nema nikakve veze s mojim tatom.«

»Con—« Ravi je zaustio.

»Ne, moj tata nije ubojica!« Connor je rekao, u trenutku kad je Cara stala tik iza njega.

Oči su joj se zamaglile, a usta ostala ukočena i otvorena jer se spremala nešto reći. Konačno ju je i Connor primijetio, ali bilo je kasno, pa se počeo češkati po nosu da nečim ispuni tu neugodnu tišinu. Ravi je odjednom postao jako zainteresiran za zvijezde iznad njih, a Pip je zamucala smišljajući što će reći. Ali već za nekoliko sekundi na Carino se lice vratio osmijeh, a Pip je bila jedina koja je mogla primijetiti i veliki napor s kojim je to učinila.

»To ne vrijedi u mom slučaju«, rekla je nonšalantno, s prenaglašenim slijeganjem ramenima. »Nego, jesmo li došli pripremiti zasjedu? Ili ćemo ovdje stajati i buljiti kao kakva telad?«

Bio je to izraz koji je nedavno pokupila od svoje bake. I jednostavan način za prekidanje neugodne situacije. Pip je to iskoristila i kimnula. »Da, idemo.« Bilo je najbolje za sve da jednostavno zaborave tih posljednjih tridesetak sekundi, kao da se nikada nisu ni dogodile.

Connor je ukočeno hodao pored nje dok su skretali niz šljunčanu cestu prema napuštenoj kući koja im je stajala nasuprot, s druge strane travnate površine. Ali tamo se nalazilo i nešto drugo, nešto što Pip nije očekivala. U blizini zgrade uz cestu je bio zaustavljen neki automobil.

»Zar je netko ovdje?« rekla je.

Na to je pitanje dobila odgovor već za nekoliko sekundi kad je bijeli snop svjetlosti zasvijetlio iza prljavih prozora unutar kuće. Netko je bio unutra, s baterijskom svjetiljkom.

»Kakav nam je plan?« Ravi ju je pitao. »Neizravan ili izravan pristup?«

»A koja je razlika?« Connor je upitao, ovaj put svojim uobičajenim glasom.

»Neizravan je da ostanemo ovdje, skriveni, i čekamo da taj netko izađe da vidimo o kome se radi«, objasnio je Ravi. »A izravan je, pa, da odmah upadnemo i vidimo tko je tamo, malo pročavrljamo. Ja naginjem tome da se sakrijemo, ali imamo ovdje nekog tko je uvijek željan akcije, tako da...«

»Izravan«, Pip je odlučno rekla, kako je Ravi i slutio. »Vrijeme nije na našoj strani. Hajdemo. Tiho«, dodala je jer izravan pristup ne znači nužno i odustajanje od elementa iznenađenja.

Krenuli su zajedno prema kući, usklađeno koračajući.

»Kakva disciplinirana postrojba!« Ravi je šapnuo Pip. Cara je to čula i skoro prasnula u smijeh.

»Rekla sam *tiho*. To znači da nema ispucavanja šala i roktanja od smijeha.« A tako su upravo svi reagirali kad su nervozni.

Pip je prva prišla ulaznim vratima, koja su bila otvorena. Zidovi hodnika bili su obasjani srebrnkastom, sablasnom mjesečevom svjetlošću, koja im je osvjetljavala put i vodila ih prema dnevnom boravku. Pip je zakoračila naprijed i zastala u trenutku kad se začulo nekoliko glasova koji su prasnuli u smijeh. Bilo je tamo više od jedne osobe. A po glasovima koje je čula, rekla bi da se radi o dva dečka i jednoj curi. Zvučali su mlado, a vjerojatno i napušeno jer su se smijuljili i dulje nego što bi trebalo.

Pip je napravila još nekoliko tihih koraka prema naprijed, a Ravi ju je slijedio hodajući tik iza nje i zadržavajući dah.

»Kladim se da ih mogu staviti, ono, dvadeset sedam u usta odjednom«, rekao je jedan od glasova.

»Daj, Robine, nemoj.«

Pip se zamislila. Robin? Je li to onaj Robin kojeg je poznavala — onaj koji je igrao nogomet s Antom, godinu dana mlađi od nje? Onaj kojeg je vidjela kako kupuje drogu od Howieja Bowersa prošle godine?

Ušla je u dnevni boravak. Tri osobe sjedile su na prevrnutim kantama, a bilo je i dovoljno svjetlosti da nisu izgledali tek kao siluete u mraku. Navrh gornje ladice iskrivljenog drvenog ormarića ležala je baterijska svjetiljka, koja je bacala srebrnkastu svjetlost prema stropu. A tu su bile i tri jarkožute točkice na krajevima njihovih zapaljenih cigareta.

»Robin Caine«, rekla je Pip, a sve troje je poskočilo. Nije prepoznala ostale dvije osobe, ali cura je vrisnula i gotovo se srušila sa svoje kante, dok je drugi dečko ispustio cigaretu. »Pazite, ne želite valjda izazvati požar«, rekla je promatrajući dečka kako se bori da je dohvati dok je istovremeno kapuljačom prekrivao glavu da sakrije lice.

Robinove oči konačno su se fokusirale na nju nakon čega je izustio: »Jebote, otkud baš ti?«

»Jebote, *da*, ja sam, nažalost«, rekla je Pip. »I ekipa«, dovršila je pošto su i ostali nagrnuli u sobu iza nje.

»Što ti radiš ovdje?« Robin je dugo uvlačio svoj džoint. Predugo zapravo, toliko da mu se lice zacrvenjelo dok se borio da ne zakašlje.

»Što *ti* radiš ovdje?« Pip mu je uzvratila istim pitanjem. Robin je podigao džoint u zrak.

»Taj dio sam skužila. Dolaziš li... često ovamo?« rekla je.

»Je li to pokušaj uleta?« Robin je pitao ustuknuvši u trenu kad se Ravi potpuno uspravio stojeći pokraj Pip.

»Smeće koje ste ostavili iza sebe ionako mi je već odgovorilo na pitanje.« Pip je pokazala na hrpu omota od hrane i prazne boce piva. »Svjesni ste da ostavljate svoje tragove posvuda na potencijalnom mjestu zločina, zar ne?«

»Andie Bell nije ubijena ovdje«, rekao je vraćajući se s punom pažnjom svom džointu. Prijatelji su mu potpuno zanijemjeli pokušavajući gledati bilo kamo osim prema njima.

»Ne govorim o tome.« Pip je promijenila stav. »Jamie Reynolds je nestao prije pet dana. Bio je ovdje neposredno prije nego što mu se gubi svaki trag. Znate li vi nešto o tome?«

»Ne«, rekao je Robin, a ostali su ga brzo slijedili.

»Jeste li bili ovdje u petak navečer?«

»Ne.« Robin je na mobitelu provjerio koliko je sati. »Slušajte, morate otići. Uskoro će se netko pojaviti i stvarno ne smijete biti ovdje kad dođe.«

»A tko to?«

»Očito ti to neću reći«, Robin je rekao s podsmijehom.

»A što ako odbijem otići dok ti ne odeš?« rekla je Pip i pritom šutnula praznu tubu Pringlesa tako da se otkotrljala među njih troje.

»Ti posebno ne bi trebala biti ovdje«, rekao je Robin. »Vjerojatno te mrzi više od svih ostalih jer si u biti strpala Howieja Bowersa u zatvor.«

Pip je počela spajati točkice.

»Ah«, rekla je otežući. »Znači, u pitanju je droga. Jesi li se sada time počeo baviti?« rekla je primijetivši veliku crnu pretrpanu torbu koja je bila naslonjena na Robinovu nogu.

»Ne, ja ne dilam.« Nabrao je nos.

»Pa, ovo se čini kao puno više nego što ti treba za *osobnu upotrebu*.« Pokazala je na torbu koju je Robin sada pokušavao sakriti od nje gurajući je iza svojih nogu.

»Ne dilam, jasno? Samo je preuzimam od nekih tipova iz Londona i donosim ovamo.«

»Znači, ti si nešto kao njihova *mula*«, dobacio je Ravi.

»Daju mi travu besplatno«, Robinov glas postajao je sve viši kako se pokušavao braniti.

»Opa, baš si ozbiljan poslovni čovjek«, rekla je Pip. »Znači, netko te naučio da prenosiš drogu preko grofovijskih granica[2].«

---

[2] U izvorniku *county lines*, mjesto gdje se ilegalne droge prevoze s jednog područja na drugo, često preko lokalnih granica, a od strane djece ili ranjivih ljudi koje na to prisile bande, op. ur.

»Ne, odjebi, nitko mene nije ništa naučio.« Pogledao je ponovno na mobitel, a u očima mu se pojavila panika vrtložeći se u njegovim tamnim zjenicama. »Molim te, stići će svakog trenutka. Već je ljut jer mu je ovog tjedna netko otkazao; izgubio je devet stotina funti koje nikada neće dobiti natrag ili što već. Morate ići.«

I čim je izgovorio posljednju riječ, svi su začuli zvuk kotača koji škripe na šljunku, zvuk brujanja automobila koji se zaustavlja i gasi, kuckanje koje dopire iz njegovog motora i koje probija noćnu tišinu.

»Netko je stigao«, rekao je Connor totalno nepotrebno.

»Aaa, sranje«, odvratio je Robin gaseći džoint na kanti ispod sebe. Ali Pip se već okrenula i prošla između Connora i Care niz hodnik do širom otvorenih ulaznih vrata. Stajala je na pragu, jednom nogom prekoračivši njegov vanjski rub. Škiljila je pokušavajući razaznati što se nalazi u tami i pretvoriti to u prepoznatljive oblike. Auto se zaustavio ispred Robinovog, bio je svjetlije boje, ali…

I tada Pip više ništa nije mogla vidjeti jer su je zaslijepili snažni bijeli snopovi farova. Prekrila je oči rukama dok je motor automobila postajao sve glasniji — a zatim je auto odjurio niz Sycamore Road raspršujući šljunak i nestajući u oblaku prašine.

»Ljudi!« Pip je pozvala ostale. »Moj auto. Odmah. Trčite!«

Već je bila u pokretu, prelijetala travu u smjeru onog vrtloga prašine na cesti. Ravi ju je pretekao na zavoju.

»Ključevi«, viknuo je, a Pip ih je izvukla iz džepa jakne i bacila mu ih u ruke. Otključao je njezinu VW Bubu i bacio se na suvozačko mjesto. Dok je Pip uskakala na vozačko sjedalo, Ravi je već umetnuo ključ i čekao je da upali auto. Okrenula ga je i upalila prednja svjetla osvjetljavajući Caru i Connora, koji su sprintali prema njoj.

Uskočili su i oni pa je Pip krenula dodajući gas i prije nego što je Cara zalupila vrata za sobom.

»Što si vidjela?« upitao je Ravi dok je Pip ušla u zavoj jureći za autom.

»Ništa.« Pritisnula je papučicu gasa slušajući kako šljunak bočno udara po njezinom automobilu i zvecka po njemu. »Ali očito me primijetio na vratima. I sada bježi.«

»Zašto bi bježao?« upitao je Connor držeći se za naslon Ravijevog sjedala.

»Ne znam.« Pip je ubrzavala dok se cesta spuštala niz brdo. »Ali to upravo rade ljudi koji se osjećaju krivima. Jesu li to njegova stražnja svjetla?« Škiljila je gledajući u daljinu.

»Da«, rekao je Ravi. »Bože kako je brz, moraš nagaziti na gas.«

»Već vozim više od sedamdeset«, rekla je Pip grizući usnicu i malo jače pritišćući stopalom o gas.

»Lijevo, skrenuo je tamo lijevo.« Ravi joj je pokazivao. Pip je ušla u zavoj, na još jednu usku seosku cestu.

»Hajde, hajde, hajde«, rekao je Connor.

I Pip ga je sustizala, njegov bijeli auto sada je bio vidljiv u kontrastu s tamnim živicama uz cestu.

»Moramo mu se dovoljno približiti da mu pročitam registraciju«, rekla je Pip.

»Opet je ubrzao«, rekla je Cara, lica uglavljenog između Pipinog i Ravijevog sjedala.

Pip je ubrzala, brzinomjer je pokazivao iznad osamdeset, a brojka je i dalje rasla, pa je i razmak između automobila postajao sve manji.

»Desno!« rekao je Ravi. »Skrenuo je udesno.«

Zavoj je bio oštar. Pip je skinula nogu s papučice i čvrsto upravila upravljač. Projurili su kroz zavoj, ali nešto nije bilo u redu.

Pip je osjetila kako je upravljač ne sluša i kako joj klizi iz ruku.

Proklizavali su.

Pokušala je okrenuti upravljač suprotno od smjera kretanja i ispraviti auto. Ali išao je prebrzo i nije joj uspijevalo. Netko je vikao, ali od škripe kotača nije mogla razaznati tko. Klizili su ulijevo pa udesno prije nego što su se okrenuli za puni krug.

Svi su vikali dok se auto konačno uz sve to manevriranje nije zaustavio, prednjim dijelom u krivom smjeru, uletjevši poklopcem motora među šipražje koje je obrubljivalo cestu.

»Jebem ti«, rekla je Pip tresnuvši šakom po upravljaču, zbog čega se na trenutak oglasila i truba. »Jeste li svi O. K.?«

»Da«, rekao je Connor, rumena lica i teško dišući.

Ravi se okrenuo preko ramena razmjenjujući pogled s potresenom Carom prije nego što je pogledao Pip. A ona je znala što se to odražavalo u njihovim očima, bila je to tajna koju su njih troje čuvali, a koje Connor nije bio svjestan: da su Carina sestra i Max Hastings bili sudionici prometne nesreće kada su bili njihove dobi i da je Max nagovorio svoje prijatelje da ostave teško ozlijeđenog čovjeka da leži na cesti. I da je baš to sve i pokrenulo događaje koji su na kraju doveli do ubojstva Ravijevog brata.

A i oni su se upravo opasno približili nečemu sličnom.

»To je bilo glupo«, rekla je Pip osjećajući prazninu u trbuhu koja je prijetila da je još više proždre. To je bio osjećaj krivnje, zar ne? Ili srama. Ovaj put se nije trebala ovako ponašati, opet se pogubila. »Žao mi je.«

»Ja sam kriv.« Ravi je omotao prste oko njene ruke. »Rekao sam ti da ubrzaš. Oprosti.«

»Je li itko vidio registarsku pločicu?« upitao je Connor. »Jedino što sam ja vidio je prvo slovo — N ili H.«

»Nisam to vidjela«, rekla je Cara. »Ali u pitanju je sportski auto. Bijeli sportski auto.«

»BMW«, dodao je Ravi, na što se Pip ukočila, a taj ju je osjećaj prožimao sve do prstiju koji su bili omotani oko njegove šake. Okrenuo se prema njoj. »Što?«

»Ja… poznajem nekoga tko ima takav auto«, rekla je tiho.

»Pa, da, i ja poznajem nekoga«, odgovorio je. »Vjerojatno i više od jedne osobe.«

»Da«, izdahnula je Pip. »Ali onaj kojeg ja poznajem je novi dečko Nat da Silve.«

ČETVRTAK
ŠEST DANA OD NESTANKA
Dvadeset sedam

ZIJEV JOJ SE protegnuo cijelim licem dok je zurila u tost ispred sebe. Nije bila gladna.

»Kako to da si tako umorna jutros?« upitala ju je mama promatrajući je preko ruba šalice čaja.

Pip je slegnula ramenima gurajući tost po tanjuru. Josh je sjedio nasuprot njoj mumljajući nešto dok je trpao Coco Pops u usta, njišući nogama ispod stola i kao slučajno je lupkajući. Ona nije na to reagirala, već je povukla koljena prema gore i sjela prekriženih nogu na stolici. U pozadini se čuo radio, uvijek ugođen na postaju BBC *Three Counties*. Pjesma je upravo završavala, a voditelji su počeli razgovarati uz sve tiši zvuk bubnjeva.

»Nisi li malo previše preuzela na sebe s tom stvari s Jamiejem?« upitala ju je mama.

»To nije *stvar*, mama«, rekla je Pip osjećajući kako postaje sve uzrujanija; taj je osjećaj nosila poput dodatnog sloja ispod kože, toplog i nestabilnog. »U pitanju je njegov život. Mogu valjda biti umorna zbog toga.«

»O. K., O. K.«, rekla je njena mama uzimajući praznu zdjelu od Josha. »Smijem valjda biti zabrinuta za tebe.«

Pip bi radije da ne mora biti zabrinuta. Za nju nitko nije trebao biti zabrinut; ali za Jamieja jest.

Na Pipinom mobitelu pojavila se Ravijeva poruka. *Upravo krećem na sud poslušati presudu. Kako si? X*

Pip je ustala i jednom rukom pokupila mobitel, a drugom dograbila tanjur i pustila tost da klizne u kantu za smeće. Osjetila je mamin pogled na sebi. »Još nisam gladna«, objasnila je. »Ponijet ću energetsku pločicu u školu.«

Tek što je napravila nekoliko koraka niz hodnik, mama ju je pozvala natrag.

»Samo idem do toaleta!« odgovorila je.

»Pip, dođi ovamo odmah!« povikala je njena mama. I to stvarno povikala, glasom koji Pip rijetko čuje od nje, grubim i preplašenim.

Pip se istog trenutka sledila, svaki osjećaj ispario joj je s lica. Okrenula se i proklizala u čarapama po hrastovom podu trčeći natrag do kuhinje.

»Što, što, što je?« brzo je govorila, a pogled joj je prelijetao sa zbunjenog Josha na mamu, koja je pružala ruku prema radiju pojačavajući glasnoću.

»Slušaj«, rekla je.

… jutros oko šest sati muškarac u šetnji sa psom otkrio je tijelo u šumi pored ceste A413, između Little Kiltona i Amershama. Policija je još uvijek na mjestu događaja. Identitet preminulog još uvijek nije utvrđen, ali navodi se da se radi o bijelcu u ranim dvadesetima. Uzrok smrti trenutno je nepoznat. Glasnogovornik okružne policije Doline Temze rekao je da…

»Ne.« Ta je riječ morala doći od nje, ali se nije sjećala da ju je izgovorila. Ne sjeća se ni da su joj se usne pomaknule, ni da je riječ grebala njezino stisnuto grlo. »Ne; ne, ne, ne, ne.« Ništa nije osjećala osim tuposti, a stopala su joj bila poput teška tereta koji tone u zemlju, ruke su joj se odvajale od tijela, prst po prst.

»P… i… p?«

Sve se oko nje kretalo prespore, kao da je prostorija počela lebdjeti, jer se u njoj osjećala kao da je u samom središtu panike.

»Pip!«

I sve joj se vratilo u fokus, u sadašnji trenutak, te je čula otkucaje srca kako joj bubnjaju u ušima. Podignula je pogled prema mami, koja ju je promatrala istim takvim prestrašenim očima.

»Hajde«, rekla joj je mama požurivši prema njoj i okrenuvši je za ramena. »Kreni! Nazvat ću školu i reći im da ćeš kasniti.«

Slijedi jedna od mojih omiljenih pjesama iz osamdesetih, slušamo Sweet Dreams...

»Ne, n-ne može biti– «

»Hajde«, rekla joj je mama, gurajući je niz hodnik, a Pip je baš u tom trenutku zazujao mobitel. Bio je to poziv od Connora.

Connor joj je otvorio vrata, očiju crvenih od trljanja, a gornja mu se usna grčevito trzala.

Pip je ušla bez riječi. Čvrsto ga je uhvatila za ruku, iznad lakta i držala ga tako jedan dug i tih trenutak. Kad ga je pustila, upitala je: »Gdje ti je mama?«

»Ovamo.« Rekao je to jedva čujnim glasom dok je vodio Pip u hladni dnevni boravak. Dnevno mu svjetlo nije pristajalo, bilo je previše intenzivno, odviše jarko, pretjerano živo. A usred te svjetlosti Joanna je skvrčeno sjedila, omotana u staru deku na kauču, lica zakopanog u maramicu.

»Pip je stigla«, Connor je rekao tiho, mrvicu glasnije od šapata.

Joanna je podigla pogled. Oči su joj bile natečene i izgledala je drukčije, kao da se nešto ispod njene kože slomilo.

Nije ništa govorila, samo je ispružila ruke prema njoj, pa je Pip nespretno pojurila prema kauču da bi sjela pored nje. Joanna ju je objema rukama privukla u zagrljaj i Pip joj je uzvratila, pa je osjetila ubrzano lupanje Joanninog srca u dodiru s njezinim prsnim košem.

»Morali bismo nazvati inspektora Hawkinsa u policijsku postaju u Amershamu«, rekla je Pip odmičući se od Joanne. »I pitati ga jesu li identificirali tijelo—«

»Arthur je upravo s njima na telefonu.« Joanna se pomaknula da napravi malo mjesta za Connora. A kad se smjestio, bedra pritisnutog uz Pipino, čula je sve glasniji Arthurov glas dok je izlazio iz kuhinje i kretao se prema njima.

»Da«, rekao je ulazeći u sobu s telefonom u ruci, trepćući dok mu se pogled nije zaustavio na Pip. Lice mu je bilo sivo, a usne ukočene. »Jamie Reynolds. Ne, *Reynolds*, s R. Da. Broj slučaja? Um…« Pogled mu je poletio prema Joanni. Počela je ustajati s kauča, ali Pip se ubacila.

»Četiri, devet, nula«, rekla je, a Arthur je ponovio brojeve za njom, u telefon. »Nula, jedan, pet. Dva, devet, tri.«

Arthur joj je kimnuo. »Da. Nestao je u prošli petak navečer.« Grickao je palac. »Pronađeno je tijelo blizu ceste A413, znate li već o kome se radi? Ne. Ne, nemojte me ponovno stavljati na čekanje—«

Naslonio se na vrata, tako ih zatvarajući, glava mu je bila naslonjena na jedan prst, koji mu je stvarao nabor na koži. I čekao je.

I čekao.

Bilo je to najgore čekanje koje je Pip ikad doživjela. Prsa su joj bila tako stegnuta da je morala prisiljavati zrak da joj ulazi i izlazi kroz nos. A sa svakim novim udisajem mislila je da bi mogla povratiti, pa je gutala kiselinu.

Molim te, izgovarala je u mislima ne znajući kome se obraća. Nekome. Bilo kome. *Molim te, molim te, samo da to nije Jamie.* Molim te. Obećala je Connoru. Obećala mu je da će mu pronaći brata. Obećala je da će ga spasiti. *Molim te. Molim te, samo da nije on.*

Pogled joj je s Arthura ponovno odlutao do Connora, koji je sjedio pokraj nje.

»Je li u redu da sam i ja ovdje?« tiho ga je pitala.

Connor je kimnuo u znak odobrenja i uhvatio je za ruku. Njihovi oznojeni dlanovi zalijepili su se jedan uz drugi. Vidjela je kako s druge strane prima i maminu ruku. Čekali su.

Arthur je zatvorio oči i prstima slobodne ruke pritiskao si vjeđe, toliko jako da ga je sigurno moralo boljeti, a prsa su mu podrhtavala dok su se podizala.

Čekali su.

Sve dok...

»Da?« rekao je Arthur odjednom širom otvorivši oči.

Pipino je srce kucalo tako glasno, tako brzo, osjećala se kao da joj je potpuno preuzelo cijelo tijelo: postala je samo srce i prazna koža uokolo.

»Halo, inspektore«, rekao je Arthur. »Da, zato sam vas nazvao. Da.«

Connor je još čvršće stisnuo Pipinu ruku, toliko da su je i same koščice šake zaboljele.

»Da, razumijem. Znači, je li-« Arthurova se ruka tresla uz bok. »Da, razumijem.«

Utihnuo je slušajući glas na drugom kraju.

A onda mu se lice slomilo.

Raspao se.

Nagnuo se prema naprijed, a telefon mu je skoro skliznuo iz ruke. Drugu je ruku podignuo do lica i jecao u nju. Bio je to visok, nečovječan zvuk koji mu je potresao cijelo tijelo.

Connorova ruka popustila je stisak oko Pipine, a čeljust mu se razjapila.

Arthur se ispravio, a suze su mu se slijevale u otvorena usta.

»Nije Jamie«, rekao je.

»Što?« Joanna je ustala hvatajući se rukama za lice.

»Nije Jamie«, ponovio je Arthur gušeći se od jecaja i spuštajući telefon. »Netko drugi je u pitanju. Upravo ga je obitelj identificirala. Nije Jamie.«

»Nije Jamie?« ponovila je Joanna, kao da se još ne usuđuje povjerovati.

»Nije«, rekao je Arthur posrćući naprijed da je privuče k sebi, plačući joj u kosu. »Nije naš dječak. Nije Jamie.«

Connor se odvojio od Pip, crvenih i suzama natopljenih obraza, i zagrlio svoje roditelje. Stajali su tako u zagrljaju i zajedno plakali, ali to je bio plač olakšanja, tuge i zbunjenosti. Na trenutak su ga bili izgubili. Na nekoliko minuta, u njihovim glavama, ali i u njezinoj, Jamie Reynolds bio je mrtav.

Ali mrtva osoba nije bila on.

Pip je prinijela rukav svog džempera do očiju, a vruće suze tekle su joj niz lice natapajući tkaninu. *Hvala ti*, obratila se onoj nevidljivoj osobi u svojoj glavi. *Hvala ti.*

Imali su još jednu šansu.

Ona je imala još jednu, posljednju šansu.

Naziv datoteke:

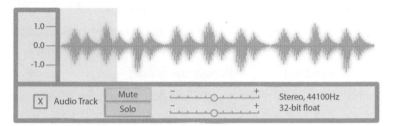 Savršeno ubojstvo — Dnevnik dobre cure — SEZONA 2 — Intervju s Arthurom Reynoldsom.wav

Pip:	U redu, snimam. Jeste li O. K.?

Arthur: Da. Spreman sam.

Pip: Onda, zašto dosada niste željeli davati intervju ili se uključiti u potragu?

Arthur: Iskreno? Bio sam ljut. U glavi sam si složio da je Jamie opet pobjegao. A znao je dobro koliko smo bili zabrinuti kad je to prvi put učinio. Nisam htio poticati Joannu i Connora da i dalje misle da je Jamie stvarno nestao jer nisam u to ni sam vjerovao. Nisam se htio pomiriti s tim da nešto nije u redu. Radije sam se ljutio na Jamieja, čini se. Ali pogriješio sam, izgleda. Previše je vremena prošlo. A da je samo tako otišao, Jamie bi dosada čuo za tvoj *podcast*. I vratio bi se kući da može.

Pip: A zašto ste mislili da je Jamie opet pobjegao? Je li to zato što ste se gadno posvađali, baš prije komemoracije?

Arthur: Da. Ne želim se svađati s njim, samo želim ono što je najbolje za njega. Želim ga potaknuti da donosi pametne odluke u svom životu, da radi nešto što voli. Znam da je sposoban za to. Ali čini se da je zadnjih godina nekako zapeo. Možda i ja to radim na krivi način. Jednostavno ne znam kako mu pomoći.

Pip: A oko čega ste se svađali prošli petak?

Arthur: Ma samo... kuhalo se to već neko vrijeme. Nedavno me zamolio da mu posudim hrpu novca i ne znam, rekao je nešto što me naljutilo, pa sam počeo govoriti o novcu, o odgovornosti i pronalaženju karijere. Jamie me nije želio slušati.

Pip: Kada vas je zamolio da mu posudite novac?

Arthur: Oh, to je bilo... Joanna je bila na badmintonu, pa je morao biti utorak. Da, bio je to utorak, 10. travnja.

Pip: Je li rekao za što mu treba novac?

Arthur: Ne, u tome i jest stvar. Nije mi htio reći. Samo je rekao da je jako važno. Pa sam mu, naravno, rekao *ne*. Bio je to apsurdan iznos.

Pip: Ako smijem pitati, koliko je Jamie tražio da mu posudite?

Arthur: Devetsto funti.

Pip: Devetsto?

Arthur: Da.

Pip: Točno devetsto?

Arthur: Da. Zašto pitaš? Što nije u redu?

Pip: Ma samo... nedavno sam čula taj točni iznos, ali radilo se o nekom drugom. O tipu imena Luke Eaton, spomenuo je da je izgubio devetsto funti ovaj tjedan. I mislim da je umiješan u dil... Znate što, istražit ću to. Dakle, nakon što ste otišli iz *puba* u petak navečer, u koje ste vrijeme stigli kući?

Arthur: Ne sjećam se da sam baš gledao na sat, ali definitivno prije jedanaest i trideset. Možda jedanaest i dvadeset.

Pip: I kuća je bila prazna, zar ne? Niste vidjeli Jamieja?

Arthur: Ne, bio sam sâm. Otišao sam spavati, ali čuo sam Connora kad je poslije dolazio.

Pip: I nema šanse da se Jamie možda vratio prije toga a da ga niste primijetili? Recimo, odmah nakon što ste stigli?

Arthur: Nemoguće. Sjedio sam ovdje, u dnevnom boravku, neko vrijeme. Čuo bih ulazna vrata.

Pip: Vjerujemo da se Jamie vratio kući, po svoju duksu i nož, pa je onda vjerojatno došao i otišao prije nego što ste vi stigli kući. Znate li išta o tom nožu?

Arthur: Ne. Nisam ni znao da je nestao dok mi Joanna nije rekla.

Pip: Pa gdje ste vi bili tog prošlog vikenda kad je Jamie nestao? Connor je spomenuo da niste puno bili kod kuće.

Arthur: Vozio sam se uokolo, tražio sam ga. Mislio sam da ću ga negdje vidjeti, da se samo ispuhuje. I da ću moći razgovarati s njim, da ćemo se pomiriti, da ću ga nagovoriti da se vrati kući. Ali nigdje ga nije bilo.

Pip: Pa kako se vi osjećate, gospodine Reynolds?

Arthur: Prestravljen sam. Prestravljen sam što je posljednje što se dogodilo bilo da sam se posvađao sa svojim sinom. Posljednje riječi koje sam mu rekao bile su u ljutnji. Nikad mu inače nisam govorio da ga volim i bojim se da više nikad neću imati priliku za to. Jamie je došao k meni, tražio je da mu pomognem, a ja sam ga odbio. *Pitanje života ili smrti*, tako je Jamie rekao tvojoj mami, zar ne? A ja sam mu rekao *ne*. Ja, njegov otac. Trebao bi mi se moći obratiti za bilo što. Tražio je moju pomoć, a ja sam rekao *ne*. Što ako je sve ovo moja krivica? Da sam mu samo rekao *da*, možda... možda...

Dvadeset osam

DRVEĆE NA CROSS LANEU podrhtavalo je izmičući se Pip dok je prolazila ispod stabala, u neuspješnom pokušaju da sustigne svoju jutarnju sjenu.

Odbacila je Connora do škole nakon što su se svi smirili i ostavila tamo svoj auto. Ali nije ušla s njim. Njezina je majka već obavijestila školu da će kasniti, pa je odlučila to vrijeme iskoristiti. A to se više nije moglo izbjegavati: morala je razgovarati s Nat da Silvom. U ovom trenutku svi su putevi vodili k njoj.

Čak i ovaj konkretni kojim je Pip hodala.

Oči su joj bile fiksirane na plavo obojena vrata dok je koračala betonskim puteljkom koji je zavijao tik uz kuću.

Duboko je udahnula da se skoncentrira i dvaput kratko i mehanički pritisnula zvonce. Čekala je, nervozno vrteći prstima pramenove nepočešljane kose, a ritam otkucaja srca još uvijek joj se nije vratio u normalu.

Iza zamagljenog stakla nazirala se nejasna silueta koja se sporo približavala vratima.

Vrata su se otvorila uz škljocanje i pred njom je stajala Nat da Silva, izblajhane kose začešljane od lica, očiju obrubljenih debelim linijama tuša, koji je naglašavao blijedoplave oči.

»Bok«, rekla je Pip pokušavajući zvučati vedro.

»A u kurac«, rekla je Nat. »Što opet hoćeš?«
»Moram te pitati nešto o Jamieju«, rekla je.

»Da, pa već sam ti rekla sve što znam. Ne znam gdje je i nije mi se javljao.« Nat je krenula zatvarati vrata.

»Našli su tijelo«, izletjelo je Pip, pokušavala ju je time zaustaviti. Uspjelo joj je. »Nije Jamiejevo, ali moglo je biti. Nat, prošlo je šest dana kako se nikome nije javljao. Jamie je u velikoj opasnosti. A ti bi mogla biti osoba koja ga najbolje poznaje. Molim te.« Glas joj je puknuo. »Ne zbog mene. Znam da me ne voliš i razumijem i zašto. Ali molim te, pomozi mi, zbog Reynoldsovih. Upravo sam došla od njih. Dvadeset minuta smo svi mislili da je Jamie mrtav.«

Iako je bilo suptilno, toliko da se jedva moglo primijetiti, Natin se pogled ipak malo smekšao. U očima joj se pojavilo nešto staklasto i tužno.

»Misliš li…« rekla je polako. »Misliš li stvarno da mu se nešto dogodilo?«

»Pokušavam ostati optimistična, zbog njegove obitelji«, rekla je Pip. »Ali… stvarno ne znam.«

Nat je opustila ruku grickajući blijedu donju usnicu.

»Jeste li ti i Jamie i dalje razgovarali posljednjih tjedana?«

»Aha, ponekad«, rekla je Nat.

»Je li ti ikada spomenuo nekoga po imenu Layla Mead?«

Nat je pogledala prema gore razmišljajući i prelazeći zubima po usnici, sve do ruba kože.

»Ne. Nikad nisam čula to ime.«

»Dobro. I znam da si mi već odgovorila na to pitanje, ali je li Jamie ipak došao k tebi nakon komemoracije, kao što ste se dogovorili? Oko 22:40?«

»Ne.« Nat je nakrenula glavu, a kratka bijela kosa kliznula joj je preko očiju. »Rekla sam ti da sam ga zadnji put vidjela na komemoraciji.«

»Ma…« počela je Pip. »Pa, jedan svjedok tvrdi da je vidio Jamieja kako ulazi u tvoju kuću u to vrijeme. Rekao je da je u pitanju Cross Lane i točno opisao tvoju kuću.«

Nat je trepnula, a ona je mekoća u njezinom pogledu nestala.

»Pa, baš me briga što tvoj jebeni svjedok kaže. Pogriješio je«, rekla je. »Jamie nije dolazio ovamo.«

»U redu, oprosti.« Pip je podigla ruke. »Samo sam morala pitati.«

»Pa već si me to pitala i već sam ti odgovorila. Još nešto?« Natina ruka kliznula je prema vratima stežući ih oko ruba.

»Još jedna stvar«, rekla je Pip nervozno promatrajući Natine prste na vratima. Zadnji put kad je bila ovdje, Nat joj je zalupila vrata pred nosom. *Samo oprezno, Pip.* »Pa, u pitanju je tvoj dečko, Luke Eaton.«

»Da, znam kako se zove«, odbrusila je Nat. »Što s njim?«

»Hm, ovaj…« Nije znala koji pristup da koristi, pa je odabrala biti brza. »Pa, mislim da je Luke umiješan u dilanje droge — koristi nekog klinca da je pokupi od ekipe u Londonu i pretpostavljam da je onda distribuira raznim dilerima u okrugu.«

Natino se lice ukočilo.

»A mjesto gdje dolazi po nju… je napuštena farma gdje je pronađeno Andieno tijelo. Ali to je i posljednje mjesto gdje je Jamie bio, prije nego što mu se nešto dogodilo. Tako da je možda Luke nekako s tim povezan.«

Nat je premjestila težinu s jedne noge na drugu, a zglobovi na prstima pobijeljeli su joj od stiska na vratima.

»Ali ima još nešto«, nastavila je Pip ne dopuštajući Nat da progovori. »Klinac koji preuzima drogu rekao je da je Luke bio ljut ovaj tjedan jer je izgubio devetsto funti. A to je točan iznos novca koji je Jamie tražio od svog oca da mu posudi prije par tjedana—«

»Što točno time želiš reći?« upitala je Nat naginjući glavu tako da su joj oči sada bile u sjeni.

»Samo da… možda Luke posuđuje novac ljudima, i možda ga je posudio i Jamieju za nešto, ali Jamie mu nije mogao vratiti, pa je pitao svog oca. I onda je bio toliko očajan da je pokušao ukrasti novac na poslu govoreći da se radi o pitanju života ili smrti…« Zastala je konačno se usudivši podići pogled prema Nat. »Pa sam se pitala, ono kad sam prije razgovarala s vama oboma, kao da sam primijetila neku reakciju na tebi kad je Luke rekao da je cijelu noć bio kod kuće, pa sam se samo pitala—«

»Oh, samo si se pitala, ma nemoj?« Natina je gornja usnica zadrhtala i Pip je osjetila bijes koji je s Nat prelazio na nju, obuzimajući je poput topline. »Koji je tebi vrag? U pitanju su ljudski životi. Ne možeš se samo tako zajebavati s njima iz vlastite zabave.«

»Nije to, sve to radim—«

»Nemam ništa s Jamiejem. A ni Luke«, derala se Nat odmičući se od ulaza. »Samo više odjebi i pusti me na miru, Pip.« Glas joj se tresao. »Molim te. Pusti me na miru.«

I potom joj je lice nestalo iza vrata, koja su se zatvorila treskom koji je nastavio odjekivati u onoj praznini u Pipinom trbuhu i pratio ju je dok je odlazila.

Tek kada je skrenula na Gravelly Way na putu natrag prema školi, obuzeo ju je onaj poznati osjećaj. Puzao joj je po vratu kao elektricitet na koži. Prepoznala ga je, već je ranije imala takav osjećaj. Bio je to nečiji pogled. Netko ju je promatrao.

Zaustavila se na ulici i osvrnula preko ramena. Iza nje na Chalk Roadu nije bilo nikoga, osim jednog muškarca kojeg nije poznavala i koji je gurao kolica, a gledao je nekamo dolje.

Provjerila je ispred sebe prelazeći pogledom i prozore kuća s ulične strane, koji su joj izazivali nelagodu. Ali nije bilo nijednog lica prislonjenog na staklo zamagljeno nečijim dahom. Proučila je i parkirane automobile uz cestu. Nije bilo ničega. Nikoga.

Pip bi se zaklela da je osjetila taj pogled na sebi. Ili je možda počela gubiti razum.

Nastavila je hodati prema školi držeći se za naramenice svoje torbe. Trebalo joj je nešto vremena da shvati kako ne čuje samo svoje korake. Čuo se još jedan par koraka, koji su išli tiho za njom, s njezine desne strane. Pip je podigla pogled.

»Dobro jutro«, netko je doviknuo s druge strane ulice. Bila je to Mary Scythe iz *Kilton Maila*, s crnim labradorom koji je hodao uz nju.

»Dobro jutro«, Pip je uzvratila, ali zvučalo je nekako prazno čak i njenim vlastitim ušima. Srećom, taman joj je u tom trenutku zazvonio mobitel, pa je imala neku ispriku. Okrenula se i kliznula prstom preko ekrana da se javi.

»Pip«, rekao je Ravi.

»O, Bože«, rekla je osjećajući ogromno olakšanje što čuje njegov glas, kao da ju je njime umotao u toplu deku. »Nećeš vjerovati što se dogodilo jutros. Na vijestima su rekli da su pronašli tijelo bijelog muškarca u dvadesetima. Tako da sam se totalno uspaničila i otišla do Reynoldsovih, ali oni su nazvali policiju i nije bio Jamie u pitanju, bio je netko drugi…«

»Pip?«

»… i Arthur je napokon pristao razgovarati sa mnom. I rekao mi je da je Jamie od njega želio posuditi devetsto funti, točno onoliko koliko je i Robin spomenuo da je Luke izgubio ovog tjedna, pa…«

»Pip?«

»... to je prevelika slučajnost da ne bi bilo nekako povezano, zar ne? Onda sam otišla do Nat, a ona uporno i dalje tvrdi da Jamie nije otišao tamo poslije—«

»Pip, stvarno moraš prestati pričati i poslušati me.« I odjednom je čula taj čudni prizvuk u njegovom glasu, nešto novo i njoj nepoznato.

»Što? Oprosti. Što je bilo?« rekla je i zaustavila se.

»Porota je upravo izrekla svoju presudu«, rekao je.

»Već? I?«

Ali Ravi nije rekao ništa, no ona je mogla čuti kako je nešto kliknulo u dahu koji mu je ostao zarobljen u grlu.

»Ne«, rekla je, a srce joj je i samo osjetilo taj klik, i prije nego što je ona shvatila, prilijepivši joj se uz rebra. »Ravi? Što? Ne, nemoj mi reći... to nije is...«

»Proglasili su ga nevinim. Oslobodili su ga od svih optužbi.«

Pip nije čula što je dalje govorio jer su joj se uši napunile krvlju, čula je snažan šum, poput oluje zarobljene unutar njezine glave. Rukom je opipala zid pored sebe, naslonila se na njega, a onda se spustila i sjela na hladni betonski pločnik.

»Ne«, rekla je šapatom jer da je rekla glasnije, to bi se pretvorilo u vrisak. I još uvijek bi se to moglo dogoditi; osjećala je vrisak kako se iznutra bori, želi izaći. Uhvatila se za lice i držala usta zatvorenima, dok su joj se nokti zabijali u obraze.

»Pip«, Ravi je rekao nježno. »Žao mi je. Nisam ni sam mogao vjerovati. I dalje ne mogu. To nije fer. To nije u redu. Da mogu bilo što učiniti da to promijenim, učinio bih. Bilo što. Pip? Jesi li O. K.?«

»Ne«, rekla je kroz ruku koju je stavila preko usta. Nikada više neće biti O. K. To je to; najgora stvar koja se mogla dogoditi. Razmišljala je i o toj mogućnosti, pojavljivala bi joj se u noćnim morama, ali znala je da se to u stvarnosti ne može dogoditi. Neće. Ali upravo se dogodilo. I istina više nije bila bitna. Max Hastings proglašen je nevinim. Iako je imala sve zabilježeno na snimci, njegovim glasom, gdje joj je sve priznao. Iako je svejedno znala da je kriv, izvan ikakve sumnje. Ali ne, sada su ona i Nat da Silva, Becca Bell i one dvije cure s faksa bile lažljivice. A serijski silovatelj upravo je oslobođen.

Odjednom se sjetila Nat.

»O, Bože, Nat«, rekla je spuštajući ruku s usta. »Ravi, moram ići, moram se vratiti do Nat. Moram provjeriti je li O. K.«

»O. K., vo—« rekao je, ali bilo je prekasno. Pip je već pritisnula crvenu tipku, podigla se s tla i krenula natrag niz Gravelly Way.

Znala je da je Nat mrzi. Ali znala je i da Nat ne bi smjela biti sama kada čuje tu vijest. Nitko ne bi trebao biti sam kad se takvo što dogodi.

Pip je sprintala, tenisice su joj nespretno udarale o pločnik odzvanjajući joj kroz tijelo. Boljelo ju je u prsima, kao da joj srce već želi odustati. Ali trčala je, sve brže i ulažući sav napor, sve dok nije skrenula iza ugla na Cross Lane, natrag prema tim plavo obojenim vratima.

Ovaj put je zakucala zaboravljajući na zvonce jer joj je um već bio preopterećen, premotavao je sve ono što se dogodilo u zadnjih nekoliko minuta. To se nije moglo dogoditi, zar ne? To nije mogla biti istina. Ne čini se stvarnim.

Natina se silueta pojavila u zamagljenom staklu, a Pip ju je pokušala pročitati, proučiti, shvatiti je li joj se svijet već urušio.

Otvorila je vrata, a čeljust joj se ukočila čim je vidjela Pip da stoji tamo.

»Što je tebi, jebote, rekla sam ti da…«

Ali onda je očito primijetila i kako je Pip bila zadihana. I užas koji joj je sigurno bio ispisan po cijelom licu.

»Što se dogodilo?« Nat je brzo rekla širom otvorivši vrata. »Je li Jamie O. K.?«

»J-jesi li čula?« Pip je rekla, a glas joj je zazvučao čudno, kao da ne pripada njoj. »Presudu?«

»Što?« Nat se počela mrštiti. »Ne, nitko me još nije nazvao. Jesu li gotovi? Što su…«

I onda je Pip primijetila trenutak kada se to dogodilo, trenutak kada je Nat konačno pročitala što joj je bilo na licu. Trenutak kada su joj se oči promijenile.

»Ne«, rekla je, ali to je bio više uzdah nego riječ.

Zateturala je unatrag od vrata, ruke su joj se odjednom našle na licu dok je čujno uzdisala, a oči su joj se punile suzama.

»Ne!« Ta je riječ ovaj put bila prigušeni krik koji ju je počeo razdirati. Nat se svom težinom leđima bacila na zid u hodniku udarivši snažno u njega. Okvir jedne slike otkačio se s kukice i slomio se kad je tresnuo o pod.

Pip je uletjela u hodnik obuhvativši Nat oko ruku dok je klizila niza zid. Ali izgubila je ravnotežu i skliznule su zajedno, Nat skroz do podnih pločica, dok se Pip dočekala na koljenima.

»Žao mi je«, rekla je Pip. »Tako mi je žao, strašno.«

Nat je plakala, a suze su joj razmazivale šminku na očima, crne suze koje su joj se jedna za drugom slijevale niz lice.

»To nije istina«, plakala je. »Ne može biti. JEBOTE!«

Pip se nagnula prema naprijed obavijajući ruke oko Natinih leđa. Mislila je da će se Nat lecnuti, gurnuti je od sebe. Ali nije. Naslonila se na Pip dižući polako ruke sve do Pipinog vrata, pa ga njima obujmila i tako se držala za nju. Čvrsto. Zakopala je lice u Pipino rame.

Nat je vrisnula. Bio je to prigušen zvuk koji je završio u Pipinom džemperu, a njezin vruć i isprekidan dah spuštao se Pip niz kožu. A onda je i doista vrisnula i počela tako gorko plakati da su se obje tresle od njezinih jecaja.

»Žao mi je«, šaptala je Pip.

Dvadeset devet

NATIN VRISAK NIKADA nije napustio Pip. Osjećala ga je kako joj plazi ispod kože. Osjećala ga je kako ključa kao na laganoj vatri dok je ulazila na sat iz povijesti na koji je kasnila osamnaest minuta, a gospodin Clark je rekao: »Ah, Pip. Znaš li koliko je sati? Misliš li da je tvoje vrijeme vrednije od mog?«

Odgovorila je tiho: »Ne, gospodine, oprostite, gospodine«, a sve što je zapravo željela bilo je ispustiti taj zarobljeni vrisak i reći mu da vjerojatno i jest. Sjela je pokraj Connora u dnu učionice stežući olovku u ruci dok nije puknula, a komadići plastike raspršili su joj se među prstima.

Oglasilo se zvono koje je najavilo pauzu za ručak, pa su ona i Connor izašli iz učionice. Čuo je za presudu od Care jer joj je Ravi poslao poruku, zabrinut kad mu se Pip nije odmah javljala. »Žao mi je«, bilo je sve što je Connor uspio reći dok su koračali prema kantini. To je sve što je i Pip mogla reći, ali nisu postojale riječi koje bi ikada mogle ovo ispraviti. Pronašli su ostale za njihovim uobičajenim stolom za ručak i Pip se smjestila pokraj Care stisnuvši joj ruku u znak pozdrava.

»Jesi li rekla Naomi?« upitala je Pip.

Cara je kimnula. »Očajna je, ne može vjerovati.«

»Da, užasno je«, Ant je glasno rekao kad je zagrizao u svoj drugi sendvič.

Pip se okrenula prema njemu. »A gdje si ti bio jučer, za vrijeme potrage?«

Ant je podigao obrve izgledajući uvrijeđeno dok je gutao. »Bila je srijeda, bio sam na nogometu«, rekao je ni ne gledajući Connora.

»Lauren?« upitala je Pip.

»Što je… mama me je natjerala da ostanem kući i ponavljam francuski.« Glas joj je bio visok i obrambenog tona. »Nisam znala da ste očekivali da baš svi budemo tamo.«

»Brat tvog najboljeg prijatelja je nestao«, rekla je Pip i osjetila kako Connor kraj nje postaje sve napetiji.

»Da, znam.« Ant se brzo osmjehnuo Connoru. »I žao mi je, ali ne vidim kako bismo Lauren ili ja mogli bilo što tu promijeniti.«

Pip je htjela nastaviti vršiti pritisak na njih, nastaviti hraniti onaj vrisak ispod svoje kože, ali joj je nešto odvuklo pažnju. Netko tko se nalazio iza Anta, pa je podigla pogled prema njemu. Bio je to Tom Nowak, koji se glasno smijao za stolom sa svojim prijateljima.

»Oprostite«, rekla je Pip iako je već bila otišla zaobilazeći njihov stol i krećući se kroz taj metež bučne kantine.

»Tome«, rekla je, a zatim ponovila njegovo ime, glasnije nego što su se oni hihotali. Tom je spustio otvorenu bocu Cole na stol pa se okrenuo da je pogleda. Pip je primijetila da se neki od njegovih prijatelja na klupi sa suprotne strane stola gurkaju i međusobno šapuću.

»Hej, što ima?« rekao je, upalih jagodičnih kostiju od opuštenog osmijeha, od čega se Pipin bijes još više rasplamsao.

»Lagao si mi, zar ne?« rekla je, ali to nije bilo pitanje i nije čekala odgovor. Barem mu je sada nestao lažni osmijeh. »Nisi vidio Jamieja Reynoldsa u petak navečer. Sumnjam da si uopće i bio u blizini Cross Lanea. Naveo si tu ulicu jer je bila blizu mjesta gdje je bila ubijačina, a ostale sam ti informacije ja pružila kao na pladnju. Slučajno sam navodila svjedoka. Vidio si kako sam reagirala na ime ulice, na boju ulaznih vrata, i iskoristio si to da me izmanipuliraš. Naveo si me da vjerujem u priču koja se nikada nije ni dogodila!« Ljudi za obližnjim stolovima sada su ih promatrali, osjetila je njihove napola okrenute glave kako je gledaju, ali ih nije vidjela, samo je osjetila njihovo bockanje.

»Jamie nije otišao u kuću Nat da Silve te večeri i ti nikada nisi tome svjedočio. Ti si najobičniji lažljivac.« Gornja joj se usnica izvila prema gore otkrivajući joj zube koje je uperila prema njemu. »Pa, bravo, svaka ti čast, Tome, uspio si se pojaviti na *podcastu*. Što si mislio da ćeš time postići?«

Tom je počeo zamuckivati podigavši prst dok je smišljao što će joj reći.

»Internetska slava, je li to u pitanju?« Pip je bijesno rekla. »Imaš račun na *SoundCloudu* koji želiš promovirati ili nešto? Koji ti je kurac? Netko je nestao. Jamiejev život je u opasnosti, a ti si odlučio trošiti moje vrijeme.«

»Nisam—«

»Totalno si jadan«, rekla je. »I znaš što? Potpisao si mi obrazac gdje pristaješ na korištenje svog imena i karaktera, pa će i ovo ići u *podcast*. Sretno s univerzalnom mržnjom svih ljudi na internetu.«

»Ne, ne smiješ—« Tom se počeo braniti.

Ali bijes se već pokrenuo u Pipinoj ruci i usmjeravao je dok je posezala za Tomovom otvorenom bocom Cole. I bez trunke razmišljanja Pip je izvrnula bocu i izlila mu sadržaj po glavi.

Pjenasti smeđi napitak u slapu mu se prolijevao preko glave natapajući mu kosu i lice. Čvrsto je zatvorio oči. U prostoriji su se čuli uzdasi i smijuljenje, a Tomu je od šoka trebalo nekoliko sekundi da reagira.

»Kučko jedna!« Ustao je i pružio ruke prema očima da ih obriše.

»Da me nisi više nijednom raspizdio«, rekla je Pip ispustivši praznu bocu pred Tomove noge uz tresak koji je odjekivao po cijelom prostoru koji je iznenada utihnuo.

Udaljila se otresajući kapljice Cole s ruke dok ju je pratilo stotinu očiju, od kojih se nijedno nije usudilo susresti s njezinima.

Cara ju je čekala na mjestu gdje bi se obično nalazile, kod dvostrukih vrata blizu učionice engleskog. To im je bio predzadnji sat toga dana. Ali dok joj je Pip prilazila preko hodnika, nešto je primijetila: glasovi su se stišavali, ljudi su se okupljali u grupice da razgovaraju, prekrivali bi usta rukama dok su se došaptavali i promatrali je. Pa, nisu baš *svi* mogli biti u kantini za vrijeme ručka. Uostalom, nije ju bilo briga što oni misle. Trebali bi se tako ponašati dok *Tom Nowak* prolazi pored njih, a ne ona.

»Hej«, rekla je stigavši do Care.

»Hej, ovaj…« Ali i Cara se čudno ponašala skupljajući usne onako kako bi to činila kada nešto nije bilo u redu. »Zar nisi već vidjela?«

»Što to?«

»Članak na *WiredRipu*.« Cara je pogledala na mobitel u svojoj ruci. »Netko je stavio link na Facebook-događaj koji si napravila za Jamieja.«

»Ne«, rekla je Pip. »Zašto, što piše?«

»Pa, kaže da…« Cara je zastala. Pogledala je dolje, prstima brzo tipkajući po mobitelu, a zatim ga je na otvorenom dlanu pružila Pip.

»Mislim da trebaš pročitati.«

≡ **WIREDRIP**.com Novosti Kvizovi TV & filmovi Video Najnovije Više ⌕

(⤴) **Trending**

Druga sezona *podcasta Savršeno ubojstvo — Dnevnik dobre cure* možda nije baš onakva kakvom se čini...

Savršeno ubojstvo — Dnevnik dobre cure ovog se tjedna bombastično vratio s prvom epizodom druge sezone o novom slučaju, objavljenom u utorak. Jamie Reynolds, 24, nestao je iz rodnog grada voditeljice Pip Fitz-Amobi. Policija ne želi tragati za njim, pa je Pip preuzela inicijativu objavljujući epizode kako se odvija njezina istraga.

Ali što je pravi razlog zbog kojeg policija ne traži Jamieja?

Izvor blizak Pip ekskluzivno nam je rekao da je cijela ova sezona *podcasta* zapravo namještaljka. Jamie Reynolds stariji je brat jednog od Pipinih najbližih prijatelja, a naš izvor tvrdi da su njih troje zajedno isplanirali Jamiejev nestanak kako bi kreirali uzbudljivu novu sezonu *podcasta* i iskoristili popularnost prve. Jamiejev motiv za sudjelovanje u vlastitom nestanku financijske je prirode jer je Pip braći obećala isplatiti velik iznos nakon emitiranja sezone, nakon što osigura nove velike sponzorske ugovore.

Pa, što vi mislite — je li Jamie Reynolds uopće nestao? Je li nas nasamarila tinejdžerska kraljica stvarnih kriminalističkih priča? Podijelite svoje mišljenje u komentarima ispod.

Trideset

PROLAZILA JE JOŠ jednim hodnikom prepunim znatiželjnih očiju. Kružili su oko nje.

Pip je držala spuštenu glavu dok je posrćući prolazila hodnikom prema svojem ormariću. Nastava je za danas završena, a bilo je dovoljno vremena da se taj članak proširi cijelom školom, očito.

Ali nije mogla doći do svog ormarića. Skupina učenika drugog razreda stajala je ispred njega zbijena ukrug i razgovarala sudarajući se ruksacima. Pip se zaustavila i zurila u njih, dok ju jedna od djevojaka nije primijetila i razrogačenih očiju počela laktovima gurkati i ušutkivati svoje prijatelje. Skupina se odmah razišla i brzo od nje udaljila, ali njihovo šaputanje i hihotanje još se osjećalo u zraku.

Pip je otvorila ormarić i počela spremati unutra udžbenik iz politike. Dok je izvlačila ruku, primijetila je mali, presavijeni komad papira koji je vjerojatno bio gurnut kroz pukotinu iznad vrata.

Posegnula je za njim, rastvorila ga.

Velikim, crnim tiskanim slovima pisalo je: *Ovo je posljednje upozorenje, Pippa. Odustani.*

Vrisak koji je skrivala iznutra ponovno se razbuđivao i penjao joj se kroz grlo. Baš maštovito; ista ona poruka koju joj je Elliot Ward ostavio u ormariću prošlog listopada.

Pipina se šaka stegnula oko papirića i zgužvala ga. Bacila je kuglicu od papira na pod i zalupila vratima ormarića. Cara i Connor stajali su odmah iza nje i čekali je.

»Jesi li O. K.?« upitala je Cara, zabrinutog izraza lica.

»Aha«, rekla je Pip okrećući se da nastavi dalje hodnikom s njima.

»Jesi li vidjela?« pitao je Connor. »Ljudi na internetu stvarno vjeruju u to, govore da im se čini previše dobro razrađenim. Da im izgleda kao da je rađeno po nekom scenariju.«

»Rekla sam ti«, rekla je Pip, glasom koji je zvučao mračno, kao da ga je njezin gnjev preoblikovao. »Nikad ne čitaj komentare.«

»Ali—«

»Hej«, dozvao ih je Antov glas dok su skretali iza ugla i prolazili pokraj laboratorija za kemiju. On, Lauren i Zach dolazili su iz suprotnog smjera i bili tik iza njih.

Čekali su da im se pridruže i ostali, a Ant je uskladio korake s Pipinima.

»Cijela škola priča o tebi«, rekao je, a Pip je vidjela kako je promatra kutkom oka.

»Pa, cijela škola je puna idiota«, odvratila je Cara požurivši da uhvati korak s Pip s druge strane.

»Možda.« Ant je slegnuo ramenima i bacio pogled prema Lauren. »Ali eto, razmišljali smo, ne znam, stvarno se čini nekako zgodno.«

»Što se čini zgodno?« rekla je Pip glasom u kojemu se začulo režanje. Možda to nitko drugi nije registrirao, ali ona ga je bila svjesna.

»Pa, sve to s Jamiejem«, sada se oglasila Lauren.

»Oh, stvarno?« Pip joj je uputila pogled upozorenja pokušavajući je povrijediti očima. »Connore, čini li se tebi baš *zgodno* što ti je brat nestao?«

Connorova su se usta otvorila, ali nije bio siguran kako na to odgovoriti, pa je sve što je izašlo bio nekakav hrapavi zvuk između *da* i *ne*.

»Znaš na što mislim«, nastavio je Ant. »Kao taj neki lažni profil, tako da zapravo ne moraš imenovati krivca jer se radi o nekome tko zapravo ne postoji. Pa se sve to još dogodilo iste večeri kad je bila komemoracija za Andie i Sala. Onda taj nestali nož, koji tek tako pronađeš kod te jezive farme. Sve je to malo... prikladno, zar ne?«

»Začepi, Ante«, tiho je rekao Zach usporavajući kako bi se distancirao od njih, kao da je osjetio da se sprema nešto gadno.

»Koji kurac?« Cara je zapanjeno gledala u Anta. »Reci još jednom da je nešto *prikladno* i razbit ću te.«

»Opa.« Ant se nasmijao podigavši ruke. »Samo kažem.«

Ali Pip nije mogla čuti što je on to *samo kazao* jer joj je zvonilo u ušima, šumilo poput elektriciteta, a prekidao ju je vlastiti glas koji ju je pitao: *Jesi li ti podmetnula nož? Je li moguće da si ti podmetnula nož? Je li Jamie zaista nestao? Je li Layla Mead stvarna? Zar ništa od ovog uopće nije stvarno?*

I nije znala kako joj još uvijek uspijeva hodati jer nije osjećala noge. Osjećala je samo jedno. Vrisak joj se sada omotao oko grla i sve čvršće je stezao poput neke životinje koja pokušava uhvatiti vlastiti rep.

»Neću se ljutiti«, govorio je Ant. »Iskreno, ako ovo sve *jest* izmišljotina, mislim da je genijalno. Osim što si, pa, znaš, ono, raskrinkana. I što nisi rekla ništa ni meni ni Lauren.«

Cara je puknula. »Dakle, ti zapravo nazivaš i Connora i Pip lažljivcima? Daj više odrasti, Ante, i prestani biti takav kreten.«

»Hej«, sada se umiješala Lauren. »*Ti* si kreten.«

»Stvarno?«

»Ljudi...« rekao je Connor, ali riječ se izgubila istog trena kada ju je izgovorio.

»Pa gdje je onda Jamie?« pitao je Ant. »Skriva se u nekom luksuznom hotelu negdje?«

I Pip je znala da je samo provocira, ali nije se mogla kontrolirati, nije mogla...

Dvostruka vrata otvorila su se prema unutra na kraju hodnika i ravnateljica, gospođa Morgan, izašla je kroz njih. Oči su joj bile stisnute, ali odjednom su se širom otvorile.

»Ah, Pip!« povikala je niz hodnik. »Moram razgovarati s tobom, hitno, prije nego što odeš kući!«

»Uhvaćena na djelu«, šapnuo je Ant nasmijavši Lauren. »Hajde, gotovo je. Bolje bi ti bilo da nam kažeš istinu.«

Ali iza Pipinih očiju sve se već rasplamsalo.

Okrenula se na petama.

Ruke su joj zamahnule.

Dlanovi su joj završili na Antovim prsima, tresnula ga je i gurala svom snagom cijelom širinom hodnika. Zabio se u red ormarića.

»Koji ti je—«

Pip je podigla lakat i stisnula podlakticom Antov vrat ne dajući mu da se makne. Gledala ga je ravno u oči, iako su njezine potpuno ugasle, i konačno ispustila vrisak.

Ravno njemu u lice. Parao joj je grlo i kidao oči hraneći se bijesom iz onog beskrajnog ponora u njezinom trbuhu.

Pip je vrisnula i ništa drugo nije postojalo oko nje. Samo ona i njezin vrisak.

Trideset jedan

»SUSPENDIRANA?«

Pip se spustila na stolicu u kuhinji izbjegavajući tatin pogled.

»Da.« Mama je stajala s druge strane prostorije, a Pip je bila u sredini. Razgovarali su mimo nje, preko njezine glave. »Na tri dana. Što će biti s Cambridgeom, Pippa?«

»Tko je taj drugi učenik?« upitao je tata, glasom koji mu je bio sve mekši, dok je mamin postajao sve oštriji i reskiji.

»Anthony Lowe.«

Pip je podigla pogled uhvativši izraz na licu svog oca: donja usna prekrivala mu je gornju, a oči se naborale kao da nije uopće iznenađen.

»Čemu takav pogled?« upitala je njena majka.

»Ništa.« Tata je promijenio izraz lica i opustio usne. »Taj mi se balavac nikad nije previše sviđao.«

»I kako nam tim komentarom sada pomažeš, Victore?« oštro je odvratila njena majka.

»Oprosti, nikako«, rekao je razmijenivši pogled s Pip. Bio je brz, ali dovoljan, i ona se osjećala malo manje sama tamo nasred sobe. »Zašto si to učinila, Pip?«

»Ne znam.«

»Ne znaš?« rekla je mama. »Gurnula si ga prema ormarićima rukom mu stišćući vrat. Ne znaš kako se to dogodilo? Sva sreća što su Cara, Zach i Connor bili tamo i branili te pred gospođom Morgan, rekli su joj da te Ant isprovocirao, inače bi te izbacili iz škole.«

»Kako te je isprovocirao, dušo?« upitao ju je otac.

»Nazvao me je lažljivicom«, rekla je. »Svi na internetu misle da sam lažljivica. Porota od dvanaest ljudi misli da sam lažljivica. Čak i moji vlastiti prijatelji misle da sam lažljivica. Pa onda valjda sada i jesam lažljivica, a Max Hastings je dobar dečko.«

»Žao mi je zbog presude«, rekao je. »To te sigurno jako pogodilo.«

»Više je pogodilo one koje je drogirao i silovao«, rekla je.

»Da, i to je nepravedno i užasno«, rekla je njena majka, namrštenih obrva. »Ali to nije opravdanje za tvoje nasilno ponašanje.«

»Ne tražim opravdanje. Ne tražim oprost«, rekla je Pip rezignirano. »Dogodilo se i ne osjećam krivnju. Zaslužio je.«

»Što to govoriš?« upitala je. »To nisi ti.«

»Što ako jesam?« Pip je ustala sa stolice. »Što ako sam upravo to ja?«

»Pip, ne viči na majku«, rekao joj je otac prelazeći na stranu svoje supruge, ostavljajući Pip samu na sredini

»Vičem? Stvarno?« Pip je sada zaista vikala. »To je ono što je sada najvažnije? Serijski silovatelj je danas pušten na slobodu. Jamie je nestao prije točno šest dana i možda je mrtav. Ali ne, pravi problem je taj što *vičem*!«

»Molim te, smiri se«, rekao je.

»Ne mogu! Ne mogu više biti mirna! A zašto bih i bila?«

* * *

Mobitel je ležao na podu, okrenut licem prema dolje — nije ga provjerila već sat vremena. Samo je sjedila ispod radnog stola šakama obuhvaćajući nožne prste. Glava joj je bila prislonjena na hladno drvo noge stola, a oči skrivene od svjetla.

Nije silazila na večeru, rekla je da nije gladna iako je tata došao gore i rekao da ne moraju o tome nastaviti razgovarati, barem ne pred Joshom. Ali nije željela sjediti za stolom glumeći primirje usred svađe. Usred svađe koja nije ni mogla završiti, jer nije joj bilo žao zbog toga kako je postupila, znala je to i nije htjela priznati, što je njena majka upravo od nje tražila.

Začula je kucanje na ulaznim vratima, ono koje je uvijek prepoznavala: *dugo-kratko-dugo.* Vrata su se otvorila i zatvorila, a potom je začula i korake koji su joj također bili poznati, škripu Ravijevih tenisica na drvenom podu prije nego što bi se izuo i uredno ih posložio kraj otirača.

A sljedeće što je čula bio je mamin glas, koji je dolazio sa stepenica odozdo. »U svojoj sobi je. Probaj je ti urazumiti.«

Ravi je nije odmah ugledao kad je ušao u sobu; sve dok nije tiho rekla: »Ovdje sam, dolje.«

Sagnuo se, a koljena su mu krcnula kad mu se lice pojavilo u njezinom vidokrugu.

»Zašto se ne javljaš na telefon?« rekao je.

Pip je pogledala na naopačke okrenuti mobitel, koji joj je ležao izvan dosega.

»Jesi li O. K.?« pitao je.

Željela je, više od ičega, reći *ne*, izvući se s tog mjesta ispod stola i baciti mu se u zagrljaj. I ostati tamo, zaštićena njegovim pogledom, i nikada se više odatle ne izvući. Dopustiti mu da joj kaže da će sve biti u redu iako nijedno od njih nije znalo hoće li zaista tako i biti. Željela je samo biti Pip kakva je neko vrijeme bila s Ravijem. Ali ta Pip sada nije bila ovdje. A možda je stvarno i nestala.

»Ne«, rekla je.

»Roditelji ti se brinu.«

»Ne trebaju se brinuti«, rekla je šmrcnuvši.

»Ja se brinem za tebe«, rekao je.

Ponovno je naslonila glavu na stol. »Ni ti se ne trebaš brinuti.«

»Možeš li izaći odatle i razgovarati sa mnom?« rekao je nježno. »Molim te?«

»Je li se smješkao?« pitala je. »Je li se smješkao kad su izrekli da nije kriv?«

»Nisam mu vidio lice.« Ravi je pružio ruku prema Pip da joj pomogne izaći s tog mjesta ispod stola. Nije ju prihvatila, već se sama izmigoljila i ustala.

»Kladim se da se smješkao.« Prstom je prelazila po oštrom rubu stola pritišćući ga dok ju nije zaboljelo.

»Zašto je to važno?«

»Važno je«, rekla je.

»Žao mi je.« Ravi je pokušao zadržati njezin pogled, ali on mu je uporno izmicao. »Da sam mogao išta učiniti da to promijenim, učinio bih. Bilo što. Ali sada više ne možemo ništa. A ti si suspendirana iz škole jer si toliko ljuta na Maxa da... On nije vrijedan toga.«

»Znači, jednostavno je pobijedio?«

»Ne, ne mis...« Ravi je prekinuo rečenicu, prišao joj bliže šireći ruke da je privuče k sebi i zagrli. I možda se to dogodilo stoga što joj se u glavi pojavilo Maxovo četvrtasto lice ili nije željela da joj se Ravi previše približi dok su joj iznutra još uvijek pulsirali ostaci onog vriska, ali se odmaknula od njega.

»Što to...« Ruke su mu klonule natrag uz bokove, a oči potamnjele, uozbiljile se. »Što to radiš?«

»Ne znam.«

»Pa, što ti je, zar jednostavno želiš mrziti cijeli svijet, uključujući mene?«

»Možda«, rekla je.

»Pip—«

»Pa, kakvog smisla ovo ima?« Glas joj se zapleo u isušenom grlu. »Kakvog smisla ima sve ono što smo radili prošle godine? Mislila sam da to radim da bi se saznala istina. Ali znaš što? Istina nije ni važna. Nije! Max Hastings je nevin, a ja sam lažljivica i Jamie Reynolds nije nestao. *To* je sada istina.« Oči su joj se ispunile suzama. »Što ako ga ne mogu spasiti? Što ako nisam dovoljno dobra da ga spasim? Nisam dobra, Ravi, ja—«

»Naći ćemo ga«, rekao je Ravi.

»*Moram* ga naći.«

»A misliš da ja ne moram?« rekao je. »Možda ga ne poznajem tako dobro kao ti, i ne mogu točno objasniti zašto, ali važno mi je da Jamie bude O. K. Poznavao je mog brata, on i Andie su mu bili prijatelji u školi. Kao da se šest godina poslije sve ponavlja, ali ovaj put zapravo imam priliku, malu priliku, pomoći spasiti Connorovog brata kad već nisam imao priliku spasiti vlastitog. Znam da Jamie nije Sal, ali čini mi se kao da mi je pružena druga prilika. Nisi sama u ovome, pa prestani gurati ljude od sebe. Prestani mene gurati.«

Šakama je stezala rub stola, a kosti samo što joj nisu probile kožu. Mora je ostaviti, u slučaju da ga opet ne uspije iskontrolirati. Onaj vrisak. »Samo želim biti sama.«

»U redu«, rekao je Ravi češkajući se po zatiljku. »Otići ću. Znam da ovako samo iskaljuješ bijes. I ja sam ljut. I ne misliš to što govoriš, znaš i sama da ne misliš tako.« Uzdahnuo je. »Javi mi se kad se sjetiš tko sam ja. I tko si ti.«

Ravi je otišao do vrata zadržavši ruku u zraku iznad kvake trenutak prije nego što ju je dodirnuo, lagano nagnute glave. »Volim te«, rekao je ljutito ne gledajući je. Snažno je pritisnuo kvaku i izašao, a vrata su se zatresla za njim.

Trideset dva

GADI MI SE.

To je pisalo u poruci koju je primila od Naomi Ward.

Pip se uspravila na krevetu i stisnula fotografiju koju joj je Naomi poslala uz poruku. Bio je to *screenshot* s Facebooka. Objava Nancy Tangotits, što je zapravo pravi profil Maxa Hastingsa. Bila je to fotografija na kojoj su Max, njegovi roditelji i njegov odvjetnik Christopher Epps. Okupljeni su za stolom u nekom skupom restoranu s bijelim stupovima i velikim kavezom za ptice puderastoplave boje u pozadini. Max je držao mobitel da ih sve uhvati u kadar. I svi su se smiješili držeći čaše šampanjca u rukama

Označio je da su u hotelu *The Savoy* u Londonu, a iznad je pisalo: *Slavimo...*

Soba joj se odmah počela smanjivati i zatvarati oko nje. Zidovi su koraknuli prema njoj, a sjene u kutovima protezale su se da je uhvate. Nije više mogla biti tamo. Morala je izaći prije nego što se uguši ovdje.

Izašla je iz sobe, posrćući, s mobitelom u ruci, i hodala na prstima dok je prolazila pokraj Joshove sobe do stepenica. Već je bio u krevetu, ali maloprije ju je došao vidjeti i uz tiho izgovorene riječi »Mislio sam da si možda gladna« ostavio joj paket čipsa u obliku medvjedića koji je prošvercao iz kuhinje »Psst, nemoj reći mami i tati.«

Pip je čula glasove koji su dopirali iz dnevnog boravka. Roditelji su joj gledali televiziju i čekali da počne njihova emisija u devet. Razgovarali su, čula je prigušene zvukove kroz vrata i jednu je riječ vrlo jasno čula: svoje ime.

Tiho je obula tenisice, uzela ključeve s police i iskrala se kroz prednja vrata zatvorivši ih tiho iza sebe. Pljuštala je kiša, jako, špricajući po tlu i po njezinim gležnjevima. Nema veze, to je bilo O. K. Morala je svakako izaći i razbistriti glavu. A možda će joj kiša i pomoći, ugasiti taj bijes da više ne gori punim plamenom i ostaviti samo izgorjele komadiće za sobom.

Pretrčala je cestu krećući se prema šumi s druge strane. Bila je mračna, potpuno mračna, ali štitila ju je od najjače kiše. I to je bilo u redu sve dok nešto nevidljivo nije zašuštalo kroz raslinje i uplašilo je. Vratila se na cestu osjećajući se sigurnije na pločniku obasjanom mjesečinom, mokra do kože. Trebalo bi joj biti hladno — drhtala je — ali zapravo nije osjećala hladnoću. I nije pojma imala kamo ide. Samo je željela hodati, biti vani, gdje je ništa ne može zarobiti. Stoga je hodala, do kraja Martinsend Waya i natrag, zaustavljajući se prije nego što bi došla do svoje kuće, pa bi se okrenula i ponovno pošla natrag. Gore, dolje, pa opet natrag, ganjajući vlastite misli, pokušavajući ih raspetljati.

Kada se treći put vraćala prema kući, s kose su joj se cijedile kapi kiše. Naglo se zaustavila. Čula je kretanje. Netko je hodao niz stazu do Zachove kuće. Ali to više nije bila Zachova kuća. Ta je silueta bila Charlie Green, koji je nosio punu crnu vreću prema kanti za smeće postavljenoj blizu staze. Poskočio je kad ju je vidio kako se pojavljuje iz tame.

»Aaa, Pip, oprosti«, rekao je smiješeći se dok je spuštao vreću u kantu. »Prestrašila si me. Jesi li—« Zastao je gledajući je. »Bože, skroz si mokra. Zašto nemaš jaknu na sebi?«

Nije imala odgovor.

»Pa skoro si ionako kod kuće. Uđi i osuši se«, rekao je ljubazno.

»J-ja…« zamuckivala je, a zubi su joj cvokotali. »Ne mogu ići kući. Ne još.«

Charlie je nagnuo glavu, pogledom tražeći njezine oči.

»O, O. K.«, rekao je nespretno. »Pa, želiš li ući k nama, nakratko?«

»Ne. Hvala vam«, brzo je dodala. »Ne želim biti u zatvorenom.«

»O, razumijem.« Charlie se počeo polako vraćati stazom pogledavajući prema svojoj kući. »Pa, ovaj… želiš li sjesti na trijem, maknuti se s kiše?«

Pip je umalo rekla *ne*, ali zapravo možda joj je sada stvarno i postalo hladno. Kimnula je.

»O. K., izvoli«, rekao je Charlie pozivajući je da ga slijedi uz stazu. Došli su do natkrivenih ulaznih stepenica i on je zastao. »Želiš li nešto popiti ili da ti donesem ručnik?«

»Ne, hvala«, rekla je Pip i sjela na suhu srednju stepenicu.

»Dobro.« Charlie je kimnuo gurajući crvenkastu kosu s lica. »Onda, ovaj, je li sve O. K.?«

»Ja…« Pip je započela. »Dan mi je bio grozan.«

»Oh.« Sjeo je na stepenicu ispod njezine. »Želiš li razgovarati o tome?«

»Ne znam baš kako«, rekla je.

»Pa, ovaj, slušao sam tvoj *podcast* i nove epizode o Jamieju Reynoldsu«, rekao je. »Stvarno si dobra u tome što radiš. I hrabra si. Što god te muči, siguran sam da ćeš uspjeti riješiti.«

»Danas su Maxa Hastingsa proglasili nevinim.«

»Oh.« Charlie je uzdahnuo pružajući noge. »Sranje. To nije dobro.«

»Blago rečeno«, promuklo je prošaptala brišući kišu s vrha nosa.

»Znaš,« rekao je, »ako ti nešto znači, pravosudni sustav bi trebao biti taj koji određuje što je ispravno, a što nije, i što je dobro, a što loše. Ali mislim da se zapravo gotovo jednako često prevari koliko i postupi pravedno. I ja sam to morao naučiti i teško je prihvatiti. Što učiniti kada te stvari koje bi te trebale zaštititi tako iznevjere?«

»Bila sam tako naivna«, rekla je Pip. »Praktički sam im pružila Maxa Hastingsa na pladnju, nakon svega što se dogodilo prošle godine. I stvarno sam vjerovala da je to neka vrsta pobjede, da će loši biti kažnjeni. Jer to je bila istina, a istina mi je bila najvažnija. U to sam vjerovala, samo mi je do toga bilo stalo: pronaći istinu, bez obzira na cijenu. A istina je bila da je Max kriv i da će se suočiti s pravdom. Ali pravda ne postoji, a istina nije važna, barem ne u stvarnom svijetu, i sada su ga samo vratili gdje je i bio.«

»O, pravda postoji«, rekao je Charlie gledajući u kišu. »Možda ne onakva kakva se događa u policijskim postajama i sudnicama, ali postoji. I kad malo bolje razmisliš, te riječi — dobro i loše, ispravno i pogrešno — zapravo nisu važne u stvarnom svijetu. Tko ima pravo odlučiti što one zaista znače: ti ljudi koji su pogriješili i pustili Maxa na slobodu? Ne«, odmahnuo je glavom. »Mislim da svi mi sami odlučujemo što nam znači dobro i loše, ispravno i pogrešno, a ne prihvaćamo što nam drugi kažu. Ti nisi ništa krivo učinila. Ne krivi sebe zbog tuđih pogrešaka.«

Okrenula se prema njemu, s grčem u želucu. »Ali to više nije važno. Max je pobijedio.«

»Pobjeđuje samo ako mu to dopustiš.«

»Što ja tu mogu učiniti?« upitala je.

»Prema onome što sam čuo u tvom *podcastu*, čini mi se da nema puno toga što ti ne možeš.«

»Nisam pronašla Jamieja.« Čačkala si je po noktima. »I sada ljudi misle da zapravo nije ni nestao, da sam sve to izmislila. Da sam lažljivica, i da sam grozna osoba, i—«

»Zar ti je to važno?« upitao je Charlie. »Zar ti je zaista važno što ljudi misle ako sama znaš da si u pravu?«

Zastala je, a odgovor koji je htjela dati kliznuo joj je natrag niz grlo. Zašto joj je to bilo važno? Bila je spremna reći da je uopće nije briga, ali nije li to bio onaj osjećaj koji je u njezinom trbuhu sve to vrijeme? Ona jama koja se produbljivala ovih posljednjih šest mjeseci. Onaj osjećaj krivnje zbog svega što je učinila prošli put, zbog smrti svog psa, zbog toga što nije slušala, što je svoju obitelj izložila opasnosti i svaki dan u maminim očima viđala koliko je razočarana u nju. Osjećala se loše zbog tajni koje je čuvala da bi zaštitila Caru i Naomi. Bila je lažljivica, *taj* dio bio je istina.

A da stvari budu još gore, kako bi se zbog svega osjećala bolje, rekla je da ona zapravo nije bila ta osoba i da nikada više neće biti takva. Da je sada drukčija… dobra. Da se gotovo pogubila prošli put i da se to više neće dogoditi. Ali nije se o tome radilo, zar ne? Možda se nije gotovo pogubila, možda se ustvari prvi put susrela sa sobom. I bila je umorna od osjećaja krivnje zbog toga. Umorna od srama zbog onoga što jest. Dala bi se okladiti da Max Hastings nikada nije osjećao sram u svom životu.

»U pravu ste«, rekla je. I dok se uspravljala i počela ustajati, shvatila je da ta jama u trbuhu, ona koja ju je gutala iznutra, počinje nestajati. Ispunjavala se nečim dok nije skoro potpuno nestala. »Možda ne moram biti dobra ili onakva kakva drugi smatraju da trebam biti. I možda se ne moram svakome svidjeti.« Okrenula se prema njemu, a pokreti su joj bili brzi i lagani unatoč odjeći natopljenoj vodom. »Zajebi to. Znate li tko se svima sviđa? Ljudi poput Maxa Hastingsa, koji ulaze u sudnicu s lažnim naočalama i koriste se šarmom da postignu svoje ciljeve. Ne želim biti takva.«

»Pa onda nemoj«, rekao je Charlie. »I nemoj odustajati zbog njega. Nečiji život možda ovisi o tebi. A ja znam da ga možeš pronaći, tog Jamieja.« Uputio joj je smiješak. »Neki možda ne vjeruju u tebe, ali, ako ti nešto znači, tvoj susjed koji živi četiri kuće dalje ti vjeruje.«

Osjetila je kako joj se na licu pojavljuje osmijeh. Slabašan i brzo je nestao, ali ipak se pojavio. I bio je stvaran. »Hvala, Charlie.« Trebalo joj je da to čuje. Sve to. Možda ne bi ni poslušala da joj je to rekao netko tko joj je blizak. Bilo je previše bijesa, previše krivnje, previše glasova. Ali sada je slušala. »Hvala.« Ozbiljno je to mislila. A glas u njezinoj glavi također mu je zahvaljivao.

»Nema na čemu.«

Pip je ustala, izašla na pljusak i gledala u Mjesec, u njegovu svjetlost koja je treperila kroz gustu kišu. »Moram ići i nešto učiniti.«

Trideset tri

PIP JE SJEDILA u svom automobilu, na pola puta niz Tudor Lane. Ne ispred njegove kuće, nego malo dalje, tako da je nitko ne vidi. S palčevima na mobitelu, posljednji je put pustila audiosnimku:

»*Max, na ubijačini u ožujku 2012. jesi li drogirao i silovao Beccu Bell?*«

»*Što? Ne, jebote, nisam.*«

»*MAX, nemoj mi lagati ili ću te, kunem ti se, uništiti! Jesi li stavio Rohypnol u Beccino piće i spavao s njom?*«

Nakašljao se.

»*Da, ali… to nije bilo silovanje. Nije rekla ne.*«

»*Jer si je drogirao, ti odvratni, ljigavi silovatelju. Nemaš pojma što si učinio.*«

U ušima joj je zujalo, pokušavala je ignorirati njegov glas i slušati svoj. Nije ovdje bitno što je dobro, a što loše. Postojali su samo pobjednici. A pobijedio je samo ako mu ona to dopusti. To je bila pravda.

I tada je to učinila.

Pritisnula je tipku i prenijela audiozapis tog razgovora na svoju mrežnu stranicu pa ga podijelila i na računu *podcasta* na Twitteru. Uz objavu je napisala: *Najnovije vijesti sa suđenja Maxu Hastingsu. Nije me briga što porota misli: on je kriv.*

Bilo je gotovo, otišlo je. Više nije bilo povratka. To i jest ono što ona misli, i to je O. K.

Spustila je mobitel na suvozačko sjedalo i uzela kantu s bojom koju je našla u garaži te stavila kist u stražnji džep. Otvorila je vrata, uzela i posljednji predmet, čekić iz tatinog kovčežića s alatom, i zatim tiho izašla iz automobila.

Hodala je ulicom prolazeći pokraj jedne kuće, druge, treće, četvrte, sve dok se nije zaustavila i promotrila veliku kuću obitelji Hastings i njezina bijela ulazna vrata. Nikoga nije bilo kod kuće, svi su bili na onoj luksuznoj večeri u *Savoyu*. A Pip je stajala ovdje, ispred njihove prazne kuće.

Prišla joj je prilazom, prošla kraj velikog hrasta pa se zaustavila pred ulaznim vratima. Spustila je kantu s bojom na tlo i sagnula se da drugim krajem čekića otvori poklopac. Posuda je bila napola puna, a boja dosadno zelena. Izvukla je kist, uronila ga u posudu te uklonila višak boje pritišćući ga o rub posude.

Više nije bilo povratka. Duboko je udahnula, prišla ulaznim vratima i pritisnula kist na njih. Krenula je pisati visoko, vukući kist gore-dolje i saginjući se da ga ponovno umoči kada bi joj ponestalo boje.

Slova su bila neravna i s njih je kapala boja, a prelazila su i na svijetlo obojene cigle s obiju strana vrata. Iznova je prešla po ispisanim riječima, čineći ih tamnijima i jasnijima, a kad je završila, ispustila je kist na stazu na što je on malo bojom poprskao mjesto na koje je pao. Podigla je čekić okrećući ga između prstiju, osjećajući mu težinu u rukama.

Prešla je na lijevu stranu kuće, do prozora koji se tamo nalazio. Uzela je čekić u ruku, podigla ga i potom svom snagom zamahnula prema prozoru.

Razbio se. Komadići slomljenog stakla padali su i prema unutra i prema van, rasipali se poput šljokica, poput kiše koja je špricala po vrhovima njezinih tenisica. Još je čvršće stisnula čekić u ruci, a staklo je krckalo pod njezinim nogama dok se približavala sljedećem prozoru. Odmaknula se korak unatrag, zamahnula te razbila i njega, a zveket stakla nestajao je u pljuštanju kiše. Potom sljedeći prozor. Od prvog je zamaha samo napuknuo. Od drugoga je eksplodirao. Prošla je pokraj ulaznih vrata i riječi koje je na njima ispisala pa sve do prozora s druge strane. Jedan. Dva. Tri. Sve dok svih šest prozora s prednje strane kuće nije bilo uništeno. Razbijeno. Ogoljeno.

Pip je osjećala težinu daha u grudima, a desna ju je ruka boljela dok je koračala natrag niz prilaz. Kosa joj je bila zamršena i mokra, slijepljena u pramenovima preko lica dok je gledala počinjenu štetu. Za koju je ona bila odgovorna.

A preko ulaznih vrata, u istoj zelenoj boji kao i nova alatnica u vrtu obitelji Amobi, bile su ispisane riječi:

silovatelj
sredit ću te

Pip ih je dvaput pročitala; pogledavala je oko sebe što je učinila.

I tražila ga je, duboko unutar sebe, ispod kože, ali nije ga mogla pronaći. Vrisak više nije bio tamo i nije ju više vrebao. Pobijedila ga je.

Možeš li izaći? poslala mu je poruku dok je kiša kapala po njezinom ekranu, a mobitel više nije prepoznavao njezin palac.

Pročitano, pisalo je ispod njezine poruke nekoliko sekundi poslije.

Promatrala je izvana kako se svjetlo u Ravijevoj sobi upalilo, a zavjesa na trenutak pomaknula. Pip je pratila njegovo kretanje kroz kuću, najprije se upalilo svjetlo u hodniku koje je vidjela kroz srednji prozor na katu, a zatim i svjetlo u hodniku u prizemlju, što je vidjela kroz staklo na ulaznim vratima. Remetila ga je Ravijeva silueta dok se približavao ulazu.

Vrata su se otvorila i on je tamo stajao poput tamne siluete u kontrastu sa svjetlom koje je dopiralo iz hodnika iza njega, odjeven u bijelu majicu i donji dio trenirke mornarskoplave boje. Pogledao ju je, a zatim gore prema kiši na nebu te izašao, bos, udarajući stopalima o stazu.

»Baš ugodna noć«, rekao je škiljeći jer su mu kapljice klizile niz lice.

»Oprosti mi«, rekla je Pip gledajući ga, kose zalijepljene za lice u dugim tamnim pramenovima. »Oprosti što sam se na tebi iskalila.«

»Ma sve O. K.«, rekao je.

»Ne, nije.« Odmahnula je glavom. »Nisam imala pravo ljutiti se na tebe. Mislim da sam uglavnom bila ljuta na sebe. I to ne samo zbog svega što se danas dogodilo. Mislim, i zbog toga, da, ali već neko vrijeme lažem sama sebi, pokušavam se distancirati od one osobe koja je postala opsjednuta time da pronađe ubojicu Andie Bell. Pokušavam uvjeriti i sve ostale da to zapravo nisam ja, samo kako bih mogla lakše uvjeriti samu sebe. Ali sada mislim da to i *jesam* prava ja. I možda sam sebična, i možda sam lažljivica, i možda sam neoprezna i opsjednuta i ne smeta mi da netko čini loše stvari kad ih i ja činim, i možda sam licemjerna, i možda ništa od toga nije dobro, ali daje mi dobar osjećaj. Osjećam da to jesam prava ja, i nadam se da je i tebi to O. K. jer… i ja tebe volim.«

Tek što je prestala govoriti, Ravijeva joj se ruka našla na licu, obujmio joj je njome obraz, a palcem joj brisao kišu s donje usnice. Spustio je prste malo niže da joj podigne bradu, a zatim ju je poljubio. Poljubac je bio dug i strastven, lica su im oboma bila mokra i oboje su se pokušavali suzdržati od smijeha.

Ali su ipak na kraju i prasnuli u smijeh i Ravi se malo odmaknuo. »Samo si mene trebala pitati. Točno znam tko si. I takvu te volim. Volim te. Usput, ja sam to prvi rekao.«

»Da, u ljutnji«, rekla je Pip.

»Ma, to je samo zato što sam tako šutljiv i misterio-zan.« Napravio je grimasu sa stisnutim usnama i preozbilj-nim očima.

»Ovaj, Ravi?«

»Da, ovaj Pip.«

»Moram ti nešto reći. Nešto što sam upravo učinila.«

»Što si učinila?« Promijenio je izraz lica i sada se doista i uozbiljio. »Pip, što si to upravo učinila?«

PETAK

SEDAM DANA OD NESTANKA
Trideset četiri

PIP JE ZAZVONIO ALARM za školu cvrkućući s njezinog noćnog ormarića.

Zijevnula je i izbacila nogu izvan pokrivača. Zatim se sjetila da je suspendirana, pa ju je ponovno uvukla i protegnula se da isključi alarm.

Ali čak i jednim pospanim okom vidjela je poruku koja ju je čekala na telefonu. Primljena prije sedam minuta, od Nat da Silve.

Bok, Nat ovdje. Moram ti pokazati nešto. Ima veze s Jamiejem. Nešto o Layli Mead.

Iako nije još u potpunosti ni progledala kako treba, Pip se uspravila i odbacila pokrivač sa sebe. Navlačila je traperice koje su još bile vlažne od prošle večeri i na sebe nabacila bijelu majicu dugih rukava s vrha košare za rublje; vjerojatno će još jednom moći poslužiti.

Taman se borila s češljem koji je provlačila kroz kosu zamršenu od kiše, kad joj je majka ušla u sobu da se pozdravi s njom prije odlaska na posao.

»Idem odvesti Josha u školu«, rekla je.

»O. K.« Pip se trznula kad joj se češalj zapleo u zamršeni pramen. »Želim ti lijep ostatak dana.«

»Moramo ozbiljno razgovarati o tome što se s tobom događa, i to ovaj vikend.« Mamine oči izgledale su strogo, ali trudila se da joj glas ne bude takav. »Znam da si pod velikim pritiskom, ali dogovorili smo se da se to ovaj put neće dogoditi.«

»Nisam pod pritiskom, ne više«, rekla je Pip uspješno raspetljavši pramen kose. »I žao mi je što sam suspendirana.« Nije joj bilo žao, nimalo. Što se nje tiče, Ant je zaslužio to što je dobio. Ali ako je mama upravo trebala čuti te riječi kako bi to prestala više spominjati, onda je svjesno odlučila izreći laž. Mama joj je imala najbolje namjere, Pip je to dobro znala, ali te najbolje namjere u ovom bi joj trenutku samo stajale na putu.

»U redu je, dušo«, rekla je. »Znam da te je presuda sigurno jako uzrujala. I sve to što se događa s Jamiejem Reynoldsom. Možda je najbolje da danas ostaneš kod kuće i učiš. Da radiš nešto normalno.«

»O. K., pokušat ću.«

Pip je čekala slušajući kraj vrata svoje sobe dok je mama govorila Joshui da obuje cipele kako treba i izvodila ga van. Čula je motor automobila i kotače na kućnom prilazu. Dala im je tri minute prednosti, a zatim je i sama izašla.

Natino lice pojavilo se kroz odškrinuta vrata, oči su joj bile natečene, a na bijeloj kosi zalizanoj unatrag bili su vidljivi tragovi njezinih prstiju.

»Oh, ti si«, rekla je i širom otvorila vrata.

»Dobila sam tvoju poruku«, rekla je Pip osjećajući stezanje u prsima kad se susrela s Natinim tužnim očima.

»Da.« Nat je zakoračila unazad. »Ovaj, trebala bi, hm, ući.« Pozvala je Pip da se makne s praga pa je zatvorila vrata i odvela je hodnikom do kuhinje. Bilo je to najdalje što joj je ikada dosada bilo dozvoljeno ući otkako je dolazila pred ovu kuću.

Nat je sjela za mali kuhinjski stol rukom pozivajući Pip da sjedne nasuprot njoj. Pip je to i učinila te s nelagodom sjela uz sam rub. Čekala je, a zrak između njih postajao je sve teži.

Nat je pročistila grlo i protrljala oko. »Brat mi je jutros nešto rekao. Ispričao mi je da je kuća Maxa Hastingsa prošle noći vandalizirana i da je netko napisao *silovatelj* preko ulaznih vrata.«

»Oho… s-stvarno?« rekla je Pip i progutala knedlu.

»Da. Ali izgleda da ne znaju tko je to učinio, nemaju nikakvih svjedoka ili tako nešto.«

»O, pa to je… baš šteta«, Pip se nakašljala.

Nat ju je pozorno promatrala, a u njezinim očima bilo je nešto drukčije, nešto novo. I Pip je bilo jasno da ona zna.

Zatim se dogodilo nešto drugo; Nat je pružila ruku preko stola i uhvatila Pipinu. Držala ju je u svojoj.

»I vidjela sam da si objavila onu snimku«, rekla je mijenjajući položaj ruke, ali i dalje držeći Pipinu. »Nadrljat ćeš zbog toga, zar ne?«

»Vjerojatno«, rekla je Pip.

»Znam kako ti je«, rekla je Nat. »Taj bijes. Kao da jednostavno želiš zapaliti cijeli svijet i promatrati ga dok gori.«

»Tako nekako.«

Nat je još više stisnula Pipinu ruku, a zatim je pustila i ispružila svoju na stol. »Mislim da smo dosta slične, ti i ja. Prije nisam tako mislila. Kako sam te samo željela mrziti, stvarno. Tako sam nekada mrzila i Andie Bell; neko vrijeme mi se činilo da je taj osjećaj jedino što imam. A znaš li zašto sam te željela toliko mrziti? Osim toga što si stvarno naporna.« Lupkala je prstima. »Slušala sam tvoj *podcast* i zbog njega nisam više toliko mrzila Andie. Zapravo, sažalila sam se nad njom, pa sam umjesto toga još više mrzila tebe. Ali mislim da sam sve vrijeme mrzila krive ljude.« Šmrcnula je i tiho se nasmijala. »Ti si O. K.«, rekla je.

»Hvala«, rekla je Pip, Natin osmijeh prešao je i na nju, a zatim se nastavio širiti i kroz otvoreni prozor.

»I bila si u pravu.« Nat je čačkala po svojim noktima. »O Lukeu.«

»Tvom dečku?«

»Više mi nije dečko. Samo što on to još ne zna.« Smijala se, ali u tom smijehu nije bilo radosti.

»U vezi s čim sam bila u pravu?«

»U vezi s onim što si primijetila kad si me pitala gdje smo bili one noći kad je Jamie nestao. Luke je rekao da je cijelu noć bio kod kuće, sam.« Zastala je. »Lagao je, bila si u pravu.«

»Jesi li ga pitala gdje je bio?« upitala je Pip.

»Ne. Luke ne voli da ga se ispituje.« Nat se promeškoljila na stolici. »Ali nakon što se Jamie više nije pojavio te dalje ignorirao moje pozive, otišla sam kod Lukea da ga vidim. Nije bio tamo. Ni auto mu nije bio tamo.«

»U koliko sati je to bilo?«

»Oko ponoći. Onda sam se vratila kući.«

»Znači, ne znaš gdje je bio?« Pip se nagnula prema naprijed i nalaktila se na stol.

»Sada znam.« Nat je povukla ruku da izvadi mobitel pa ga stavila na stol. »Prošle noći sam razmišljala o onome što si jučer rekla, da je Luke možda upetljan u Jamiejev nestanak. Pa sam, uh, čačkala po njegovom mobitelu dok je spavao. Pregledala sam mu poruke na WhatsAppu. Razgovarao je s jednom curom.« Opet se nasmijala, jedva čujno i nekako prazno. »Zove se Layla Mead.«

Pip je osjetila kako joj se već na sami spomen tog imena ježi koža uz kralježnicu, jedan po jedan kralježak.

»Spomenula si da je i Jamie razgovarao s njom«, rekla je Nat. »Ostala sam budna do četiri slušajući dvije tvoje epizode. Ne znaš tko je Layla, ali Luke zna.« Prošla je prstima kroz kosu. »Bio je s njom one noći kada je Jamie nestao. Vidio se s Laylom.«

»Stvarno?«

»Tako kažu njegove poruke. Razgovarali su već nekoliko tjedana, vrtjela sam unatrag i pročitala sve poruke. Izgleda da su se upoznali na Tinderu, što mi je, ono, baš super. A poruke su, pa, eksplicitne. I to mi je baš super. Ali još se nisu sreli uživo, sve do prošlog petka navečer. Evo.« Otključala je telefon palcima otvorivši aplikaciju s fotkama. »Napravila sam dva *screenshota* i poslala ih na svoj mobitel. Već sam razmišljala da ti to pokažem jer, ono… kužiš, vratila si se onda da ne budem sama. Ali kad sam čula što je bilo s Maxovom kućom, odlučila sam ti poslati poruku. Evo.« Pružila je telefon Pip, koja je već čekala ispruženih dlanova.

Pipine su oči čitale ono što je bilo na prvom *screenshotu*: Lukeove poruke bile su s desne strane u balončićima, a Layline s lijeve u bijelim.

Razmišljala sam o tebi…

Da? I ja sam razmišljao o tebi

Nadam se o ničemu pristojnom :)

Znaš me.

Željela bih te upoznati.

Ne želim više čekati. Hoćeš da se nađemo večeras?

Može, gdje?

Parkiralište kod Lodge Wooda

Pipin dah zastao je kod Layline zadnje poruke. Parkiralište kod Lodge Wooda; tamo je prošla sa svojim timom za potragu u srijedu. Nalazilo se unutar njihove zone.

Brzo je bacila pogled na Nat prije nego što je prebacila na drugi *screenshot*.

Parkiralište?

Neću nositi puno odjeće...

Kada?

Dodi sada.

Zatim, deset minuta poslije, u 23:58:

Dolaziš?

Skoro sam stigao.

A onda, puno poslije, u 00:41, poruka od Lukea:

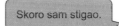

Kuji kurao, ubit ću te

Pipin je pogled brzo prešao na Nat.

»Znam«, rekla je kimajući. »Nakon toga nema više poruka, ni od jednog od njih. Ali on zna tko je Layla. A ti misliš da ima neke veze s Jamiejevim nestankom?«

»Da, mislim«, rekla je Pip vraćajući Nat telefon preko stola. »Mislim da apsolutno ima veze s onim što se dogodilo s Jamiejem.«

»Moraš ga naći«, rekla je Nat, a na usnama joj se pojavio drhtaj kojega prije nije bilo i oči koje su joj dotad izgledale bezlično odjednom su zasjajile. »Jamie, on... stvarno mi je jako važan. I samo želim da bude O. K.«

Sada je Pip bila ta koja je pružila ruku preko stola i primila Natinu u svoju, a palac joj je lebdio iznad izbočina i udubina među člancima Natinih prstiju. »To i pokušavam«, rekla je.

Trideset pet

RAVI JE BIO NEMIRAN, previše se micao i remetio zrak pokraj nje dok su hodali.

»Što si ono rekao, koliko je ovaj tip strašan?« pitao je, a prsti su mu pronalazili put do džepa Pipine jakne, u kojem ju je uhvatio za prste.

»Prilično strašan«, rekla je.

»A usto i diler.«

»Mislim da je na višem položaju od toga«, rekla je dok su skretali na Beacon Close.

»Baš krasno«, rekao je Ravi. »Howiejev šef. Hoćemo li i njega ucjenjivati?«

Pip je slegnula ramenima i okrenula se prema njemu s grimasom. »Ako bude trebalo.«

»Odlično. Super«, rekao je Ravi. »Stvarno volim taj naš novi moto, pokriva sve. Aha. Super. Sve je u redu. Koja kuća?«

»Broj trinaest.« Pip je pokazala na kuću ispred koje je bio parkiran bijeli BMW.

»Trinaest?« Ravi se namrštio kad ju je pogledao. »O, divno. Još jedan dobar znak.«

»Hajde«, rekla je Pip suzdržavajući se da se ne nasmije i lupnuvši ga dvaput po stražnjici dok su hodali stazom pokraj automobila, onog koji su jurili u srijedu navečer. Pip je bacila pogled na auto, a zatim na Ravija, pa prstom pritisnula zvonce. Zvuk je bio prodoran i oštar.

»Kladim se da se svi boje onoga dana kad će im Pip Fitz-Amobi pokucati na vrata«, došapnuo joj je Ravi. Vrata su se naglo otvorila, a pred njima je stajao Luke Eaton, odjeven u iste one crne kratke košarkaške hlačice i sivu majicu iste boje kao i tetovaža onih ljuskica koja mu se širila po blijedoj koži vrata.

»Bok. Opet«, dodao je grubo. »Što hoćeš ovaj put?«

»Moramo ti postaviti par pitanja, o Jamieju Reynoldsu«, rekla je Pip ispravivši se da izgleda što viša.

»Šteta«, rekao je Luke, stopalom jedne noge češkajući drugu. »Stvarno ne volim da me se ispituje.«

Snažno je udario rukom o vrata.

»Ne, ja—« Pip je počela, ali bilo je prekasno. Vrata su se zalupila prije nego što su njene riječi mogle proći kroz njihov odškrinuti dio. »Jebote«, rekla je glasno i s porivom da udari šakom po vratima.

»Nisam ni mislio da će htjeti razgovarati...« No Ravijev je glas utihnuo dok je gledao kako je Pip čučnula kraj ulaznih vrata i gurnula prste u sandučić za poštu da ga otvori. »Što to radiš?«

Približila je lice i viknula kroz mali pravokutni otvor: »Znam da ti je Jamie dugovao novac kad je nestao. Ako razgovaraš s nama, dat ću ti devetsto funti koje ti duguje!«

Ispravila se, a sandučić se zatvorio uz klepetanje metala. Ravi ju je gledao ljutitim pogledom i šapnuo: »Što to radiš?«

Ali Pip nije imala vremena odgovoriti mu jer je Luke ponovno otvarao vrata pomičući čeljust naprijed-natrag dok je smišljao odgovor.

»Sve?« rekao je i coknuo jezikom.

»Da.« Riječ je izletjela iz nje, jedva čujno, ali odrješito. »Svih devetsto funti. Dat ću ti ih sljedeći tjedan.«

»U gotovini«, rekao je sijevajući pogledom ravno u njezine oči.

»Da, u redu,« kimnula je, »do kraja sljedećeg tjedna.«

»Dobro.« Širom im je otvorio vrata. »Dogovoreno, Sherlock.«

Pip je prešla preko praga osjećajući Ravijevu prisutnost tik iza sebe dok je Luke zatvarao vrata i uvodio ih u ovaj preuski hodnik. Luke je prošao pokraj njih i rukom se očešao o Pipinu, no nije mogla reći je li to bilo namjerno ili ne.

»Ovamo«, rekao je zapovjednim tonom preko ramena, dok ih je vodio prema kuhinji.

Iako su se u prostoriji nalazile četiri stolice, nitko nije sjeo. Luke se naslonio na pult, ležerno i ispruženih nogu, oslanjajući se na njega raširenim rukama prekrivenim tetovažama. Pip i Ravi stajali su zajedno na samom ulazu, nožni prsti bili su im u kuhinji, a pete su ostale u hodniku.

Luke je otvorio usta da progovori, ali Pip mu nije mogla dopustiti da preuzme kontrolu, pa se požurila s prvim pitanjem.

»Zašto ti Jamie duguje devetsto funti?«

Luke je spustio glavu i nasmijao se prelazeći jezikom preko prednjih zuba.

»Ima li veze s drogom, je li kupovao od—«

»Ne«, rekao je Luke. »Jamie mi duguje devetsto funti jer sam mu posudio devetsto funti. Došao mi je prije nekog vremena, očajan, i pitao me da mu posudim novac. Pretpostavljam da ti je Nat spomenula da to ponekad radim. Iako da, da, pomogao sam mu — uz visoke kamate, naravno«, dodao je uz podmukli smijeh. »Rekao sam mu da ću ga prebiti ako mi ne vrati na vrijeme, a onda je krelac odjednom nestao, zar ne?«

»Je li ti Jamie rekao za što mu treba novac?« pitao je Ravi.

Luke je pogledao Ravija. »Ne pitam ljude za što im treba lova jer me se ne tiče.«

Ali Pipin se um umjesto toga usredotočio na *kada*, a ne na *zašto*. Je li Lukeova prijetnja bila malo ozbiljnija nego što je sada o tome govorio, je li se radilo o nečemu što je Jamie možda shvatio kao pitanje života ili smrti? Je li to bio razlog zašto je pitao prvo svog oca da mu posudi novac, a zatim pokušao ukrasti iz ureda Pipine mame? Zar se bojao što će mu Luke učiniti ako mu ne vrati novac na vrijeme?

»Kada je točno Jamie posudio novac od tebe?« pitala je Pip.

»Nemam pojma.« Luke je slegnuo ramenima, a jezik mu je opet bio između zuba.

Pip je u glavi izračunala vrijeme. »Je li to bilo ponedjeljak 9.? Utorak 10.? Prije toga?«

»Ne, poslije«, rekao je Luke. »Gotovo sam siguran da je bio petak, što znači točno prije tri tjedna. Sada je i službeno zakasnio s vraćanjem.«

Djelići informacija presložili su se u Pipinoj glavi: ne, Jamie je posudio novac *nakon* što je pitao svog oca i pokušao ukrasti kreditnu karticu. Znači da mu je odlazak Lukeu bio posljednja nada da dođe do njega, a nešto drugo je bilo pitanje života ili smrti. Pogledala je u Ravija, a iz brzog pomicanja njegovih očiju naprijed-natrag znala je da i on isto razmišlja.

»Dobro«, rekla je Pip. »A sada te moram pitati za Laylu Mead.«

»Naravno da moraš«, rekao je kroz smijeh. Što je bilo tako smiješno?

»Otišao si se naći s Laylom prošlog petka, oko ponoći.«

»Da, jesam«, rekao je, izgledajući samo na trenutak iznenađeno, a zatim je nastavio bubnjati prstima po pultu. Taj je zvuk poremetio ritmično kucanje Pipinog srca.

»I znaš tko je ona zapravo.«

»Da, znam.«

»Tko?« rekla je Pip, glasom punim očaja, koji je odavao kako se osjeća.

Luke se nasmiješio pokazujući i previše svojih zuba.

»Layla Mead je *Jamie*.«

Trideset šest

»Što?« Pip i Ravi rekli su to u isto vrijeme, a oči su im kružile tražeći jedno drugo.

Pip je odmahnula glavom. »To nije moguće«, rekla je.

»Pa, jest.« Luke se podsmjehnuo, očigledno uživajući u njihovom šoku. »Te sam se noći dopisivao s Laylom i dogovorili smo se da ćemo se naći na parkiralištu Lodge Wood. I tko me je tamo dočekao? Jamie Reynolds.«

»A-ali, ali…« Pipin mozak je zastao. »Vidio si Jamieja? Susreo si se s njim nešto nakon ponoći?« Upravo se u to vrijeme, razmišljala je, prvi put povećao i broj otkucaja Jamiejevog srca.

»Da. Taj jebeni kreten očito je mislio da je pametan i da je napravio budalu od mene. Pretvarao se da je cura da bi me namamio. Možda je to učinio da mi preotme Nat, ne znam. Ubio bih ga da je još ovdje.«

»Što se dogodilo?« upita Ravi. »Što se dogodilo na parkiralištu kad si bio s Jamiejem?«

»Ništa posebno«, rekao je Luke prelazeći rukom kroz svoju kratko ošišanu kosu. »Izašao sam iz auta, dozivao Laylu, a umjesto nje iz šumarka je izašao Jamie.«

»I?« upita Pip. »Što se dogodilo, jeste li razgovarali?«

»Ne baš. Ponašao se čudno, kao da je uplašen, što je i trebao biti, kad je već mene našao zajebavati.« Luke ponovno prijeđe jezikom preko zuba. »Obje ruke su mu bile u džepovima. I rekao mi je samo dvije riječi.«

»Što ti je rekao?« Pip i Ravi opet su zajedno upitali.

»Čak se ni ne sjećam točno što je bilo, ali bilo je nešto čudno. Nešto kao *child broomstick*[3] ili *child brown sick*[4], ne znam, nisam baš dobro čuo drugi dio. A nakon što je Jamie to izrekao, kao da me je promatrao i čekao moju reakciju«, rekao je Luke. »Pa naravno da sam pitao: ›Koji kurac?‹, a kada sam to rekao, Jamie se okrenuo i samo zbrisao. Potrčao sam za njim, ubio bih ga da sam ga tada uhvatio, ali bio je potpuni mrak, izgubio sam ga među drvećem.«

»I?« Pip je bila uporna.

»I ništa.« Luke se ispravio pucketajući kostima svog sivkastog vrata prekrivenog raznim uzorcima tetovaža. »Nisam ga našao. Otišao sam kući. Jamie je tada nestao. Dakle, mislim da ga se tada dočepao netko drugi s kim se zajebavao. Što god da mu se dogodilo, zaslužio je. Jebeni debeli luzer.«

»Ali Jamie je otišao do napuštene farme odmah nakon susreta s tobom«, rekla je Pip. »Znam da tamo preuzimaš svoje, ovaj, stvari za posao. Zašto bi Jamie tamo otišao?«

»Nemam pojma. Te noći nisam bio tamo. Ali mjesto je osamljeno, skriveno, najbolje mjesto u gradu za obavljanje bilo kakvih privatnih poslova. Samo što sada moram naći novo mjesto za preuzimanje, zahvaljujući tebi«, odvratio joj je ljutito.

»Jesu li…« Pip je započela, ali ostatak rečenice zamro je i prije nego što je i sama shvatila što je namjeravala reći.

»To je sve što znam o Layli Mead, odnosno o Jamieju.« Luke je spustio glavu, a zatim podigao ruku i njome pokazao prema hodniku iza njih. »A sada možete ići.«

---

[3] Engl. *child broomstick* — dječja metla, op. prev.
[4] Engl. *child brown sick* — dječja smeđa bljuvotina, op. prev.

Nisu se uopće pomaknuli.

»Odmah«, ponovio je glasnije. »Imam posla.«

»U redu«, rekla je Pip okrenuvši se da ode, pogledom signalizirajući Raviju da učini isto.

»Za tjedan dana«, dovikne im Luke. »Želim svoj novac do idućeg petka i ne volim kad moram čekati.«

»Razumijem«, reče Pip nakon dva koraka. A onda se misao koja se u djelićima vrtjela po njezinoj glavi konačno sklopila, formirala do kraja, i Pip se vrati.

»Luke, ti imaš dvadeset devet godina?« upitala ga je.

»Da.« Obrve su mu se nabrale približavajući se jedna drugoj u korijenu nosa.

»I uskoro puniš trideset?«

»Za par mjeseci. Zašto?«

»Samo pitam.« Zatresla je glavom. »Četvrtak. Dotada ću imati tvoj novac.« Tada se počela vraćati hodnikom i izašla kroz vrata koja joj je Ravi, s nestrpljivim izrazom u očima, pridržavao otvorenima.

»Što je to bilo?« upitao je Ravi kada su se vrata dobro zatvorila za njima. »Gdje ćeš nabaviti devetsto funti, Pip? Očigledno je opasan, ne možeš samo tako jednostavno—«

»Pa eto, očito je da ću prihvatiti jedan od tih ugovora za sponzorstvo. I to što prije«, rekla je Pip i okrenula se da pogleda tragove sunčeve svjetlosti kako klize po Lukeovom bijelom automobilu.

»Jednog dana će me strefiti srčani udar zbog tebe«, rekao je Ravi i uhvatio je za ruku vodeći je iza ugla. »Jamie ne može biti Layla, zar ne? Zar ne?«

»Ne«, odgovorila je Pip prije nego što je i sama razmislila. A onda, nakon što je razmislila: »Ne, to ne može biti on. Pročitala sam poruke koje su njih dvoje razmjenjivali. A onda i sve to sa Stellom Chapman. I Jamie je bio na telefonu s Laylom na ubijačini, ispred kuće; očito je razgovarao s pravom osobom.«

»Što to govoriš, znači da je Layla možda i poslala Jamieja tamo da se sretne s Lukeom?« rekao je.

»Da, možda. Možda su o tome razgovarali telefonom. I Jamie je očito imao nož sa sobom kada se sreo s Lukeom, vjerojatno ga je držao u džepu svoje hudice.«

»Zašto?« Preko Ravijevog čela pojavile su se bore od zabrinutosti. »Ništa od ovoga nema smisla. I što, dovraga, znači *child broomstick*? Zajebava li se to Luke s nama?«

»Ne čini se kao tip kojemu je do toga. A sjeti se da je i George čuo Jamieja na telefonu kako spominje neko *dijete*.« Uputili su se prema željezničkoj stanici, gdje je Pip parkirala auto kako ga njena mama ne bi vidjela ako bi prolazila bilo kojim smjerom po glavnoj ulici.

»Zašto si ga pitala za dob?« upitao je Ravi. »Misliš li me zamijeniti za stariji model?«

»Previše ih je iste dobi da bi to bila slučajnost«, rekla je više sebi nego Raviju. »Adam Clark, Daniel da Silva, Luke Eaton, pa i Jamie — koji je zapravo lagao o svojim godinama — svaki muškarac s kojim je Layla razgovarala ima dvadeset devet godina ili je nedavno navršio trideset. I da stvar bude još zanimljivija, svi su bijelci, imaju smeđu kosu i žive u istom gradu.«

»Da,« rekao je Ravi, »znači, Layla ima svoj tip. Vrlo, *vrlo* specifičan tip.«

»Ne znam.« Pip pogleda dolje prema svojim tenisicama, još uvijek vlažnim od prethodne noći. »Sve te sličnosti, pa to što postavlja mnogo pitanja. Kao da ta Layla traži nekoga. Nekoga specifičnog, ali ne zna koga.«

Pip je pogledala prema Raviju, ali joj je pogled brzo pobjegao u stranu, prema nekome tko je stajao s druge strane ulice. Ispred novog kafića lanca *Costa* koji je tamo otvoren. Nosio je urednu crnu jaknu, a neuredna plava kosa padala mu je preko očiju. Imao je oštre, istaknute jagodice.

Vratio se.

Max Hastings.

Stajao je s dvojicom likova koje Pip nije poznavala, razgovarali su i smijali se nasred ulice.

Pip su napustili svi dotadašnji osjećaji, a ispunio ju je novi — crn i hladan, ali i crven i gorući. Prestala je hodati i zabuljila se u njega.

Kako se usuđuje? Kako se samo usuđuje stajati tamo, smijati se, usred ovoga grada? Ovdje na ulici, gdje ga svatko može vidjeti?

Šake su joj se stegnule, a nokti počeli zabadati u Ravijev dlan.

»Jao.« Ravi se oslobodio iz njezinog stiska i pogledao je. »Pip, što to—« A onda je očima ispratio njezin pogled preko ceste.

Max je očito osjetio da ga promatra jer je točno u tom trenutku i on podigao pogled preko ulice i automobila koji su se sporo kretali. Točno prema njoj. Gledao je ravno u nju. Njegove su se usne pretvorile u ravnu liniju, koja se izvijala prema gore u jednom kutu. Podigao je ruku i otvorenim joj dlanom slabašno mahnuo, a linija usana sada mu se razvukla u osmijeh.

Pip je osjetila kako bijes u njoj najprije tinja, a onda se polako pretvara u buktinju, ali Ravi je bio taj koji je prvi eksplodirao.

»Što buljiš u nju!« viknuo je Ravi Maxu, iznad krovova automobila. »Da se nisi usudio buljiti u nju, čuješ li me?«

Glave su se počele okretati na ulici. Započelo je šaputanje. Lica su se pojavila na prozorima. Max je spustio ruku, ali osmijeh mu ni u jednom trenutku nije napuštao lice.

»Hajdemo«, rekao je Ravi ponovno uzimajući Pip za ruku. »Idemo odavde.«

Ravi je ležao na Pipinom krevetu, bacao u zrak lopticu od njezinih zamotanih čarapa i hvatao je. Bacanje mu je uvijek pomagalo u razmišljanju.

Pip je bila za stolom, *laptop* je bio pred njom sa zacrnjenim ekranom, a ona se prstom igrala svojom kutijicom s pribadačama dopuštajući im da je bockaju.

»Hajdemo još jednom«, rekao je Ravi dok je očima pratio lopticu od čarapa koja je letjela prema stropu i padala mu natrag u ruku.

Pip je pročistila grlo. »Jamie odlazi na parkiralište kod Lodge Wooda. Nosi nož iz kuće. Nervozan je, uplašen, to nam govore njegovi otkucaji srca. Layla je ta koja je potencijalno sve to namjestila, rekla je Lukeu da bude tamo. Ne znamo zašto. Jamie izgovara dvije riječi Lukeu, promatra ga i čeka njegovu reakciju, a onda bježi. Potom odlazi do napuštene farme. Otkucaji srca još mu više rastu. Još je uplašeniji, a nož nekako završava u travi pored stabala. I Jamiejev Fitbit je skinut, ili se pokvario, ili…«

»Ili mu je srce stalo.« Ravi nastavlja bacati i hvatati lopticu.

»I onda mu se telefon isključuje nekoliko minuta poslije i nikada se više ne uključuje«, reče Pip spuštajući glavu tako da prebaci njezinu težinu na ruke.

»E pa«, počne Ravi, »Luke baš i nije krio kako želi ubiti Jamieja jer misli da ga je namamio s lažnog profila. Je li moguće da je Luke pratio Jamieja do farme?«

»Ako je Luke bio taj koji je naudio Jamieju, mislim da uopće ne bi pristao razgovarati s nama, čak ni za devetsto funti.«

»Istina«, reče Ravi. »Ali ipak je lagao u početku, mogao ti je reći da se susreo s Jamiejem onda kada si prvi put razgovarala s njim i Nat.«

»Da, ali, kužiš, otišao je tamo s namjerom da prevari Nat, a Nat je sjedila u prostoriji s nama. Plus, vjerujem da ne želi baš da ga se povezuje s nestalim osobama, s obzirom na posao kojim se bavi.«

»O. K. Ali riječi koje je Jamie izgovorio Lukeu moraju nekako biti važne.« Ravi sjedne stišćući čarape u rukama. »One su ključ.«

»*Child broomstick*? *Child brown sick*?« Pip ga skeptično pogleda. »Ne zvuče baš ključno.«

»Možda ih je Luke krivo čuo. Ili imaju neko drugo značenje koje još ne vidimo. Potraži ih.« Pokaže prema njezinom *laptopu.*

»Da ih potražim?«

»Vrijedi pokušati, mrgude.«

»Hajde dobro.« Pip pritisne tipku da pokrene *laptop.* Klikne dva puta na Chrome i otvori se nova Googleova stranica. »O. K.«

Upisala je *child broomstick* i pritisnula *Enter.* »Evo, baš kao što sam i sumnjala, *dječje metle*, imamo puno kostima za vještice i igrače metloboja. Nije baš korisno.«

»Što je Jamie time mislio?« Ravi je naglas razmišljao, a loptica od čarapa ponovno je bila u zraku. »Probaj ono drugo.«

»Uf, u redu, ali odmah da ti kažem, neću kliknuti na slike za to drugo«, reče Pip brišući traku za pretraživanje i upisujući *child brown sick.* Pritisnula je *Enter* i, kako je i očekivala, prvi rezultat bio je mrežna stranica o zdravlju djece naslovljena *Povraćanje.* »Vidiš, rekla sam da je ovo besmi…«

Riječ joj je zapela negdje na pola puta dok je izlazila iz grla i ostala je tamo dok se Pip mrštila. Tik ispod trake za pretraživanje Google ju je pitao: *Jeste li mislili: Child Brunswick?*

»*Child Brunswick*, Brunswickovo dijete.« Izgovorila je to tiho isprobavajući kako te riječi zvuče na njezinim usnama. Zvučale su joj nekako poznato, spojene na taj način.

»Što si rekla?«

Ravi je skliznuo s kreveta i dovukao se do Pip kad je kliknula na Googleov prijedlog i stranica s rezultatima promijenila se, a zamijenili su je članci svih velikih medijskih kuća. Pogledom je brzo prelazila preko njih.

»Naravno«, rekla je gledajući Ravija, očekujući i u njegovim očima da razumije o čemu se radi. Ali njegov je pogled bio prazan. »Brunswickovo dijete,« reče ona, »to su ime mediji dali neimenovanom djetetu iz slučaja Scotta Brunswicka.«

»Kojeg slučaja?« upita on čitajući preko njezinog ramena.

»Zar nisi poslušao *nijedan* podcast o stvarnim zločinima koje sam ti preporučila?« rekla je. »Gotovo svi su pokrivali taj slučaj, radi se o jednom od najozloglašenijih slučajeva u cijeloj zemlji. Dogodio se, ono, prije dvadeset godina.« Pogledala je Ravija. »Scott Brunswick bio je serijski ubojica. Vrlo uspješan. I natjerao je svog malog sina, *Brunswickovo dijete*, da mu pomogne mamiti žrtve. Stvarno nikada nisi čuo za to?«

On je samo odmahivao glavom.

»Pogledaj, pročitaj malo o tome«, rekla je i kliknula na jedan od članaka.

☰ THE FIND-IT 🔍

Autor: Oscar Stevens

Između 1998. i 1999. godine grad Margate u Kentu bio je pogo-đen nizom stravičnih ubojstava. U samo trinaest mjeseci nestalo je sedmero tinejdžera: Jessica Moore (18), Evie French (17), Edward Harrison (17), Megan Keller (18), Charlotte Long (19), Patrick Evans (17) i Emily Nowell (17). Spaljeni ostaci njihovih tijela pronađeni su zakopani duž obale, svi u radijusu od kilometar i pol, a uzrok smrti svake osobe bio je udarac tupim predmetom.[1]

Emily Nowell, posljednja žrtva Monstruma iz Margatea, pronađena je tri tjedna nakon nestanka u ožujku 1999. godine, ali policiji je trebalo još dva mjeseca da pronađe njezina ubojicu.[2]

Policija se fokusirala na Scotta Brunswicka, 41-godišnjeg vo-zača viličara koji je cijeli život proveo u Margateu.[3] Brunswick je jako nalikovao policijskom crtežu objavljenu nakon što je svjedok uočio muškarca kako vozi kasno noću na području gdje su prona-đena tijela.[4] Njegovo vozilo, bijeli kombi marke Toyota, također se podudaralo s opisom svjedoka.[5] Pretrage Brunswickove kuće otkrile su trofeje koje je čuvao od svake žrtve: po jednu njihovu čarapu.[6]

Ali vrlo malo forenzičkih dokaza povezivalo ga je s ubojstvi-ma.[7] I kada je slučaj došao do suda, tužiteljstvo se oslanjalo na indicije i na svoga ključnog svjedoka: Brunswickova sina, koji je u vrijeme posljednjeg ubojstva imao deset godina.[8] Brunswick, koji je živio sam sa svojim jedinim djetetom, koristio je sina za poči-njenje ubojstava; davao je upute dječaku da pristupi potencijalnim žrtvama na javnim mjestima — igralištu, parku, javnom bazenu i trgovačkom centru — i da ih namami na osamljeno mjesto, gdje je Brunswick čekao u svom kombiju da ih otme.[9][10][11] Sin mu je također pomagao riješiti se njihovih tijela.[11][12]

Suđenje Scottu Brunswicku započelo je u rujnu 2001. godine i svjedočenje njegova sina — kojeg su mediji u to vrijeme prozvali *Brunswickovo dijete* — sada 13-godišnjaka, bilo je ključno za donošenje jednoglasne osuđujuće presude.[13] Scottu Brunswicku izrečena je kazna doživotnog zatvora. Ali samo sedam tjedana nakon početka izdržavanja kazne u zatvoru visoke sigurnosti *Frankland* u Durhamu Brunswicka je nasmrt pretukao drugi zatvorenik.[14][15]

Zbog uloge pomagača u ubojstvima, Brunswickovo dijete sud za maloljetnike osudio je na petogodišnju zatvorsku kaznu u centru za maloljetne delinkvente.[16] Kada je napunio 18 godina, Odbor za uvjetno puštanje dao je preporuku za njegovo puštanje na slobodu pod doživotnim nadzorom. Brunswickovu djetetu dodijeljen je novi identitet u sklopu programa zaštite svjedoka, a medijima je naređena opća zabrana objavljivanja ikakvih detalja o Brunswickovu djetetu ili njegovu novom identitetu.[17] Ministar unutarnjih poslova izjavio je da je to zbog rizika od »odmazde pojedinaca protiv ove osobe ako bi njezin pravi identitet postao poznat, a zbog uloge koju je odigrao u strašnim zločinima svog oca.«[18]

Trideset sedam

CONNOR IH JE netremice gledao očima koje su mu se stiskale, tamnjele, a koža oko njegovog nosa prekrivenog pjegicama naborala mu se. Došao je ovamo čim mu je Pip poslala poruku da ima važnu novost; izašao je iz škole usred sata biologije.

»Što mi zapravo želiš reći?« upitao je nervozno se okrećući na njezinoj stolici.

Pip je umirila glas. »Govorim ti da osoba koja se predstavlja kao Layla Mead zapravo traži Brunswickovo dijete. I ne samo zato što je Jamie to rekao Lukeu. Brunswickovo dijete je imalo deset godina u vrijeme posljednjeg ubojstva u ožujku 1999. i trinaest u rujnu 2001., kada je počelo suđenje. To znači da bi ta osoba, Brunswickovo dijete, sada imala dvadeset devet godina ili bi nedavno napunila trideset. Svaka osoba s kojom je Layla razgovarala, uključujući Jamieja, s obzirom na to da je na početku njihove komunikacije lagao o svojoj dobi, imala je dvadeset devet, bila na pragu tridesete ili nedavno navršila trideset. I postavljala im je mnogo pitanja. Pokušava otkriti tko je Brunswickovo dijete, sigurna sam u to. I iz nekog razloga Layla misli da ta osoba živi u našem gradu.«

»Ali kakve to ima veze s Jamiejem?« upitao je Connor.

»Totalno ima veze«, rekla je Pip. »Mislim da je uključen u ovo zbog Layle. Odlazi se sastati s Lukeom Eatonom, a taj je sastanak namjestila Layla, i potom izgovara riječi *Brunswickovo dijete*, čekajući njegovu reakciju. Reakciju koja kod Lukea izostaje.«

»Zato što on nije Brunswickovo dijete?« reče Connor.

»Ne, mislim da nije«, reče Pip.

»Ali onda…« Ravi ih prekine, »znamo da je Jamie nakon susreta s Lukeom odmah otišao do napuštene farme i da se tamo dogodilo… što god se već dogodilo. Tako da smo došli do teorije da se možda… otišao sastati s nekim drugim. S nekim za koga Layla vjeruje da bi mogao biti Brunswickovo dijete. I ta osoba… je pokazala reakciju.«

»Tko? Tko je još među njima?« upitao je Connor. »Daniel da Silva ili gospodin Clark?«

»Ne.« Pip je odmahnula glavom. »Hoću reći, da, to su još dvije osobe za koje znamo da je Layla s njima razgovarala. Ali jedan je policajac, a drugi učitelj. Osoba koja je Brunswickovo dijete ne bi mogla biti nijedno od toga, i mislim da je i Layla to shvatila kad je s njima razgovarala. Čim joj je Adam Clark rekao da je učitelj, potpuno je prestala razgovarati s njim, prekrižila ga. Netko drugi je u pitanju.«

»Pa, što to znači?«

»Mislim da to znači da ćemo, ako pronađemo Brunswickovo dijete,« Pip je zataknula kosu iza ušiju, »pronaći i Jamieja.«

»Ovo je suludo. Kako to uopće možemo učiniti?« upitao je Connor.

»Provest ćemo istraživanje«, rekla je Pip povlačeći *laptop* preko pokrivača natrag na svoje krilo. »Saznati sve što možemo o Brunswickovom djetetu. I zašto Layla Mead misli da je on ovdje.«

»Što nije lako kad postoji opća zabrana objavljivanja ičega o njemu u medijima«, rekao je Ravi.

Ona i Ravi već su započeli tako što su čitali članke koji su se pojavili na cijeloj prvoj stranici s rezultatima, bilježeći sve detalje koje su mogli pronaći, od kojih su dosada uspjeli saznati samo raspon njegovih godina. Pip je isprintala policijsku fotografiju Scotta Brunswicka, ali on nije nalikovao ni na koju njoj poznatu osobu. Imao je blijedu, svijetlu kožu, bio je neobrijan, imao nekoliko bora, smeđe oči i kosu: izgledao je kao najobičniji muškarac. Ni traga onom monstrumu kakav je zapravo bio.

Pip se vratila svojoj pretrazi, Ravi svojoj, a Connor im se pridružio čitajući na svom mobitelu. Prošlo je još deset minuta dok netko od njih nije konačno progovorio.

»Pronašao sam nešto«, rekao je Ravi, »među anonimnim komentarima na jedan od ovih starijih članaka. Nepotvrđene glasine da je Brunswickovo dijete u prosincu 2009. živjelo u Devonu i da je otkrilo svoj pravi identitet neimenovanoj prijateljici. Ona je to ispričala drugima, pa je morao biti premješten u drugi dio zemlje s još jednim novim identitetom. I mnogo ljudi ovdje kuka o *bacanju novca poreznih obveznika.*«

»Zapiši to«, reče Pip čitajući još jedan članak koji je u osnovi bio samo prepravljena verzija prvog.

Zatim je i ona nešto pronašla i počela čitati s ekrana: »U prosincu 2014. čovjek iz Liverpoola dobio je uvjetnu zatvorsku kaznu od devet mjeseci nakon što je priznao kršenje sudske zabrane objavljivanjem fotografija za koje je tvrdio da se na njima nalazi Brunswickovo dijete kao odrasla osoba.« Zastala je da udahne. »Ta je tvrdnja bila lažna, a državni odvjetnik izrazio je svoju zabrinutost rekavši da važeća zabrana nije uvedena samo da zaštiti Brunswickovo dijete već i one članove javnosti koji bi mogli biti pogrešno identificirani kao on i posljedično dovedeni u opasnost.«

Nedugo nakon toga Ravi je ustao s kreveta, od čega se Pip lagano zaljuljala. Prošao je prstima kroz njezinu kosu pa je otišao dolje napraviti im svima sendviče.

»Ima li što novo?« upitao je kada se vratio pružajući Pip i Connoru tanjure sa sendvičima, dok su s njegovog već nedostajala dva zalogaja.

»Connor je nešto pronašao«, reče Pip prelazeći preko još jedne stranice rezultata za izraz *Brunswickovo dijete Little Kilton*. Prvih nekoliko stranica rezultata bili su prošlogodišnji članci o njoj, »dječjoj detektivki iz Little Kiltona« koja je riješila slučaj Andie Bell.

»Da«, reče Connor puštajući izgrizenu usnicu da bi progovorio. »Na Subredditu *podcasta* koji je pokrivao slučaj netko je u komentarima napisao da je čuo glasine da Brunswickovo dijete živi u Dartfordu. Objavljeno je prije nekoliko godina.«

»Dartford?« upitao je Ravi ponovno se smjestivši iza svog *laptopa*. »Upravo sam pročitao vijest o jednom muškarcu u Dartfordu koji je počinio samoubojstvo nakon što je rulja na internetu proširila lažne glasine da je on Brunswickovo dijete.«

»O, onda se vjerojatno radi o istoj osobi«, reče Pip tipkajući to u svoje bilješke i vraćajući se pretraživanju. Sada je bila na devetoj stranici rezultata na Googleu, kliknula je na treći link odozgo, na *4Chan*, gdje je netko u originalnoj objavi kratko izložio slučaj završavajući rečenicom: *A Brunswickovo dijete je upravo sada negdje na slobodi, možda ste i prošli pokraj njega a da to niste ni znali.*

Komentari ispod toga bili su svakakvi. Većina ih je sadržavala gadne prijetnje o tome što bi rado učinili s Brunswickovim djetetom kad bi ga ikada pronašli. Nekoliko ljudi već je postavilo poveznice na članke koje su i oni ovdje ranije pronašli i pročitali. Jedna je osoba u komentaru odgovorila na posebno jasnu prijetnju smrću: *Jasno vam je valjda da je bio samo malo dijete kada su se ubojstvu dogodila i da ga je otac prisilio da mu pomaže.* Na što je netko u sljedećem komentaru odgovorio: *Svejedno bi trebao doživotno biti u zatvoru, vjerojatno je zao kao i njegov otac, ista krv — od toga se ne može pobjeći.*

Pip je upravo htjela pritisnuti strelicu za povratak iz tog posebno mračnog kuta interneta kada joj je komentar gotovo na dnu stranice privukao pažnju. Bio je od prije četiri mjeseca:

> **Anonimno** Subota, 29. prosinca, 11:26:53
> Znam gdje je Brunswickovo dijete. On je u Little Klitonu – znate, to je onaj grad koji je nedavno stalno bio u vijestima, tamo gdje je ona cura riješila stari slučaj Andie Bell

Kad je to vidjela, Pip je srce poskočilo i odjekivalo joj u prsima, dok joj je pogled ponovno prelijetao preko teksta u kojem se spominje nju. U nazivu grada Little Kilton bio je tipfeler: zato joj to ranije nije iskočilo među rezultatima pretrage.

Skrolala je dalje da pročita još komentara.

> **Anonimno** Subota, 29. prosinca, 11:32:21
> Gdje si to čuo?

> **Anonimno** Subota, 29. prosinca, 11:37:35
> Rođak mog prijatelja je u zatvoru, u Grendonu. Navodno je njegov novi cimer iz tog grada i kaže da točno zna tko je Brunswickovo dijete. Rekao je da su nekad bili prijatelji i da mu je BD otkrio svoju tajnu prije par godina

> **Anonimno** Subota, 29. prosinca, 11:39:43
> Stvarno? :)

Pipin dah bio je sve plići, jedva da joj je dopirao do grla. Sva se napela, što je i Ravi osjetio, pa ju je pogledao tamnim očima. Connor je počeo nešto govoriti s druge strane sobe, pa ga je Pip ušutkala kako bi mogla razmišljati.

Zatvor u Grendonu.

Pip je poznavala nekoga u zatvoru u Grendonu. Tamo su poslali Howieja Bowersa nakon što se izjasnio krivim za optužbe povezane s dilanjem droge. Počeo je izdržavati kaznu početkom prosinca. Ovaj komentar *morao* se odnositi na njega.

Što znači da Howie Bowers točno zna tko je Brunswickovo dijete. A to znači... čekaj... njezin se um zaustavio vrteći mjesece unatrag, prelazeći ih, tražeći neku skrivenu uspomenu.

Zatvorila je oči. Fokusirala se.

I pronašla ju je.

»Sranje.« Dopustila je da joj računalo sklizne s krila dok se uspravljala pa je pojurila prema stolu i mobitelu koji je ležao na njemu.

»Što je?« upitao je Connor.

»Sranje, sranje, sranje«, mrmljala je otključavajući telefon i prstom prolazeći svoj album s fotografijama. Vrtjela je unatrag po fotkama, kroz travanj, ožujak, Joshov rođendan i sve frizure za koje je Cara trebala njezin savjet, pa kroz siječanj i novogodišnju zabavu obitelji Reynolds, Božić i druženje s prijateljima tijekom zime, njezinu prvu večeru vani s Ravijem, studeni, snimke prvih novinskih članaka o njoj, slike njezinog trodnevnog boravka u bolnici i fotografije planera Andie Bell kada su ona i Ravi provalili u kuću obitelji Bell i, hej, nikad nije primijetila Jamiejevo ime ispisano Andienim rukopisom pokraj razbacanih zvjezdica. Još malo dalje i onda je stala.

Četvrtoga listopada. Zbirka fotografija kojima je prošle godine ucjenjivala Howieja Bowersa da s njom razgovara. Fotografije koje je tražio da izbriše, a ona ih je vratila, za svaki slučaj. Tada nešto mlađi Robin Caine viđen je kako predaje novac Howieju u zamjenu za papirnatu vrećicu. Ali to nije bilo to. Nego fotografije koje je uslikala samo nekoliko minuta prije toga.

Howie Bowers stoji naslonjen na ogradu. Netko mu prilazi iz sjene. Taj netko predaje mu kuvertu s novcem, ali ništa ne uzima zauzvrat. U bež kaputu i kraće smeđe kose nego što mu je sada. Obrazi su mu rumeni.

Stanley Forbes.

I iako su likovi na njezinim fotkama bili statični, nepomični, usta su im bila otvorena i Pip se gotovo točno prisjećala tog razgovora koji je prisluškivala prije sedam mjeseci.

Ovo je posljednji put, jesi li me čuo? odbrusio je Stanley. *I ne možeš tražiti više jer više nemam.*

A Howie je odgovorio skoro pretiho da se moglo čuti, ali ona bi se zaklela da je bilo nešto poput: *Ali ako mi ne platiš, reći ću svima.*

Stanley ga je mrko pogledao i uzvratio: *Mislim da se ne bi usudio.*

Pip je uhvatila upravo taj trenutak. Stanleyjeve oči bile su fiksirane na Howieja, ispunjene očajem i bijesom.

A sada je znala i zašto.

Ravi i Connor tiho su je promatrali kad je podigla pogled prema njima.

»I?« upitao je Ravi.

»Znam tko je Brunswickovo dijete«, rekla je. »Stanley Forbes.«

Trideset osam

SJEDILI SU ONDJE U TIŠINI. I Pip je mogla čuti nešto što se skrivalo ispod te tišine, neko gotovo nečujno brujanje bilo joj je u ušima.

Nisu pronašli ništa što bi to moglo opovrgnuti.

Stanley je prije četiri godine spomenuo da ima dvadeset i pet godina u članku o cijenama kuća u *Kilton Mailu*, što ga smješta u pravu dobnu skupinu. Čini se da nema osobne profile na društvenim mrežama, što također ide svemu u prilog. I još nešto čega se Pip sjetila, od prošle nedjelje ujutro:

»Ne odaziva se uvijek na vlastito ime. Prošlog tjedna sam ga dozivala sa ›Stanley‹ i nije odmah reagirao. Njegova kolegica s posla kaže da to stalno radi, da ima selektivni sluh. Ali možda je to zato što ne koristi ovo ime dovoljno dugo, barem ne onoliko koliko je živio sa svojim pravim imenom.«

I složili su se; bilo je tu previše znakova, previše slučajnosti da ne bi bilo istinito. Stanley Forbes bio je Brunswickovo dijete. Rekao je to svom prijatelju Howieju Bowersu, koji ga je zatim cinkao i ucjenjivao ga tom tajnom da od njega iznudi novac. Howie je to ispričao svom novom cimeru u zatvoru, koji je to ispričao svom rođaku, a ovaj svom prijatelju, pa je onda ta glasina dospjela i na internet. I tako je Layla Mead, tko god ona bila, što god time htjela postići, saznala da Brunswickovo dijete živi u Little Kiltonu.

»I, što to onda znači?« upitao je Connor prekidajući potmulu tišinu.

»Ako je Layla suzila svoj izbor na dvojicu koji bi mogli biti Brunswickovo dijete«, rekao je Ravi nabrajajući prstima te činjenice, »i poslala Jamieja da se te noći suoči s obojicom, to znači da je Stanley bio taj s kim se Jamie susreo na farmi gdje je nestao. Što znači…«

»Što znači da Stanley zna što se dogodilo s Jamiejem. On je taj koji je to učinio«, rekla je Pip.

»Ali zašto je Jamie uključen u sve ovo?« upitao je Connor. »Ovo je suludo.«

»To ne znamo, a trenutno nije ni važno.«

Pip je ustala, a nervozna energija pulsirala joj je i u nogama. »Važno je pronaći Jamieja, a to možemo preko Stanleyja Forbesa.«

»Kakav nam je plan?« upitao je Ravi također ustajući, pri čemu su mu zaškripala koljena.

»Trebamo li pozvati policiju?« upitao je i Connor te i on ustao.

»Ne vjerujem im«, rekla je Pip. I nikada više neće vjerovati nekoj pravnoj instituciji, pogotovo sada nakon ovoga s Maxom. Oni nisu imali pravo odlučiti što je ispravno, a što nije. »Moramo ući u Stanleyjevu kuću«, rekla je. »Ako je oteo Jamieja ili…« pogledala je prema Connoru, »ili mu nekako naudio, tragovi o tome gdje se Jamie nalazi bit će u toj kući. Moramo izvući Stanleyja iz kuće kako bismo mogli provaliti. Večeras.«

»Kako?« upitao je Connor.

I ideja joj se već stvorila u glavi, kao da je samo čekala da Pip pronađe put do nje. »Pretvarat ćemo se da smo *mi* Layla Mead«, rekla je. »Imam još jednu SIM karticu koju mogu staviti u telefon, tako da Stanley neće prepoznati moj broj. Poslat ćemo mu poruku, kao Layla, i reći mu da dođe na farmu kasno večeras. Baš kao što mu je ona očito poslala poruku prošli tjedan, pa ga je umjesto nje tamo dočekao Jamie. Sigurna sam da Stanley želi priliku da upozna pravu Laylu, da sazna tko je ta osoba koja zna njegov pravi identitet i što želi od njega. Doći će. Znam da hoće.«

»I tebi će jednog dana trebati neregistrirani telefon kakav je imala i Andie Bell«, rekao je Ravi. »O. K., namamit ćemo ga da dođe do farme, a onda ćemo mu provaliti u kuću dok je tamo i potražiti sve što bi nas moglo odvesti do Jamieja.«

Connor je kimao u znak slaganja.

»Ne«, rekla je Pip prekidajući ih i vraćajući im pažnju opet na sebe. »Nećemo svi. Jedna osoba mora toliko dugo Stanleyja zadržati na farmi da ostali imaju dovoljno vremena za pretraživanje kuće. I da ih obavijesti kad se bude vraćao.« Pogledala je u Ravija. »A ta ću osoba biti ja.«

»Pip, ali –« zaustio je.

»Da«, prekinula ga je. »Ja ću stražariti na farmi, a vas dvojica ćete otići do Stanleyjeve kuće. On živi dva ulaza dalje od Anta na Acres Endu, zar ne?« Uputila je to pitanje Connoru.

»Da, znam gdje živi.«

»Pip«, ponovno je rekao Ravi.

»Mama će mi se uskoro vratiti kući.« Stisnula je prste oko Ravijeve šake. »Morate ići. Reći ću roditeljima da idem do tebe večeras. Nađimo se na sredini Wyvil Roada u devet, da imamo dovoljno vremena poslati mu poruku i pripremiti se.«

»Dobro.« Connor joj je znakovito namignuo, a zatim napustio sobu.

»Nemoj ništa govoriti svojoj mami«, doviknula je Pip za njim. »Još ne. Za ovo zna samo najuži krug, samo nas troje.«

»Naravno.« Napravio je još jedan korak. »Hajde, Ravi.«

»Ovaj, daj mi samo dvije sekunde.« Ravi je kimao prema Connoru dajući mu tako znak da nastavi niz hodnik.

»Što je bilo?« Pip je podigla pogled prema Raviju kad joj je stao blizu, toliko da je osjetila njegov dah u kosi.

»Što to radiš?« upitao je nježno gledajući je ravno u oči. »Zašto se dobrovoljno javljaš za odlazak na farmu? Ja ću to učiniti. Ti bi trebala ići u Stanleyjevu kuću.«

»Ne, ne bih«, rekla je, a obrazi su joj se zagrijali dok su stajali tako blizu jedno drugom. »Connor treba biti tamo, radi se o njegovom bratu. Kao i ti. To je tvoja druga šansa, sjećaš se?« Odgurnula mu je pramen kose koji mu se zakačio za trepavice, a on ju je uhvatio za ruku i pritisnuo je uz svoje lice. »Želim da to budeš ti. Ti ga pronađi, Ravi. Ti pronađi Jamieja, u redu?«

Nasmiješio joj se ispreplićući prste s njezinima nekoliko trenutaka, kao da je vrijeme stalo. »Jesi li sigurna? Bit ćeš sama—«

»Bit će sve u redu«, rekla je. »Ja samo stražarim.«

»Dobro.« Spustio je njihove ruke i naslonio čelo na njezino. »Pronaći ćemo ga«, šapnuo joj je. »Bit će sve u redu.«

I Pip se, samo na trenutak, usudila vjerovati mu.

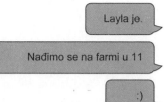

Layla je.

Nađimo se na farmi u 11

:)

Pročitano u 22:18

Bit ću tamo.

Trideset devet

OSVIJETLJENA MJESEČINOM, NAPUŠTENA FARMA bljeskala je srebrnastim sjajem oko svojih oronulih rubova, svjetlost je prodirala kroz njezine pukotine i šupljine, a na gornjem katu zjapile su rupe umjesto nekadašnjih prozora.

Pip je stajala otprilike dvadeset metara od kuće, skrivena u šumarku s druge strane ceste. Promatrala je staru zgradu pokušavajući se suzdržati da ni ne zadrhti kad vjetar zasikće kroz lišće, a njezin um od tih je zvukova počeo stvarati riječi.

Mobitel joj je zasvijetlio i zavibrirao u ruci. Na zaslonu se pojavio Ravijev broj.

»Da?« rekla je tiho dok ga je podizala prema uhu.

»Parkirali smo niz ulicu«, rekao je Ravi tiho. »Stanley je upravo izašao iz kuće. Ulazi u svoj auto.« Pip je slušala dok je Ravi odmicao usta od mobitela govoreći nešto Connoru, koji je stajao pored njega, gotovo nečujno. »O. K., upravo je prošao pored nas. Na putu je prema tebi.«

»Dobro«, rekla je prstima stiskajući mobitel. »Vas dvojica uđite što brže možete.«

»Krećemo«, odgovorio je Ravi, a začuo se i tihi zvuk zatvaranja vrata automobila. Pip je slušala njegove i Connorove korake po pločniku dok su stazom prilazili ulazu u kuću, a srce joj je udaralo njihovim ubrzanim ritmom.

»Ne, nema rezervnog ključa ispod otirača«, rekao je Ravi njoj i Connoru. »Idemo iza kuće, prije nego što nas netko primijeti.«

Čuo se šum Ravijevog disanja dok su on i Connor obilazili malu kuću, malo više od tri kilometra udaljenu od nje, ali pod istim Mjesecom.

Začulo se neko klepetanje.

»Stražnja su vrata također zaključana«, Pip je čula Connora kako tiho kaže.

»Da, ali brava je odmah tu kraj kvake«, rekao je Ravi. »Ako razbijem prozor, mogu gurnuti ruku i otključati iznutra.«

»Učini to, ali tiho«, rekla je Pip.

Začulo se šuškanje i stenjanje kroz mobitel dok je Ravi skidao jaknu i omotavao je oko šake. Čula je tup udarac, a zatim još jedan, praćen laganim zveketom razbijenog stakla.

»Nemoj se porezati«, rekao je Connor.

Pip je slušala sve veći napor u Ravijevom disanju dok se naprezao.

Klik.

Zvuk škripanja.

»O. K., ušli smo«, šapnuo je.

Čula je kako jedan od njih dvojice gazi po razbijenom staklu dok su ulazili – i u tom su se trenutku u njezinoj blizini pojavila dva žuta oka. Bili su to farovi automobila, koji su postajali sve veći dok su se brzo kretali niz Old Farm Road prema njoj.

»Stigao je.« Pipin je glas bio tiši od šuštanja vjetra dok je crni automobil skretao u Sycamore Road, kotačima raspršujući šljunak oko sebe, sve dok se nije zaustavio uz sam rub ceste. Pip je parkirala svoj automobil nešto dalje niz Old Farm Road, tako da ga Stanley ne opazi.

»Pritaji se«, rekao je Ravi.

Vrata automobila otvorila su se i iz njega je izašao Stanley Forbes, u bijeloj košulji koja je bila upečatljiva u toj tmini. Smeđa kosa padala mu je neuredno na lice i bacala sjenu preko njega dok je zatvarao vrata i okretao se prema zgradi koja je svijetlila na mjesečini.

»O. K., ušao je«, rekla je Pip kad je Stanley prošao kroz širom otvorena ulazna vrata i zakoračio u mračnu unutrašnjost kuće.

»U kuhinji smo«, rekao je Ravi. »Mračno je.«

Pip je privukla telefon bliže ustima. »Ravi, nemoj da Connor čuje ovo, ali ako pronađeš nešto od Jamiejevih stvari, na primjer mobitel, odjeću, nemoj ih još dirati. To su dokazi, u slučaju da ovo ne ispadne kako želimo.«

»Razumijem«, rekao je, a zatim je glasno šmrcnuo ili uzdahnuo kao da se strašno iznenadio. Pip nije mogla točno raspoznati o čemu se radi.

»Ravi?« rekla je. »Ravi, što nije u redu?«

»Jebote«, prosiktao je Connor.

»Netko je ovdje«, rekao je Ravi ubrzano dišući. »Čujemo neki glas. Netko je ovdje.«

»Što?« rekla je Pip, strah joj je ulazio sve više u grlo i gušio je.

A zatim je kroz mobitel i Ravijevo od panike isprekidano disanje začula i Connora kako je uzviknuo.

»Jamie. To je Jamie!«

»Connore, čekaj, ne trči«, vikao je Ravi za njim spuštajući mobitel, pa mu je i glas izgledao udaljeniji.

Čulo se samo šuškanje.

I trčanje.

»Ravi?« Pip je prosiktala.

Prigušeni glas.

Glasan udarac.

»Jamie! Jamie, to sam ja, Connor! Tu sam!«

Začulo se krckanje, a na mobitel se vratilo i Ravijevo disanje.

»Što se događa?« upitala je Pip.

»Ovdje je, Pip«, rekao je Ravi, a glas mu se tresao dok je Connor vikao u pozadini. »Jamie je ovdje. O. K. je. Živ je.«

»Živ je?« rekla je, a riječi joj se nisu u potpunosti slagale u glavi.

A u pozadini Connorovog vikanja, koje se sada pretvaralo u histerično jecanje, čula je nerazgovijetne fragmente nečijeg prigušenog glasa. Bio je to Jamiejev glas.

»Bože moj, živ je«, rekla je, a riječi su joj pucale u grlu dok se naslanjala na drvo. »Živ je«, ponovila je, samo da to još jednom čuje. Suze su joj zapekle oči, pa ih je zatvorila. I u sebi ponavljala riječi *Hvala ti, hvala ti, hvala ti*, snažnije ih izgovarajući nego ijedne druge ikada u životu.

»Pip?«

»Je li on O. K.?« upitala je brišući suze o jaknu.

»Ne možemo doći do njega,« rekao je Ravi, »zaključan je u nekoj prostoriji, mislim da je to mala kupaonica u prizemlju. Zaključana je, a izvana je lanac s lokotom. Ali zvuči kao da je O. K.«

»Mislio sam da si mrtav«, kroz suze je govorio Connor. »Ovdje smo, izvući ćemo te!«

Jamiejev se glas pojačavao, ali Pip nije mogla razabrati što je točno govorio.

»Što to Jamie govori?« rekla je okrećući se ponovno prema zgradi na farmi.

»Kaže…« Ravi je zastao slušajući. »Kaže nam da moramo otići. Moramo otići jer se drži dogovora.«

»Što?«

»Ne idem nikamo bez tebe!« vikao je Connor.

Ali nešto u tami odvuklo je Pipinu pažnju od mobitela. Stanley se ponovno pojavio iz sjene i vraćao hodnikom prema izlazu.

»Odlazi«, tiho je rekla Pip. »Stanley odlazi.«

»Jebote«, rekao je Ravi. »Pošalji mu poruku kao Layla, reci mu da pričeka.«

Ali Stanley je već prešao istrunuli prag okrenuvši pogled opet prema autu.

»Prekasno je«, rekla je Pip, a krv joj je bubnjala u ušima dok je donosila tu odluku. »Ja ću mu odvući pažnju. Izbavite Jamieja, odvedite ga na neko sigurno mjesto.«

»Ne, Pip…« Ali mobitel joj je već bio u ruci, a palac na crvenoj tipki dok je izlazila iz šumarka i trčala preko ceste razbacujući šljunak nogama. Dospjela je do travnatog dijela, a Stanley je konačno podigao pogled i primijetio da se netko kreće na mjesečini.

Zaustavio se. Pip je usporila hodajući prema njemu gotovo do samih širom otvorenih prednjih vrata. Stanley je žmirkao pokušavajući kroz tamu razaznati tko je u pitanju.

»Halo?« rekao je naslijepo. A kada mu se dovoljno približila da je može prepoznati, lice mu se smrknulo, a oko očiju su mu se pojavile bore.

»Ne«, rekao je jedva čujnim, ali agresivnim glasom. »Ne, ne, ne. Pip, ti si?« Odskočio je unatrag. »Ti si Layla?«

Četrdeset

PIP JE ODMAHIVALA GLAVOM.

»Nisam ja Layla«, rekla je, a riječi su joj bile isprekidane koliko joj je srce brzo kucalo. »Ja sam ti večeras poslala poruku kao Layla, ali nisam ona. I ne znam tko je ona.«

Stanleyjevo lice preobrazilo se u sjeni, ali Pip je zapravo jedino mogla vidjeti njegove bjeloočnice i bijelu košulju.

»Z-zn, znaš li…« zastao je, a glas mu je gotovo zakazao. »Znaš li…«

»Tko si ti?« rekla je Pip nježno. »Da, znam.«

Dah mu je podrhtavao, a glava mu je klonula na prsa. »Oh«, rekao je ne mogavši se susresti s njezinim pogledom.

»Možemo li ući i razgovarati?« Pip je kimnula prema ulazu. Koliko će vremena Raviju i Connoru trebati da pre režu lanac, probiju vrata i izvuku Jamieja? Najmanje deset minuta, pomislila je.

»U redu«, rekao je Stanley jedva čujno.

Pip je ušla prva, gledajući preko ramena kako je Stanley slijedi niz mračni hodnik, oborenog pogleda i poražen. U dnevnoj sobi na samom kraju hodnika Pip je prošla kroz hrpice omota za hranu i boca piva do drvenog ormarića. Gornja ladica bila je otvorena, a velika baterijska svjetiljka koju su koristili Robin i njegovi prijatelji ležala je naslonjena na ivicu. Pip je posegnula za njom bacajući pritom pogled na mračnu sobu ispunjenu siluetama kao iz noćnih mora, a među njima je negdje bio i Stanley. Upalila je baterijsku lampu, i sve je poprimilo obrise i dobilo boju.

Stanley je žmirkao jer mu je svjetlo išlo u oči.

»Što želiš?« rekao je, nervozno se igrajući rukama. »Mogu ti plaćati, jednom mjesečno. Ne zarađujem puno, gradske novine uglavnom rade na dobrovoljnoj osnovi, ali imam još jedan posao, radim na benzinskoj. Mogu se pobrinuti za to.«

»Plaćati mi?« rekla je Pip.

»D-da ne kažeš nikome«, rekao je. »Da čuvaš moju tajnu.«

»Stanley, nisam došla ovamo da te ucjenjujem. Neću nikome reći tko si, obećavam.«

U očima mu se odjednom pojavila zbunjenost. »Ali onda… što želiš?«

»Samo sam željela spasiti Jamieja Reynoldsa.« Podigla je ruke. »Samo sam zbog toga ovdje.«

»On je O. K.«, rekao je Stanley i uzdahnuo. »Stalno ti govorim da je O. K.«

»Jesi li ga povrijedio?«

Sjaj u Stanleyjevim smeđim očima pretvorio se u nešto što je nalikovalo srdžbi.

»Jesam li ja povrijedio *njega*?« rekao je, glasom koji mu je sad bio prodorniji. »Naravno da nisam. On je pokušao ubiti mene.«

»Što?« Pipin dah je zastao. »Što se dogodilo?«

»Dogodilo se to da mi se ta neka ženska, Layla Mead, javila preko Facebook-stranice *Kilton Maila*«, rekao je Stanley, naslonjen na udaljeni zid. »Na kraju smo razmijenili brojeve i počeli se dopisivati. I to je trajalo tjednima. Svidjela mi se…

bar sam mislio da mi se sviđa. I tako mi je prošlog petka jako kasno poslala poruku i tražila da se nađemo, baš ovdje.« Na trenutak je zastao pogledom prelazeći preko starih zidova koji su se ljuštili. »Došao sam, ali nje nije bilo. Čekao sam deset minuta vani ispred vrata. A onda se ipak netko pojavio: Jamie Reynolds. I izgledao je čudno, bio je zadihan kao da je dotrčao ovamo. Prišao mi je i prva stvar koju je rekao bila je ›Brunswickovo dijete‹.« Stanley je ponovno prekinuo i počeo kašljucati. »I naravno da sam bio u šoku, ovdje živim već više od osam godina i nitko to dosad nije znao, osim...«

»Osim Howieja Bowersa?« Pip je dovršila rečenicu.

»Da, osim njega«, rekao je Stanley i šmrcnuo. »Mislio sam da mi je prijatelj, da mu mogu vjerovati. Isto sam mislio i o Layli. Uglavnom, počeo sam paničariti i sljedeće čega se sjećam je da me je Jamie napao nožem. Uspio sam ga izbjeći i na kraju mu izbiti nož iz ruku. I onda smo se borili, tamo kod onih stabala pokraj kuće, preklinjao sam ga: ›Molim te, molim te, nemoj me ubiti.‹ I dok smo se borili, gurnuo sam ga na jedno od stabala, pa je udario glavom i pao na tlo. Mislim da je na nekoliko sekundi izgubio svijest, a poslije toga je djelovao malo ošamućeno, možda je doživio i potres mozga.

A onda... jednostavno nisam znao što da radim. Znao sam da bi, ako pozovem policiju i kažem im da me netko pokušao ubiti jer je saznao za moj identitet, to bilo to. Morao bih otići. U novi grad, s novim imenom, započeti novi život. A nisam htio otići. Ovo je moj dom. Volim ovaj svoj život ovdje. Imam prijatelje. Nikad prije nisam imao prijatelje. I zbog toga što živim ovdje, kao Stanley Forbes, prvi put sam se osjećao gotovo sretnim. Ne mogu ponovno otići nekamo drugamo i živjeti kao nova osoba, to bi me ubilo. Već sam jednom prošao kroz to, kad sam imao dvadeset i jednu godinu i rekao djevojci koju sam volio tko sam. Pozvala je policiju i premjestili su me ovdje, dali mi ovo ime. Ne bih mogao opet prolaziti kroz sve to, počinjati sve iznova. I sve što sam trebao bilo je malo vremena da razmislim što ću. Nikad mi nije bila namjera povrijediti ga.«

Pogledao je Pip, očima koje su se caklile od suza, kao da ju je preklinjao da mu vjeruje. »Pomogao sam Jamieju da ustane i odveo ga do auta. Djelovao je umorno, još uvijek ošamućeno. Rekao sam da ga vozim u bolnicu. Uzeo sam mu mobitel i isključio ga, u slučaju da pokuša nekoga nazvati. Onda sam ga odvezao do svoje kuće i pomogao mu da uđe. I odveo sam ga u malu kupaonicu u prizemlju, to je jedina prostorija koja ima bravu izvana. Nisam… nisam želio da izlazi, bojao sam se da će me ponovno pokušati ubiti.«

Pip je kimnula, pa je Stanley nastavio.

»Samo mi je trebalo vremena da razmislim što mogu učiniti da popravim situaciju. Jamie mi je kroz vrata govorio da mu je žao i molio me da ga pustim van, da samo želi ići kući, ali ja sam morao o svemu prvo razmisliti. Uhvatila me je panika da bi netko preko njegovog mobitela mogao pratiti gdje je, pa sam ga razbio čekićem. Nakon nekoliko sati stavio sam lanac između kvake i cijevi koja izlazi iz zida, tako da su se vrata mogla odškrinuti a da Jamie ipak ne može izaći. Kroz taj otvor sam mu progurao vreću za spavanje i par jastuka, nešto hrane i šalicu da si može natočiti vode iz slavine. Rekao sam mu da trebam razmisliti o svemu i opet ga zaključao. Te noći uopće nisam spavao, stalno sam razmišljao. Još uvijek sam mislio da je Jamie zaista Layla, da mi se tjednima lažno predstavljao kao ona kako bi me namamio u zamku i ubio. Nisam ga mogao pustiti jer sam mislio da će me pokušati opet ubiti ili reći svima tko sam. Ali nisam mogao ni pozvati policiju. To nije dolazilo u obzir.

Sutradan sam morao ići na posao na benzinsku; ako se ne pojavim ili im javim da sam se razbolio, socijalni radnik zadužen da me nadzire počet će postavljati pitanja. Nisam si mogao dozvoliti da im postanem sumnjiv. Došao sam kući te večeri i još uvijek nisam imao pojma što da radim.

Napravio sam si večeru i otvorio vrata da je podijelim s Jamiejem i onda smo počeli razgovarati. Rekao je da nema pojma što ›Brunswickovo dijete‹ uopće znači. Napao me je zato što mu je djevojka po imenu Layla Mead tako naredila. Zaljubio se u nju. Ispričala mu je iste priče kao i meni: da ima jako strogog oca koji joj ne dopušta da puno izlazi i da ima inoperabilni tumor mozga.« Šmrcnuo je. »Jamie je rekao da su njih dvoje ipak otišli još dalje u komunikaciji. Rekla mu je da postoji neko kliničko ispitivanje na koje je otac ne želi pustiti, a ne zna kako će si to moći priuštiti, i da će umrijeti ako to ne učini. Jamie joj je očajnički htio pomoći, spasiti je, jer je bio uvjeren da je voli, pa joj je dao tisuću dvjesto funti za to ispitivanje rekavši da je većinu iznosa morao posuditi. Layla mu je dala upute da ostavi novac pokraj nekog nadgrobnog spomenika na mjesnom groblju i da ode, pa će ga ona pokupiti kad uspije pobjeći od oca. A navela ga je da učini i druge stvari: da provali u nečiju kuću i ukrade sat koji je pripadao njenoj pokojnoj majci, a njezin otac ga je odnio u neku trgovinu rabljene robe, gdje ga je netko drugi kupio. Rekla je Jamieju da ode pretući nekog lika one noći kad mu je bio rođendan jer se taj lik uporno trudio da ona ne upadne na kliničko ispitivanje koje bi joj spasilo život. Jamie je nasjeo na sve to.«

»I Layla ga je tog petka navečer poslala?«

Stanley je kimnuo. »Jamie je rekao da je skužio da je Layla koristila tuđe fotografije i da se javljala s lažnog profila. Odmah ju je nazvao, a ona mu je rekla da je morala koristiti lažne fotografije jer je netko uhodi. Ali da je sve ostalo bilo stvarno, sve osim fotki. Onda mu je rekla da joj je taj lik upravo poslao poruku i zaprijetio da će je ubiti te večeri jer je saznao za nju i Jamieja. Rekla je Jamieju da ne zna tko je taj lik koji je uhodi, ali da je suzila izbor na dva muškarca i sigurna je da će taj, tko god bio, jamačno ostvariti svoje prijetnje. Rekla je da će im obojici poslati poruku i dogovoriti sastanak na nekom udaljenom mjestu, a onda je zamolila Jamieja da ubije tog lika koji je uhodi prije nego što on ubije nju. Rekla mu je da im se obojici obrati riječima ›Brunswickovo dijete‹ i da će onaj pravi znati što to znači te će reagirati.

Jamie joj je rekao da to neće učiniti, barem je isprva tako govorio. Ali ona ga je ipak uvjerila. U svojoj glavi objasnio si je da će ili učiniti to ili izgubiti Laylu zauvijek, i to će biti samo njegova krivica. Ali rekao mi je i da, u trenutku kada me napao, nije to želio učiniti. I da je zapravo osjetio olakšanje kada sam mu izbio nož iz ruku.«

Pip si je sve to zaista i mogla predočiti u mislima, reproducirala je cijelu scenu u svojoj glavi. »Znači, Jamie je razgovarao s Laylom telefonom?« upitala je. »Definitivno je ženska osoba u pitanju?«

»Da«, rekao je Stanley. »Ali još uvijek mu nisam u potpunosti vjerovao. Mislio sam da je možda i dalje Layla, i da mi laže kako bih ga pustio, i da bi me onda ili ubio ili rekao svima tko sam. Onda smo nakon ovog prvog razgovora Jamie i ja razgovarali gotovo cijelu noć i u subotu — i sklopili smo sporazum. Zajedno ćemo pokušati saznati tko je zapravo Layla, ako već to nije Jamie i ako ta osoba stvarno postoji. I kada… odnosno ako je pronađemo, ponudit ću Layli novac da čuva moju tajnu. A Jamie će čuvati moju tajnu jer ću ga inače prijaviti policiji za napad. Dogovorili smo se da će ostati tamo u kupaonici dok ne pronađemo Laylu i dok ne budem siguran da mu mogu vjerovati. Teško mi je vjerovati ljudima.

I onda se ti sljedećeg jutra pojaviš u mom uredu u *Kilton Mailu* zbog Jamiejevog nestanka, a zatim još vidim i sve te plakate po gradu. Tada sam znao da moramo brzo pronaći Laylu i smisliti priču o tome gdje je Jamie bio sve ovo vrijeme prije nego što nam se previše približiš. To sam i radio kod crkve onoga dana, tražio sam grob Hillary F. Weiseman misleći da će me to dovesti do Layle. Mislili smo da će nam trebati samo dan ili dva i sve će biti riješeno, ali još uvijek ne znamo tko je ona. Slušao sam tvoje epizode i saznao da ti je Layla poslala poruku. I onda sam shvatio da to nije mogao biti Jamie i da mi govori istinu.«

»Ni ja nisam saznala tko je ona«, rekla je Pip. »Ni zašto je to učinila.«

»Znam ja zašto. Želi mene mrtvog«, rekao je Stanley brišući oko. »Mnogi me žele vidjeti mrtvog. Svaki dan živim pogledavajući si preko ramena i čekajući da se nešto poput ovoga dogodi. A ja samo želim živjeti. Želim miran život, možda i nešto dobro od njega učiniti. I znam da nisam dobra osoba, nisam *bio* dobra osoba. Zbog svih onih stvari koje sam rekao o Salu Singhu, kako sam se ponašao prema njegovoj obitelji. Kada se sve to događalo, i to u mjestu gdje sam sada živio, pratio sam ono što je Sal učinio, odnosno ono što sam mislio da je učinio, i vidio sam u njemu svog oca. Monstruma poput njega. I, ne znam, kao da mi se ukazala prilika da nekako ispravim sve te loše stvari. Pogriješio sam, užasno sam pogriješio.« Stanley je obrisao i drugo oko. »Znam da to nije isprika, ali nisam odrastao baš na lijepim mjestima niti sam bio okružen dobrim ljudima. Sve što sam naučio, naučio sam od njih, ali pokušavam odbaciti sve to: sve te stavove, te ideje. Pokušavam biti bolja osoba. Jer najgore što mogu biti je netko nalik mom ocu. Ali ljudi i dalje misle da jesam poput njega, a ja sam uvijek bio prestravljen od sumnje da su možda u pravu.«

»Nisi poput njega«, rekla je Pip prišavši mu korak bliže. »Bio si samo dijete. Otac te natjerao da to učiniš. To nije bila tvoja krivica.«

»Mogao sam nekome reći. Mogao sam odbiti pomagati mu.« Stanley si je povlačio kožu na člancima prstiju. »Vjerojatno bi me ubio, ali barem bi ta djeca ostala živa. I učinili bi nešto od svojih života, za razliku od mene i onoga što sam ja učinio od svog.«

»Nije još gotovo, Stanley«, rekla je. »Možemo raditi zajedno, saznati tko je Layla. Ponuditi joj novac ili što god želi.

Neću nikome reći tko si. A neće ni Jamie. Možeš ostati ovdje, nastaviti ovaj život.«

U Stanleyjevim očima pojavio se tračak nade.

»Jamie vjerojatno u ovom trenutku govori Raviju i Connoru što se dogodilo i onda—«

»Čekaj, što?« rekao je Stanley i odjednom je sva nada iščezla. »Ravi i Connor su upravo u mojoj kući?«

»Hm«, progutala je knedlu. »Da. Oprosti.«

»Jesu li razbili prozor?«

Odgovor se nalazio na Pipinom zanijemjelom licu.

Stanleyjeva je glava klonula i izdahnuo je sav zrak odjednom. »Onda je već gotovo. Prozori su opremljeni tihim alarmom koji obavještava lokalnu policiju. Bit će tamo za petnaest minuta.« Podigao je ruku držeći se za lice prije nego što mu je glava klonula još niže. »Gotovo je sa Stanleyjem Forbesom. Nema ga više.«

Riječi su zastale u Pipinim ustima. »Žao mi je«, rekla je. »Nisam znala, samo sam pokušavala pronaći Jamieja.«

Pogledao ju je pa se pokušao slabašno osmjehnuti. »O. K. je«, rekao je tiho. »Ionako nikada nisam zaslužio ovaj život. Ovaj grad je uvijek bio previše dobar za mene.«

»Nije ist…« Ali ta riječ nikada nije pronašla put iz Pipinih usta, umjesto toga sudarila se s njezinim stisnutim zubima. Čula je zvukove u blizini. Bili su to nečiji koraci.

I Stanley je to morao čuti. Okrenuo se hodajući unatrag prema Pip.

»Halo?« začuo se glas niz hodnik.

Pip je progutala knedlu tjerajući je duboko niz grlo. »Halo«, odgovorila je dok im se netko približavao. Bio je samo jedna u mnoštvu sjena dok se nije pojavio u krugu svjetlosti koji je bacala baterijska lampa usmjerena prema gore.

Bio je to Charlie Green, u jakni zakopčanoj patentnim zatvaračem, s blagim osmijehom na licu dok mu se pogled zaustavljao na Pip.

»Ah, i pomislio sam da si to ti«, rekao je. »Vidio sam ti auto parkiran na cesti, a onda i svjetlo ovdje i pomislio kako bih trebao doći i provjeriti što se događa. Je li sve u redu?« rekao je i pogled mu je na trenutak pao na Stanleyja prije nego što se vratio na nju.

»O, da«, Pip se nasmiješila. »Da, sve je u redu. Samo razgovaramo.«

»O. K., dobro«, rekao je Charlie s olakšanjem. »Zapravo, Pip, mogu li samo na brzinu posuditi tvoj mobitel? Istrošila mi se baterija, a trebam poslati poruku Flori.«

»O, da«, rekla je. »Da, naravno.« Izvukla je mobitel iz džepa jakne, otključala ga i učinila nekoliko koraka prema Charlieju, ispružila ruku i dodala mu ga.

Uzeo ga je pritom je prstima ovlaš ogrebavši po dlanu.

»Hvala«, rekao je gledajući u ekran dok se Pip vraćala tamo gdje je stajala, pokraj Stanleyja. Charlie je stisnuo mobitel u ruci. Spustio ju je i ugurao ga u prednji džep te pogurao dublje.

Pip ga je promatrala dok je to radio i uopće nije shvaćala o čemu se radi, a nije mogla čuti ni vlastite misli koliko joj je srce glasno tuklo.

»I tvoj«, rekao je Charlie okrećući se sada prema Stanleyju.

»Što?« rekao je Stanley.

»Tvoj mobitel«, rekao je Charlie smirenim glasom. »Gurni ga prema meni, odmah.«

»Ne, n-ne raz...« Stanley je zastao.

Charliejeva je jakna zašuštala dok je jednom rukom zamahnuo iza leđa stisnuvši usne u ukočenu liniju, toliko da je izgledalo da su potpuno nestale. A kada je ponovno izvukao ruku, u njoj se nešto nalazilo.

Nešto tamno i šiljasto. Držao je nešto u svojim zgrčenim, drhtavim šakama i uperio prema Stanleyju. Bio je to pištolj. »Gurni svoj mobitel prema meni, odmah.«

Četrdeset jedan

MOBITEL JE KLIZAO grebući po starim podnim daskama, pokraj omota za hranu i boca piva, vrtio se dok se nije zaustavio blizu Charliejevih nogu.

Pištolj mu je još uvijek bio u desnoj ruci, nesigurno uperen prema Stanleyju.

Koraknuo je prema njima i Pip je mislila da će podići mobitel, ali nije. Podigao je nogu i snažno petom svoje čizme udario i razbio ekran. Svjetlost je na trenutak zatreperila pa se ugasila, a Pip se trgnula od tog iznenadnog zvuka, očima još uvijek uprtim u pištolj.

»Charlie... što to radiš?« rekla je glasom koji je podrhtavao poput njegove ruke.

»Daj, Pip«, rekao je s uzdahom, očima prateći smjer u kojem je uperio pištolj. »Dosada si morala shvatiti.«

»Ti si Layla Mead.«

»Ja sam Layla Mead«, ponovio je, uz izraz lica koji je Pip mogla shvatiti kao grimasu, ali i kao nervozni osmijeh. »Ne mogu preuzeti sve zasluge, Flora joj je posuđivala glas kad je bilo potrebno.«

»Zašto?« rekla je Pip, a srce joj je udaralo tako brzo kao da među otkucajima nije ni bilo pauze. Charliejeve su se usne trzale dok joj je odgovarao, a pogledavao je naizmjence nju pa Stanleyja. Ali pištolj nije pratio njegov pogled. »Prezime je također Florino. Želiš li znati kako sam se ja prije zvao? Nowell. Charlie Nowell.«

Pip je čula kako je Stanley uzdahnuo i primijetila očajnički pogled u njegovim očima.

»Ne«, rekao je tiho, jedva čujno. Ali Charlie ga je čuo.

»Da«, rekao je. »Emily Nowell, posljednja žrtva Monstruma iz Margatea i njegovog sina. Bila mi je sestra, moja starija sestra. Sjećaš li me se sad?« urlao je prema Stanleyju pomičući i pištolj. »Sjećaš li se mog lica? Ja tvoje nikada nisam upamtio i mrzio sam se zbog toga.«

»Žao mi je. Strašno mi je žao«, rekao je Stanley.

»Daj nemoj mi to govoriti«, proderao se Charlie, a tetive na crvenom vratu nabrekle su i izbočile se kao korijenje stabla. »Slušao sam vas kako razgovarate, kako joj prodaješ svoju patetičnu priču.« Pokretom glave pogledao je prema Pip. »Želiš li znati što je učinio?« pitao ju je retorički. »Imao sam devet godina, bio sam na igralištu. Čuvala me moja sestra Emily, učila me kako se ljuljati na velikim ljuljačkama kad nam je prišao jedan dječak. I okrenuo se prema Emily pa joj rekao ogromnih i tužnih očiju: ›Izgubio sam mamu, molim te, možeš li mi pomoći?‹« Charlie je mahao rukom dok je govorio, a pištolj se pomicao s njom. »Pa je Emily, naravno, kazala *da*, bila je najdivnija osoba na svijetu. Rekla mi je da ostanem pokraj tobogana s prijateljima dok ona ode s tim dječakom da mu pomogne pronaći mamu. I otišli su. Ali Emily se nikad nije vratila. Čekao sam tamo satima, sâm na igralištu. Zatvarao sam oči, brojio ›tri, dva, jedan‹ i molio se da se pojavi. Ali nije. Sve dok je nisu pronašli tri tjedna poslije, izmasakriranog tijela i spaljenu.« Charlie je trepnuo, toliko snažno da su mu suze iz očiju pale ravno na ovratnik, uopće mu ne dotičući lice. »Gledao sam te kako otimaš moju sestru, a sve o čemu sam mogao razmišljati bilo je mogu li se unatraške spustiti niz tobogan.«

»Žao mi je«, plakao je Stanley, podignutih ruku i raširenih prstiju. »Užasno mi je žao. Najviše razmišljam o njoj, o tvojoj sestri. Bila je tako dobra prema meni, ja—«

»Da se nisi usudio!« zaurlao je Charlie, a u rubovima usta počela mu se skupljati pljuvačka. »Izbaci je iz svoje odvratne glave! Ti si bio taj koji ju je odabrao, a ne tvoj otac. Ti! Ti si je odabrao! Pomogao si mu oteti sedmero djece znajući točno što će im se dogoditi, čak si mu i pomogao to učiniti. Ali, ne, vlada ti hladno pokloni potpuno nov život na pladnju, izbriše ti cijeli prethodni život. Želiš znati kako je moj izgledao?« Dah mu je rezao grlo. »Tri mjeseca nakon što su pronašli Emilyno tijelo, moj otac se objesio. Ja sam bio taj koji ga je našao nakon škole. Moja majka se nije mogla nositi s tim i odala se alkoholu i drogama da otupi na bol. Skoro sam umro od gladi. Unutar jedne godine oduzeli su joj skrb nada mnom i slali me od jedne udomiteljske obitelji do druge. Neki su bili ljubazni prema meni, ali neki baš i nisu. Sa sedamnaest godina živio sam na ulici. Ali uspio sam preokrenuti svoj život i samo mi je jedna stvar davala snagu da u tome uspijem. Nijedan od vas dvojice nije zaslužio živjeti nakon onoga što ste učinili. Netko se već pobrinuo za tvog oca, ali tebe su pustili da se slobodno krećeš. Ali znao sam da ću te jednog dana pronaći i da ću ja biti taj koji će te ubiti, Brunswickovo dijete.«

»Charlie, molim te, spusti taj pištolj pa da razg…« rekla je Pip

»Ne.« Charlie je nije ni pogledao. »Čekao sam devetnaest godina na ovaj trenutak. Kupio sam ovaj pištolj prije devet godina znajući da ću te jednog dana njime ubiti. Bio sam spreman, čekao sam. Pratio sam svaku informaciju i glasinu o tebi na internetu. Živio sam u deset različitih gradova u posljednjih sedam godina tražeći te. A nova verzija Layle Mead išla je sa mnom u svaki od njih i tražila muškarce koji odgovaraju tvojoj dobi i opisu, približavala im se dok mi se jedan od njih ne povjeri tko je zaista. Ali nisi bio ni u jednom od tih drugih gradova. Bio si ovdje. I sada sam te pronašao. Drago mi je što Jamie nije uspio. Ionako ja to moram učiniti. Tako je oduvijek i trebalo biti.«

Pip je promatrala kako se Charliejev prst savija na okidaču. »Čekaj!« viknula je. *Samo ga zadržavaj, neka nastavi pričati.* Ako je policija upravo u Stanleyjevoj kući, s Ravijem, Connorom i Jamiejem, možda će ih Ravi poslati ovamo. *Molim te, Ravi, pošalji ih ovamo.* »A što je bilo s Jamiejem?« brzo je rekla. »Zašto njega uplitati u sve ovo?«

Charlie je oblizao usne. »Prilika mi se sama nametnula. Počeo sam razgovarati s Jamiejem jer je odgovarao mom profilu Brunswickovog djeteta. Onda sam saznao da je lagao o svojoj dobi i prekrižio ga. Ali bio je tako zagrijan. Zatreskao se u Laylu kao nitko drugi prije njega, stalno joj je slao poruke i govorio da će učiniti što god želi. I to me je navelo na razmišljanje«, uzdahnuo je. »Cijeli život bio sam uvjeren u to da ću ja biti taj koji će ubiti Brunswickovo dijete i najvjerojatnije žrtvovati i vlastiti život, završiti s doživotnom robijom koju je on trebao služiti. Ali Jamie me naveo na razmišljanje; ako sam ionako samo želio smrt Brunswickovom djetetu, možda bih mogao natjerati nekog drugog da to učini umjesto mene? A onda bih mogao nastaviti živjeti nakon toga, s Florom. Ona stvarno to želi, da ostanemo zajedno. Znala je da to moram učiniti još kad smo se upoznali s osamnaest godina, pratila me po cijeloj zemlji i tražila *njega* sa mnom, pomagala mi. Dugujem joj barem to da pokušam.

Stoga sam počeo testirati Jamieja, želio sam vidjeti što mogu od njega dobiti. Ispostavilo se puno toga«, rekao je. »Jamie je podigao tisuću i dvjesto funti u gotovini i ostavio ih na groblju tijekom noći da ih Layla pokupi. Pretukao je nekoga koga nije ni poznavao a da prije toga nikada nije bio upleten u neku tučnjavu. Zbog Layle. Provalio mi je u kuću i ukrao sat. Zbog Layle. Svaki put sam tražio nešto više, i mislim da bi mi na kraju i to uspjelo, mislim da sam ga mogao dovesti do toga da ubije za Laylu. Ali sve je pošlo po zlu na komemoraciji. To se valjda mora dogoditi kada se cijeli grad okupi na jednom mjestu.

Tu obmanu s Laylom Mead odradio sam već devet puta. Brzo sam shvatio da je najbolje koristiti fotke neke lokalne cure, malo se poigrati s njima. Muškarci su uvijek bili manje sumnjičavi kada bi vidjeli fotke snimljene na mjestima koja prepoznaju i lice koje im izgleda donekle poznato. Ali ovdje mi se to obilo o glavu i Jamie je saznao da Layla nije stvarna osoba. A još nije bio spreman; ni ja još nisam bio spreman. Međutim, morali smo pokušati provesti plan u djelo te noći, dok je Jamie još bio pod Laylinim utjecajem.

Ali nisam još točno znao tko je Brunswickovo dijete. Suzio sam izbor na dvojicu osumnjičenika: Lukea Eatona i Stanleyja Forbesa. Obojica su bili tih godina, odgovarali su izgledom, nijedan nije imao posao koji bi ga mogao odati ili kompromitirati, nijedan nikada nije spominjao obitelj i izbjegavao je odgovarati na pitanja o djetinjstvu. Tako da sam morao poslati Jamieja objici. Znao sam da je sve pošlo po zlu kada sam čuo da je Jamie nestao. Pretpostavljam da si ga ubio?« rekao je Stanleyju.

»Ne«, šapnuo je Stanley.

»Jamie je živ. Dobro je«, rekla je Pip.

»Stvarno? To je dobro. Osjećao sam se krivim zbog onoga što mu se dogodilo«, rekao je Charlie. »A nakon što je sve pošlo po zlu, nisam smio učiniti ništa više kako bih saznao tko je od njih Brunswickovo dijete. Ali to je u redu jer sam znao da ćeš li to učiniti.« Okrenuo je lice prema Pip i uputio joj slabašan osmijeh. »Znao sam da ćeš mi ga ti pronaći. Pratio sam te, čekao te. Gurao te u pravom smjeru kad ti je trebala pomoć. I uspjela si«, rekao je stabilizirajući pištolj. »Ti si mi ga pronašla, Pip. Hvala ti.«

»Ne«, uzviknula je i stala ispred Stanleyja, podignutih ruku. »Molim te, nemoj pucati.«

»PIP, MAKNI SE OD MENE!« Stanley je vikao na nju gurajući je natrag. »Ne približavaj mi se. Ostani tamo!«

Zaustavila se, srce joj je divlje udaralo i osjećala se kao da joj se rebra stišću poput koščatih prstiju koji joj se zatvaraju oko prsa.

»Natrag!« vikao je Stanley, a suze su mu klizile niz blijedo lice. »O. K. je, samo se odmakni.«

To je i učinila, napravila je još četiri koraka pa se okrenula prema Charlieju. »Molim te, nemoj to učiniti! Nemoj ga ubiti!«

»Moram«, rekao je Charlie stišćući oči dok je nišanio pištoljem. »Ovo je točno ono o čemu smo razgovarali, Pip. Tamo gdje pravosudni sustav pogriješi, ostaje na nama, ljudima kao što smo ti i ja, da interveniramo i ispravimo grešku. I nije bitno misle li ljudi da smo dobri ili loši jer mi znamo da smo u pravu. Mi smo isti, ti i ja. Znaš to, duboko u sebi to znaš. Znaš da je ovo ispravno.«

Pip nije znala što bi mu na to odgovorila. Nije znala što reći osim: »MOLIM TE! Nemoj to učiniti!« Glas joj je parao grlo, riječi su joj bile rascjepkane dok ih je izgovarala. »Ovo nije ispravljanje nepravde! Bio je samo dijete. Dijete koje se bojalo vlastitog oca. Nije on kriv. Nije on ubio tvoju sestru!«

»Ubio ju je!«

»U redu je, Pip«, rekao je Stanley, jedva sposoban išta izgovoriti koliko se tresao. Podigao je drhtavu ruku i pružio je prema njoj da je utješi, da je drži podalje od sebe. »Sve je O. K.«

»NE, MOLIM TE«, vrištala je presavijajući se od očaja. »Charlie, molim te, nemoj to učiniti. Molim te. MOLIM TE! Nemoj!«

Charlieju su se trzali kapci.

»MOLIM TE!«

Pogled mu se prebacio sa Stanleyja na nju.

»Preklinjem te!«

Stisnuo je zube.

»Molim te!« viknula je.

Charlie ju je pogledao, promatrao je kako plače. A onda je spustio pištolj.

Dva je puta duboko uzdahnuo.

»N-nije mi žao«, brzo je rekao.

Podigao je pištolj, a Stanley je zastenjao.

Charlie je povukao okidač i opalio.

Zvuk je potresao zemlju pod Pipinim nogama.

»NE!«

Ponovno je opalio.

I opet.

I opet.

Opet.

Opet.

Dok se nije začulo samo škljocanje.

Pip je vrištala dok je gledala Stanleyja kako tetura unatrag i ruši se svom težinom na pod.

»Stanley!« Potrčala je k njemu i kliznula na koljena pokraj njega. Krv mu je već navrla iz rana i prskala po zidu iza njega. »Bože moj.«

Stanley se borio za zrak, iz grla mu se čulo čudno zviždanje. Oči su mu bile širom otvorene. Prestrašene.

Pip je začula neko šuškanje iza sebe i munjevito okrenula glavu. Charlie je spustio ruku i promatrao Stanleyja kako se koprca na podu. A onda su mu se oči srele s Pipinim. Kimnuo je, samo jednom, nakon čega se okrenuo i istrčao iz prostorije dok su mu teške čizme odjekivale hodnikom.

»Otišao je«, rekla je Pip gledajući Stanleyja. I u samo tih nekoliko sekundi krv se toliko proširila da su se od bijele košulje nazirali samo tanki tragovi.

Zaustaviti krvarenje, moram mu zaustaviti krvarenje. Pregledala ga je: jedan ga je metak pogodio u vrat, jedan u rame, jedan u prsa, dva su ga pogodila u trbuh i jedan u bedro.

»O. K. je, Stanley«, govorila mu je skidajući svoju jaknu. »Tu sam, sve će biti u redu.« Počela je rastvarati šav kojim joj je bio spojen jedan rukav trgajući ga zubima dok nije napravila rupu i izvukla ga. Gdje je bilo najviše krvi? Na nozi; mora da je pogodio arteriju. Pip je obavila Stanleyjevu nogu rukavom dok joj je topla krv kvasila ruke. Zavezala ga je iznad rane, stežući ga što je jače mogla, pa ga učvrstila dvostrukim čvorom da ostane na mjestu.

Promatrao ju je.

»U redu je«, rekla je mičući kosu s očiju i ostavljajući vlažni trag krvi na čelu. »Sve će biti O. K. Stići će nam pomoć.« Otkinula je i drugi rukav, smotala ga i pritisnula na ranu na vratu iz koje je također krvario. Ali Stanley je imao šest prostrijelnih rana, a ona samo dvije ruke.

Polako je treptao i oči su mu se zatvarale.

»Hej«, rekla je zgrabivši mu lice rukama. Ponovno je otvorio oči. »Stanley, ostani budan, razgovaraj sa mnom.«

»U redu je, Pip«, rekao je promuklim glasom dok je ona dalje trgala komade svoje jakne pritišćući ih na ostale rane. »To se moralo dogoditi. Zaslužujem to.«

»Ne, ne zaslužuješ«, rekla je pritišćući dlanovima rupe na prsima i vratu. Pod rukama je osjećala pulsiranje krvi.

»Jack Brunswick«, rekao je tiho, pogledom kružeći po njezinim očima.

»Što si rekao?« rekla je Pip stišćući što je jače mogla dok se njegova krv razlijevala poput mreže među njezinim prstima.

»Jack, to mi je bilo ime«, rekao je, pritom sporo i jedva trepćući. »Jack Brunswick. A onda sam bio David Knight. Zatim Stanley Forbes.« Progutao je.

»Tako je, samo nastavi razgovarati sa mnom«, rekla je Pip. »Koje ti se ime najviše sviđalo?«

»Stanley.« Slabašno se nasmiješio. »Blesavo ime, a ni on baš nije bio nešto, nije uvijek bio dobra osoba, ali bio je bolji od onih prije. Trudio se.« Iz grla mu se čulo krkljanje; Pip ga je osjetila i na svojim prstima. »Još uvijek sam njegov sin, bez obzira na to koje ime nosim. Još uvijek sam dječak koji je činio te strahote. Još uvijek sam izopačen.«

»Ne, nisi«, rekla je Pip. »Bolji si od njega. Bolji si.«

»Pip…« I dok ga je gledala, preko lica mu je prešla neka sjena, poput tame koja se odozgo spustila, nešto što je gušilo svjetlost baterijske lampe. Pip je podigla pogled i tada ga je i osjetila. Bio je to dim. Crni dim koji je kuljao po stropu.

Odjednom je čula i zvukove. Bilo je to hučanje plamena.

»Zapalio je kuću«, rekla je sama sebi, a želudac joj se grčio dok je gledala kako dim ulazi iz hodnika koji se nalazio nasuprot prostoriji koja je morala biti kuhinja. I znala je, znala je da će već za minutu cijela kuća biti u plamenu. »Moram te izvući odavde«, rekla je. Stanley je trepnuo i nijemo je promatrao.

»Idemo.« Pip ga je pustila i osovila se na noge. Poskliznula se na krv pored njega, posrćući preko njegovih nogu. Sagnula se, podigla mu noge od poda i počela ga vući za sobom.

Držeći ga za cipele, koje su joj bile uz bokove, okrenula se gledajući naprijed kako bi mogla vidjeti kuda idu. Vukla je tako Stanleyja za sobom držeći ga za gležnjeve, pokušavajući ne gledati trag crvenila koji se povlačio za njim.

Hodnik i prostorija s desne strane pretvorili su se u buktinju: razoran, bučni vrtlog bio je na svakom zidu i na podu, a širio se kroz otvorena vrata u uzani hodnik. Plamen je zahvatio i stare, napola oljuštene tapete. A iznad njezine glave rasplamsala se i potrgana izolacija na stropu, s koje se na njih spuštao pepeo.

Dim je postajao sve gušći i tamniji. Pip je kašljala dok ga je udisala. I sve se oko nje počelo vrtjeti.

»Bit će sve u redu, Stanley«, doviknula mu je preko ramena spuštajući glavu da bi izbjegla dim. »Izvući ću te.«

Postalo joj je sve teže vući ga ovdje, preko tepiha. Ali uložila je i posljednje zrnce snage i povukla ga što je jače mogla. Vatra se penjala uza zid pokraj nje — bilo je vruće, pržilo je — i osjećala je kako joj se koža žari, a oči je peku. Okrenula je lice od vatre i nastavila ga vući.

»U redu je, Stanley!« Sada je morala vikati zbog jačine kojom je plamen hučao.

Pip se zakašljala pri svakom udahu. Ali nije ga puštala. I dalje ga je držala za noge i vukla. A kada je došla do praga, snažno je udahnula čisti, hladni vanjski zrak u pluća i izvukla Stanleyja van na travu, baš u trenutku kada je vatra zahvatila tepih iza njih.

»Vani smo, Stanley«, rekla je Pip vukući ga još dalje kroz zaraslu travu, što dalje od kuće koja se pretvorila u buktinju. Sagnula se i nježno spustila njegove noge okrećući pogled ponovno prema vatri. Dim je kuljao iz rupa gdje su nekada bili prozori na katu blokirajući joj pogled na zvijezde.

Ponovno se zakašljala i spustila pogled na Stanleyja. Mokra krv svjetlucala je pod svjetlom plamena, ali on se nije pomicao. Oči su mu bile zatvorene.

»Stanley!« Srušila se pokraj njega i ponovno ga zgrabila dlanovima za lice. Ali ovaj put oči mu se nisu otvorile. »Stanley!« Pip je spustila uho do njegovog nosa provjeravajući diše li. Nije mu osjetila dah. Položila je prste na njegov vrat, malo iznad otvorene rane. Ništa. Nije bilo pulsa.

»Ne, Stanley, molim te, ne.« Pip je kleknula i položila dlan na sredinu Stanleyjevog prsnog koša, odmah pokraj jedne od prostrijelnih rana. Prekrila ga je dlanom druge ruke, postavila se okomito na prsni koš i počela stiskati što je jače mogla.

»Nemoj, Stanley. Molim te, nemoj me napustiti«, rekla je držeći ruke ispruženima i radeći kompresije.

Brojila je do trideset, a zatim mu stisnula nos, prekrila mu usta svojima i udahnula u njega zrak. Jednom. Dvaput.

Vratila je ruke na njegova prsa i pritisnula prema dolje.

Osjetila je kako nešto popušta ispod njezinog dlana i začula zvuk drobljenja. Jedno od rebara slomilo mu se.

»Ne napuštaj me, Stanley.« Gledala je u njegovo nepomično lice dok je svu svoju težinu prebacila na ruke kojima ga je oživljavala. »Mogu te spasiti. Obećavam. Mogu te spasiti.«

Diši. Diši.

U kutu njezinog oka pojavio se odbljesak dok su plamenovi eksplodirali, prozori u prizemlju se razbili i staklo se razletjelo prema van, dok su vatra i dim izlazili u vrtlozima i obavijali kuću izvana. Bilo je nevjerojatno vruće, čak i s udaljenosti od desetak metara, a niz Pipino čelo tekao je potočić znoja dok je nastavljala pritiskati Stanleyjev prsni koš. Ili je to bila njegova krv?

Ponovno je nešto puknulo pod njezinom rukom. Slomilo se još jedno rebro.

Diši. Diši.

»Vrati se, Stanley. Molim te. Preklinjem te.«

Ruke su joj se umorile, ali nastavila je. Pritiskala ga je i dalje i davala mu umjetno disanje. Nije znala koliko je dugo trajalo, vrijeme više nije postojalo. Samo ona, nesnošljiva vrućina plamena i Stanley.

jedan	sedam	četrnaest	dvadeset jedan	dvadeset osam
dva	osam	petnaest	dvadeset dva	dvadeset devet
tri	devet	šesnaest	dvadeset tri	trideset
četiri	deset	sedamnaest	dvadeset četiri	*diši*
pet	jedanaest	osamnaest	dvadeset pet	*diši*
šest	dvanaest	devetnaest	dvadeset šest	
	trinaest	dvadeset	dvadeset sedam	

Prvo što je začula bila je sirena.

Trideset i diši. Diši.

A zatim udarce vratima automobila, glasove koji viču nešto što nije mogla razumjeti jer ovdje riječi nisu postojale. Samo od *jedan* do *trideset* i *diši.*

Netko joj je rukom dotaknuo rame, ali ona ju je otresla. Bila je to Soraya. Daniel da Silva stajao je iznad njih, a vatra se reflektirala u njegovim prestravljenim očima. I dok je gledao, urušio se i krov kuće, pa se zaglušujućim praskom stropoštao u plamen, uz zvuk poput onoga koji nagovještava sam kraj svijeta.

»Pip, pusti me, ja ću preuzeti«, rekla je Soraya blago. »Umorila si se.«

»Ne!« zaurlala je Pip, bez daha, dok joj je znoj kapao u otvorena usta. »Mogu nastaviti. Mogu. Mogu ga spasiti. Bit će dobro.«

»Hitna pomoć i vatrogasci samo što nisu stigli«, rekla je Soraya pokušavajući uhvatiti njezin pogled. »Pip, što se dogodilo?«

»Charlie Green«, zadihano je rekla između kompresija. »Charlie Green, živi na adresi Martinsend Way broj dvadeset i dva. Pucao je u Stanleyja. Zovite Hawkinsa.«

Daniel se odmaknuo i govorio nešto u svoj prijenosni radio.

»Hawkins je već krenuo«, rekla je Soraya. »Ravi nam je rekao gdje ćemo te naći. Jamie Reynolds je na sigurnom.«

»Znam.«

»Jesi li ozlijeđena?«

»Ne.«

»Pusti me da ja preuzmem.«

»Ne.«

Sljedeća sirena koja se začula nije bila daleko, a zatim se dvoje medicinskih tehničara hitne pomoći našlo pokraj nje, u jaknama visoke vidljivosti i s ljubičastim rukavicama.

Jedna je medicinska tehničarka pitala Sorayu za Pipino ime. Nagnula se nisko, tako da joj je Pip mogla vidjeti lice.

»Pip, ja sam Julia. Stvarno izvrsno ovo radiš, dušo. Ali sada ću ja nastaviti, O. K.?«

Pip nije htjela stati, nije mogla. Ali Soraya ju je odvukla i nije imala snage boriti se, pa su njezine ruke na Stanleyjevom udubljenom prsnom košu zamijenile one u ljubičastim rukavicama.

Srušila se na travu i gledala njegovo blijedo lice, obasjano narančastim odbljeskom vatre.

Začula se još jedna sirena. Vatrogasno vozilo zaustavilo se uz kuću i iz njega su istrčali vatrogasci. Pitala se je li ovo više uopće bilo stvarno.

»Ima li još nekoga unutra?« netko je vikao prema njoj.

»Ne.« Ali činilo joj se kao da joj vlastiti glas ne pripada.

Medicinski tehničari izmijenili su se. Pip je pogledala iza sebe i uočila hrpicu ljudi. Kada su se uspjeli skupiti? Ljudi su stajali u kaputima i kućnim ogrtačima i promatrali što se događa. Stigli su i ostali uniformirani policajci, koji su pomagali Danielu da Silvi da odmaknu promatrače i drže ih podalje od poprišta.

A koliko je vremena prošlo nakon toga pa sve dok nije začula njegov glas? Nije znala.

»Pip!« Ravijev glas natjecao se s hučanjem vatre kako bi doprli do nje.

»Pip!«

Ustala je, okrenula se i ugledala užasnut izraz na Ravijevom licu dok je gledao prema njoj. Pratila je njegov pogled koji se spuštao od glave prema dolje. Bijela majica bila joj je potpuno natopljena Stanleyjevom krvlju. Ruke su joj bile crvene. Vrat i lice zamrljano krvlju.

Potrčao je prema njoj, ali Daniel ga je uhvatio i gurnuo prema natrag.

»Pustite me da prođem! Moram je vidjeti!« Ravi je vikao Danielu u lice otimajući se.

»Ne možeš, ovo je aktivno mjesto zločina!« Daniel ga je gurnuo natrag, u gužvu koja se sve više povećavala. Držao je raširene ruke da zadrži Ravija.

Pipin pogled vratio se na Stanleyja. Jedno od dvoje medicinskih tehničara povuklo se govoreći u prijenosni radio.

Pip je mogla pohvatati samo nekoliko riječi zbog buke koju je stvarala vatra i sva ta konfuzija u njenoj glavi.

»Medicinska kontrola… dvadeset minuta… bez promjene… proglasite…«

Trebao joj je trenutak da joj te riječi prodru u glavu i imaju bilo kakvog smisla.

»Čekajte«, rekla je Pip dok se svijet previše sporo kretao oko nje.

Medicinska tehničarka kimnula je svom kolegi. Tiho je uzdahnula i povukla ruke sa Stanleyjevih prsa.

»Što to radite? Nemojte stati!« Pip je gotovo nasrnula na nju. »Nije mrtav, nemojte stati!«

Srušila se pokraj Stanleyja, koji je potpuno okrvavljen i nepomičan ležao na travi, ali Soraya ju je uhvatila za ruku.

»Ne!« Pip je vikala na nju, ali Soraya je bila jača, pa je privukla Pip prema sebi i obavila je rukama.

»Pustite me! Moram—«

»Otišao je«, tiho je rekla. »Ništa više ne možemo učiniti, Pip. Otišao je.«

A onda se sve oko nje počelo raspadati, vrijeme je stalo i napola je i jedva razumljivo čula i druge riječi: *mrtvozornik* i *halo, čujete li me?*.

Daniel pokušava razgovarati s njom, a ona je jedino u stanju vikati na njega.

»Rekla sam vam! Rekla sam vam da će netko platiti životom. Zašto me niste slušali?«

Osjetila je tuđe ruke na sebi. Pokušavale su je zaustaviti.

Odjednom je detektiv Hawkins bio ovdje. Odakle se on sada pojavio? Lice mu se ne pomiče puno, zar je i on mrtav kao Stanley? Najednom je na prednjem sjedalu automobila i vozi, a Pip sjedi straga i promatra kako se vatra stišava dok se udaljavaju.

Misli joj više nisu pravocrtne,

osipaju se

s nje

poput pepela.

Policijska postaja je hladna, valjda se zato trese. Nalazi se u nekoj stražnjoj prostoriji koju prije nije vidjela. I Eliza je ovdje: »Moram ti uzeti odjeću, dušo.«

Ali ne može je normalno svući dok je samo povlači, mora je zguliti sa sebe jer koža ispod te odjeće više nije njezina, sva je išarana i ružičasta od krvi. Eliza stavlja odjeću i sve što je ostalo od Stanleyja u prozirnu vrećicu za dokaze i pažljivo je zatvara. Gleda u Pip. »Trebat ću i tvoj grudnjak «

Jer je u pravu, i on je potpuno natopljen crvenilom.

Pip je sada u novoj bijeloj majici i sivom donjem dijelu trenirke, ali nisu njezini. Čiji su onda? I začuje *budi tiho* jer netko razgovara s njom. To je inspektor Hawkins: »Samo zato da te isključimo«, kaže, »da te eliminiramo.« I premda to ne želi reći, već se osjeća eliminirano.

»Potpiši ovdje.«

Ona to i učini.

»Samo test za tragove baruta«, kaže neka nova osoba koju Pip ne poznaje. I stavlja joj nešto sluzavo i ljepljivo na ruke i prste pa to zatvara u epruvete.

Još jednom *potpiši ovdje.*

»Da te isključimo, razumiješ?«

»Da«, kaže Pip dopuštajući im da joj pritisnu prste na meki jastučić s tintom i onda na papir. Palac, kažiprst, srednji prst, vrtložne linije otisaka njezinih prstiju čine joj se kao male pojedinačne galaksije.

»U šoku je«, čuje nekoga kako kaže.

»Dobro sam.«

Pip se sada nalazi u nekoj drugoj prostoriji i sjedi sama držeći u rukama čašu od prozirne plastike napunjenu vodom, ali čaša se trese i drhturi, kao da upozorava na potres. Čekaj… ali ovdje inače nema potresa. No on se svejedno događa jer je unutar nje, trese je toliko da ne može držati čašu vode a da je ne prolije.

Negdje u blizini zalupe se vrata, ali se zvuk promijeni i prije nego što je dopro do nje.

Pištolj. Dva, tri, šest, pucnjeva i, o, Hawkins je ponovno u prostoriji, sjedi preko puta nje, ali on ne čuje pucanje. To čuje samo Pip.

On joj postavlja pitanja.

»Što se dogodilo?«

»Opiši nam pištolj.«

»Znaš li kamo je otišao Charlie Green? Nestali su oboje, i on i njegova supruga. Čini se da su se spakirali u žurbi.«

Sve je to i zapisao. Pip to mora pročitati, ponovno se prisjetiti svega.

Potpiši na dnu papira.

A nakon toga Pip je ta koja postavlja pitanje: »Jeste li je pronašli?«

»Koga?«

»Osmogodišnjakinju koja je oteta iz vrta obiteljske kuće?«

Hawkins potvrdno kima.

»Jučer. Dobro je, bila je sa svojim ocem. Obiteljski spor.«

I jedino što Pip na to može reći jest: »Oh.«

Ponovno je ostala sama i sluša pištolj koji nitko drugi ne može čuti. Sve dok ne osjeti nježnu ruku na svom ramenu i trzne se. Začuje još nježniji glas: »Stigli su ti roditelji da te odvedu kući.«

Pipine noge slijede taj glas i povlače i ostatak nje za sobom. Sada je u čekaonici, koja je previše osvijetljena, i prvo ugleda svog oca. Ne može smisliti što će reći njemu ili mami, ali to nije ni važno jer svi oni samo je žele zagrliti.

Ravi je iza njih.

Pip mu prilazi, a on je rukama primiče na svoj prsni koš. Topao je. Daje joj osjećaj sigurnosti. Ovdje je uvijek sigurno pa Pip izdahne slušajući zvuk njegovog srca. O joj, ne, onaj je pištolj i tamo, skriven ispod svakog otkucaja.

Čeka je.

Prati Pip dok odlaze. Sjedi pokraj nje u mračnom automobilu. Uvlači se u krevet s njom. Pip se trese, stavlja dlanove preko ušiju i naređuje pištolju da je ostavi na miru.

Ali on ne popušta.

NEDJELJA

ŠESNAEST DANA POSLIJE

Četrdeset dva

BILI SU ODJEVENI U CRNO, svi do jednoga, jer je takav red.

Ravijevi su prsti bili isprepleteni s njezinima i da ih je Pip čvršće držala, sigurna je da bi ih slomila. Pukli bi napola, poput rebara.

Roditelji su joj stajali s druge strane, sklopljenih ruku pred sobom i pogleda uprtih u tlo, a njezin otac disao je u ritmu s vjetrom u krošnjama. Sada je primjećivala sve takve stvari. S druge strane stajali su Cara i Naomi Ward te Connor i Jamie Reynolds. Connor i Jamie nosili su crna odijela koja im nisu pristajala, na nekim su im mjestima bila prekratka, a na nekima preduga, kao da su ih obojica posudila od oca.

Jamie je plakao, cijelo mu je tijelo podrhtavalo u tom odijelu koje mu je loše pristajalo. Lice mu se crvenilo dok je pokušavao progutati suze. Bacio je pogled preko lijesa na Pip.

Lijes od tvrdog bora bez vanjskih ukrasa, dimenzija 200 x 100 x 60 centimetara, s bijelom satenskom ukrasnom tkaninom. Pip je bila ta koja ga je odabrala. Nije imao obitelj, a prijatelji… pa, prijatelji su mu svi nestali nakon što je priča izašla na vidjelo. Svi do zadnjega. Nitko se nije pojavio da preuzme brigu o posljednjem ispraćaju, pa je Pip to učinila i sve organizirala. Odabrala je vrstu ispraćaja, unatoč *profesionalnom mišljenju* pogrebnika. Stanley je umro dok je držala njegove gležnjeve u rukama, prestravljen, od gubitka krvi, dok je oko njih bjesnio požar. Smatrala je da ne bi želio biti kremiran, spaljen, kao što je to njegov otac učinio s onih sedmero djece.

Pokop, to je ono što bi on želio, Pip je uporno tvrdila. I zato su se sada nalazili vani, na lijevoj strani crkvenog dvorišta, iza Hillary F. Weiseman. Latice bijelih ruža lepršale su na vjetru na vrhu njegovog lijesa. Bio je postavljen iznad otvorenog groba, unutar metalnog okvira s remenima i zelenim tepihom poput umjetne trave, tako da ne izgleda kao točno ono što zapravo jest: rupa u zemlji.

Članovi policijskih snaga trebali su biti ovdje, ali detektiv Hawkins sinoć joj je poslao e-poruku u kojoj je rekao da su mu nadređeni savjetovali da dolazak na sprovod ne bi bio prikladan iz »političkih razloga«. Stoga ih je ovdje stajalo samo osmero, a većina je došla jedino zbog Pip. Ne zbog njega, čovjeka koji leži mrtav u lijesu od tvrdog bora. Osim Jamieja, pomislila je, uhvativši pogledom njegove oči crvene od trljanja.

Svećeniku je ovratnik bio preuzak, koža mu se nabirala preko njega dok je čitao propovijed. Pip je pogledala iza njega, na maleni sivi nadgrobni spomenik koji je odabrala. Čovjek s četiri različita imena, ali ono koje je odabrao, čiji je život želio, ono s kojim se trudio nešto postići, bilo je ime Stanleyja Forbesa. Stoga je to bilo ime uklesano iznad njegovog tijela, zauvijek.

Stanley Forbes
7. lipnja 1988. — 4. svibnja 2018.
Bio si bolji

»I prije nego što izgovorimo posljednju molitvu, Pip, željela si reći nekoliko riječi?«

Zvuk njezinog imena zatekao ju je nespremnu, pa se trgnula, srce joj je poskočilo, a ruke su joj odjednom bile vlažne, ali nije joj se činilo kao znoj, već krv, bila je to krv, bila je to krv...

»Pip?« Ravi joj je šapnuo i blago stisnuo prste. I ne, nije bilo krvi, samo si je to umislila.

»Da«, rekla je pa pročistila grlo da može govoriti. »Da. Ovaj, željela sam zahvaliti svima što ste došli. I vama, oče Rentone, na propovijedi.« Da je Ravi još uvijek nije držao za ruku, tresla bi se, treperila na vjetru. »Nisam baš dobro poznavala Stanleyja. Ali mislim da sam, posljednjeg sata njegovog života, spoznala tko je on zapravo bio. On—«

Pip je zastala. Začuo se neki zvuk, nošen povjetarcem. Bio je to uzvik. Ponovno se čuo, ovaj put glasnije. Još bliže.

»Ubojica!«

Podigla je pogled i prsa su joj se stegnula. Skupina od petnaestak ljudi prolazila je pokraj crkve i kretala se prema njima. U rukama su nosili transparente.

»Oplakujete ubojicu!« doviknuo je jedan muškarac.

»J-j-ja...« Pip je zamuckivala i osjetila kako joj u trbuhu ponovno počinje rasti onaj vrisak, kako gori iznutra.

»Nastavi, dušo.« Otac je stajao iza nje i držao toplu ruku na njezinom ramenu. »Dobro ti ide, samo nastavi. Ja ću s njima razgovarati.«

Skupina se približavala, a Pip je sada uspjela prepoznati neka lica među njima: Leslie iz trgovine i Mary Scythe iz *Kilton Maila*, i je li to... je li to bio Antov otac, gospodin Lowe u sredini?

»Ovaj«, rekla je drhtavim glasom gledajući kako joj otac žurno korača stazom prema njima. Cara joj je uputila ohrabrujući osmijeh, a Jamie je kimnuo. »Ovaj. Stanley, on... kad je znao da mu je vlastiti život u opasnosti, prva mu je misao bila zaštititi mene i—«

»Dabogda gorio u paklu!«

Stisnula je šake. »I suočio se sa svojom smrću hrabro i—«

»Ološ!«

Ispustila je Ravijevu ruku i to je bilo to.

»Ne, Pip!« Ravi ju je pokušao zadržati, ali mu se iz-migoljila i otišla trčeći po travi. Majka ju je dozivala, ali to sada više nije bila ona. Stisnula je zube dok je jurila stazom, a crna haljina lepršala joj je oko koljena dok se opirala vjetru. Očima je preletjela preko njihovih transparenata ispisanih crvenim slovima:

Sjeme zla

Monstrum iz Little Kiltona

Charlie Green = JUNAK

Brunswickovo dijete — gori u paklu,

ne u NAŠEM gradu!

Otac joj se osvrnuo i pokušao je uhvatiti u prolazu, ali bila je prebrza, a ta vatra koja je gorjela unutar nje prejaka.

Zabila se u tu grupu ljudi, snažno odgurnuvši Leslie, od čega je njezin transparent od kartona pao na tlo i zakloparao.

»Mrtav je!« urlala je na sve njih i gurala ih natrag. »Ostavite ga na miru, mrtav je!«

»Ne bi ga se tu trebalo pokopati. Ovo je *naš* grad«, rekla je Mary gurajući svoj transparent prema Pip, blokirajući joj pogled.

»Bio ti je prijatelj!« Pip je istrgnula transparent iz Marynih ruku. »Bio ti je prijatelj!« izderala se i slomila joj transparent preko koljena. Prepolovio se na dva jednaka dijela, koja je bacila na Mary. »OSTAVITE GA NA MIRU!«

Krenula je prema gospodinu Loweu, koji je ustuknuo kad mu se počela približavati. Ali nije uspjela stići do njega. Tata ju je uhvatio s leđa, povukao je natrag za ruke. Pip se pokušala iščupati iz njegovog stiska, nogama je mlatila prema njima, ali svi su se ionako povlačili od nje. Na licu im je bio neki novi izraz. Možda strah, mislila je dok ju je otac odvlačio od njih.

Oči su joj bile prepune suza od gnjeva dok je podizala pogled, ruke su joj bile zarobljene u očevom stisku iza leđa, ali joj je umirujućim glasom nešto govorio u uho. Nebo je bilo blijedo plavkaste boje, a preko njega su lebdjele hrpice mekih oblaka. Bilo je lijepo za današnji dan. Stanleyju bi se to sviđalo, pomislila je i ispustila krik prema nebu.

SUBOTA
ŠEST DANA POSLIJE
Četrdeset tri

Sunce joj je šaralo noge oblicima listova dok se probijalo kroz krošnju visoke vrbe u vrtu Reynoldsovih.

Dan je bio topao, ali kamena stepenica na kojoj je sjedila hladila ju je kroz stražnji dio novih traperica. Pip je žmirkala kako su joj snopovi svjetlosti izmjeničnim ritmom padali na lice i promatrala sve prisutne.

Malo ćemo se družiti, pisalo je u poruci Joanne Reynolds, a Jamie se šalio da je u pitanju *party* pod nazivom *Iznenađenje, nisam mrtav*. Pip je to bilo smiješno. Nije joj mnogo toga bilo smiješno posljednjih tjedana, ali ovo jest.

Očevi su im se motali oko roštilja, a Pip je vidjela kako njezin otac pogledava na burgere koji još nisu preokrenuti, teškom mukom odoljevajući da Arthuru Reynoldsu ne preuzme kontrolu nad njima. Mohan Singh se smijao nagnuvši glavu unatrag dok je ispijao bocu piva, koja se caklila na sunčevoj svjetlosti.

Joanna se nagnula nad obližnji stol i skidala prozirnu foliju sa zdjela: salata od tjestenine, salata od krumpira i zelena salata. U svaku je od njih stavljala žlicu za serviranje. S druge strane vrta stajala je Cara i razgovarala s Ravijem,

Connorom i Zachom. Ravi je povremeno bacao tenisku lopticu Joshu.

Pip je promatrala svog brata, koji je vrištao od veselja i radio kolutove pokušavajući uhvatiti lopticu. Na licu mu je bio iskren i neopterećen osmijeh. Imao je deset godina, bio je iste dobi kao Brunswickovo dijete kada je… U mislima joj se poput bljeska pojavilo Stanleyjevo lice dok je umirao. Pip je zažmirila, ali ga time nije mogla izbrisati. Disala je duboko, tri udaha i tri izdaha, kao što joj je majka savjetovala, pa je ponovno otvorila oči. Pogledala je u drugom smjeru i drhtavom rukom, koja joj se znojila oko čaše, otpila gutljaj vode.

Nisha Singh i Pipina majka stajale su s Naomi Ward, Nat da Silvom i Zoe Reynolds. Nije čula što su jedna drugoj govorile, samo je vidjela njihove osmijehe kada bi netko nešto izrekao. Bilo je lijepo vidjeti i Nat kako se smije, pomislila je Pip. To ju je nekako promijenilo.

A Jamie Reynolds hodao je prema njoj, namrštenog pjegavog nosa. Sjeo je na stepenicu pokraj nje, a koljeno mu je dodirnulo Pipino dok se smještao.

»Kako si?« upitao je prelazeći prstom po rubu pivske boce.

Pip mu nije odgovorila na pitanje. Umjesto toga pitala ga je: »Kako si ti?«

»Dobro sam.« Jamie ju je pogledao, a osmijeh se širio na njegovim rumenim obrazima. »Dobro sam, ali… ne mogu prestati razmišljati o njemu.« Osmijeh mu je nestao s lica.

»Znam«, rekla je Pip.

»Nije bio onakav kakvim ga ljudi smatraju«, rekao je Jamie tiho. »Znaš, pokušao je progurati cijeli madrac kroz otvor na vratima da bi mi bilo udobnije. I svaki me je dan pitao što bih htio za večeru, unatoč tome što me se još uvijek bojao. Zbog onoga što sam mu gotovo učinio.«

»Ne bi ga ubio«, rekla je Pip. »Znam to.«

»Ne bih«, Jamie je šmrcnuo pogledavajući na razbijeni Fitbit koji mu je još uvijek bio na zapešću. Rekao je da ga nikada neće skinuti; želio ga je nositi kao neku vrstu podsjetnika. »Znao sam da to ne mogu učiniti, čak i kada sam držao nož u ruci. I bio sam tako uplašen. Ali to ništa ne pomaže. Sve sam rekao policiji. Ali, bez Stanleyja, nemaju dovoljno dokaza da me optuže. Nekako mi se to ne čini pravednim.«

»Ne čini se pravednim da smo oboje ovdje, a on nije«, rekla je Pip, a grudni joj se koš stezao dok se u glavi prisjećala zvuka lomljenja rebara. »Oboje smo na neki način doveli Charlieja do njega. A mi smo živi, a on nije.«

»Živ sam zbog tebe«, rekao je Jamie ne gledajući je. »Zbog tebe, i Ravija, i Connora. Da je Charlie prije te večeri shvatio da je Stanley osoba koju je tražio, možda bi i mene ubio. Mislim ono, pa zapalio je kuću dok si ti još bila unutra.«

»Aha«, rekla je Pip. Bila je to riječ koju je koristila kada nijedna druga nije odgovarala.

»Pronaći će ga na kraju«, rekao je. »Charlieja Greena i Floru. Ne mogu bježati zauvijek. Policija će ih već uhvatiti.«

To je Hawkins rekao i njoj one noći: Uhvatit ćemo ga. Ali jedan se dan pretvorio u dva, a otada je prošlo još tri tjedna.

»Aha«, ponovno je rekla.

»Je li te moja mama prestala grliti?« upitao je Jamie pokušavajući je izvući iz vrtloga njezinih misli.

»Još ne«, odgovorila je.

»Ni mene nije prestala grliti«, nasmijao se.

Pipine oči pratile su Joannu dok je dodavala tanjur Arthuru kod roštilja.

»Tata te voli, znaš«, rekla je Pip. »Znam da to uvijek ne pokazuje na pravi način, ali vidjela sam, u onom trenutku kad je mislio da te zauvijek izgubio. Zaista te voli, Jamie. Jako.«

Jamiejeve oči napunile su se suzama i blistale na sunčevoj svjetlosti koja je prolazila kroz krošnju. »Znam«, rekao je s novom knedlom u grlu. Pokušao ju je kašljanjem potisnuti natrag.

»Nešto sam razmišljala«, rekla je Pip okrećući se prema njemu. »Sve što je Stanley želio bio je miran život, naučiti kako biti što bolji, pokušati učiniti nešto dobro od sebe. I sada više to ne može. Ali mi smo još uvijek ovdje, živi smo.« Zastala je na trenutak i uhvatila Jamiejev pogled. »Možeš li mi obećati nešto? Možeš li mi obećati da ćeš živjeti dobrim životom? U punini, sreći. Živi lijepo, i učini to za njega jer on više ne može.«

Jamie ju je gledao ravno u oči, a donja mu je usnica podrhtavala.

»Obećavam«, rekao je. »A ti?«

»Pokušat ću«, kimnula je brišući oči rukavom baš kao i Jamie. Nasmijali su se.

Jamie je brzo otpio gutljaj piva. »Počevši od danas«, rekao je. »Mislim da ću se prijaviti u službu hitne pomoći, kao pripravnik za medicinskog tehničara.«

Pip mu se nasmiješila. »To je dobar početak.« Na trenutak su promatrali druge. Arthur je ispustio gomilu peciva za hot-dog, a Josh se požurio da ih pokupi vičući: »Pravilo pet sekundi!« Nat se smijala, veselo i nesputano.

»I,« Jamie je nastavio, »pretpostavljam da si već cijelom svijetu rekla da sam zaljubljen u Nat da Silvu. Pa onda, valjda bih joj to jednom trebao reći i sam. A ako ona ne osjeća isto, O. K., idem dalje. Samo naprijed. I nema više komuniciranja s nepoznatima na internetu.«

Podigao je bocu piva prema njoj. »Za dobar život«, rekao je.

Pip je podigla čašu vode i zveknula je o Jamiejevu bocu. »Za njega«, rekla je.

Jamie ju je brzinski i oprezno zagrlio, bilo je to drukčije od onih Connorovih nespretnih zagrljaja. Zatim je ustao i prešao preko vrta do Nat. Oči su mu bile drukčije kad ju je promatrao, nekako ispunjenije. Sjajnije. Osmijeh s jamicama na licu protegnuo mu se preko lica kad se okrenula prema njemu, još uvijek sa smijehom u glasu. I Pip se zaklela da je, možda samo na sekundu, vidjela isti pogled u Natinim očima.

Promatrala je kako se njih dvoje šale s Jamiejevom sestrom i nije ni primijetila Ravija kako joj prilazi. Sve dok nije sjeo pokraj nje zakačivši jedno stopalo oko njezine noge.

»Jesi li O. K., narednice?« rekao je.

»Aha.«

»Želiš li nam se pridružiti?«

»Dobro mi je i ovdje«, rekla je.

»Ali svi su—«

»Rekla sam da mi je dobro«, rekla je Pip, ali kad je to izrekla, kao da to nije bila ona, stvarno. Uzdahnula je i pogledala ga. »Oprosti. Nisam htjela biti ovako otresita. Samo sam…«

»Znam«, rekao je Ravi, uzeo joj ruku u svoju i provukao prste među njezine, koji su se s njima savršeno slagali. Još uvijek je tako bilo. »Bit će bolje, obećavam.« Privukao ju je bliže k sebi. »I tu sam, kad god me trebaš.«

Nije ga zaslužila. Ni najmanje. »Volim te«, rekla je gledajući u njegove tamnosmeđe oči, uranjajući u njih, odbacujući sve ostalo.

»I ja tebe.«

Pip se promeškoljila i naslonila glavu na Ravijevo rame dok su zajedno promatrali ostale. Svi su sada stajali u krugu oko Josha, a on ih je pokušavao naučiti, najbolje što je mogao, pravilne korake *flossanja*, pa su istovremeno zabacivali ispružene ruke i mrdali kukovima plešući.

»O, Bože, Jamie, kako me sramotiš«, Connor se cerekao jer mu je brat nekako uspio sam sebe udariti u prepone i sada se savijao od boli. Nat i Cara uhvatile su se jedna za drugu i popadale na travu od smijeha.

»Gledajte kako meni to dobro ide!« rekao je Pipin otac jer naravno da je njemu to išlo. Čak je i Arthur Reynolds pokušavao taj ples, još uvijek stojeći kod roštilja, misleći da ga nitko ne vidi.

Pip se smijala sićušnim promuklim glasom u grlu promatrajući ih kako svi izgledaju blesavo. I odgovaralo joj je biti ovdje sa strane, s Ravijem. Odvojeno od drugih. Odgovarao joj je taj razmak između svih tamo i njih ovdje. Ta barikada oko nje. Pridružit će im se kad bude spremna. Ali sada je samo željela sjediti, dovoljno daleko da ih sve može odjednom obuhvatiti pogledom.

Bila je večer. Svi u obitelji malo su previše pojeli u kući Reynoldsovih i sada drijemali u prizemlju. Pipina soba bila je mračna, a lice osvijetljeno sablasnom bijelom svjetlošću njezinog *laptopa*. Sjedila je za stolom i gledala u ekran. Učila je za ispite, tako je rekla svojim roditeljima. Jer odsada je i lažljivica.

Utipkala je nešto u traku za pretraživanje i pritisnula *Enter*.

Gdje su zadnje viđeni Charlie i Flora Green.

Viđeni su prije devet dana, uhvatila ih je kamera dok su podizali novac s bankomata u Portsmouthu. Policija je to potvrdila, vidjela je to na vijestima. Ali ovdje — Pip je kliknula — netko je komentirao ispod članka na Facebooku tvrdeći da ih je oboje vidio jučer na benzinskoj u Doveru i da voze novi automobil: crveni Nissan Juke.

Pip je otrgnula gornji list iz svog bloka, zgužvala ga i bacila iza sebe. Nagnula se ponovno nad ekran i zapisivala detalje na čistu, novu stranicu. Vratila se pretraživanju.

Mi smo isti, ti i ja. Znaš to duboko u sebi, prekinuo ju je Charliejev glas u njezinoj glavi. A najstrašnije od svega bilo je to što Pip nije znala je li bio u krivu. Nije mogla točno reći kako su različiti. Samo je znala da jesu. Bio je to osjećaj koji se ne može opisati riječima. Ili je možda, samo možda, taj osjećaj bio tek nada.

Ostala je tamo, satima je stiskala miš i prelazila s jednog članka na drugi, s jednog komentara na drugi. A i on je bio tamo s njom, naravno. Uvijek je bio.

Pištolj.

Bio je i sada ovdje, kucao u njezinim prsima, udarao o kosti njezinih rebara. Ciljao njezinim očima. Bio joj je u noćnim morama, posuđu koje bi se rušilo, i teškim uzdasima, i ispuštenim olovkama, i grmljavini, i zatvaranju vrata, i preglasan, i pretih, i sam i ne, i u šuštanju stranica, i u udaranju tipki, i u svakom kliku, i u svakoj škripi.

Pištolj je uvijek bio tu.

I sada je živio u njoj.

ZAHVALE

NAJBOLJEM AGENTU NA SVIJETU Samu Copelandu, hvala ti što si uvijek uz mene i što prolaziš sve ovo sa mnom: i padove i velik broj uspona. I što odgovaraš na sva moja »brzinska pitanja« koja su zapravo dugačka osamnaest paragrafa.

Hvala svima u Egmontu što su radili u velikoj vremenskoj stisci i unatoč svim preprekama da ova knjiga ugleda svjetlo dana. Hvala uredničkom timu što mi je pomogao oblikovati i ovaj nastavak: Lindsey Heaven, Ali Dougal i Lucy Courtenay. Hvala Lauri Bird na nevjerojatnom dizajnu korica i na tome što je trpjela moju stalnu potrebu za još više mrljica krvi na njima. Hvala PR superzvijezdama Siobhan McDermott i Hilary Bell za sav njihov ogromni trud i što su uvijek tako pune entuzijazma, čak i nakon istih odgovora u intervjuima koje sam već desetak puta ranije dala. Hvala Jas Bansal (koja je opasna konkurencija genijalcu koji stoji iza računa na Twitteru restorana *Wendy's*) na uvijek vrlo ugodnoj suradnji. Jedva čekam one *cool* marketinške stvari koje ste smislili. I hvala Toddu Atticusu i Kate Jennings! Prodajnom i pravnom timu, hvala vam na nevjerojatnom trudu da proširite Pipinu priču i dovedete je do ruku čitatelja. I posebno hvala Priscilli Coleman za genijalan crtež iz sudnice u ovoj knjizi; još uvijek mu se divim! Velika hvala svima koji su pridonijeli uspjehu knjige *Savršeno ubojstvo: Dnevnik dobre cure*. Zbog svih vas sam i mogla nastaviti Pipinu priču. Blogerima i recenzentima koji su govorili o knjizi *online*, nikada vam se neću moći u potpunosti odužiti za sve što ste učinili za mene. Hvala nakladnicima diljem svijeta na nevjerojatnoj podršci i entuzijazmu za prvu knjigu; ući u knjižaru i vidjeti vlastitu knjigu na policama ili stolovima pravo je ostvarenje sna. I hvala svima koji su odabrali baš tu knjigu i ponijeli je kući sa sobom; Pip i ja vratile smo se zbog vas.

Kao što Pip i Cara znaju, nema ništa jače od prijateljstva među tinejdžericama. Stoga hvala mojim prijateljicama, mojim *cvjetnim* curama, koje su sa mnom od tinejdžerskih dana: Ellie Bailey, Lucy Brown, Camilli Bunney, Oliviji Crossman, Alex Davis, Elspeth Fraser, Alice Revens i Hanni Turner. (Hvala što ste mi dopustile da ukradem dijelove vaših imena.) Emmi Thwaites, mojoj najstarijoj prijateljici, hvala ti što si mi pomogla izbrusiti vještine pripovijedanja svim tim groznim predstavama i pjesmama koje smo pisale kao djevojčice, a hvala i Birgitti i Dominicu.

Mojim prijateljima autorima što su hodali ovim (ponekad) vrlo izazovnim putem sa mnom. Aisha Bushby, nisam sigurna da bih mogla proći kroz intenzivno pisanje ove knjige bez tebe kao moje stalne pratiteljice. Hvala Katyi Balen za svu njezinu obilatu, ogromnu mudrost i prokleto najbolje koktele. Yasmin Rahman, hvala ti što si uvijek uz mene, i na tvojim provokativnim razmišljanjima odnosno dubokim analizama raznih TV serija. Josephu Elliottu hvala na tome što uvijek gleda vedriju stranu i što mi je bio savršeni suputnik u igri *Escape room* i u društvenim igrama. Sarah Juckes, hvala ti najprije na tako sjajnoj igri n tregericama, ali i na tome što si tako nevjerojatno marljiva i inspirativna. Hvala Struanu Murrayju na tome što je iritantno talentiran u svemu i što gledamo iste streberske kanale na YouTubeu. Savanni Brown, hvala za naše sastanke na kojima smo pisale i što ih je pauzirala kako bih zapravo mogla napisati ovu knjigu umjesto da samo čavrljamo. I Lucy Powrie, za sve nevjerojatne stvari koje radiš za UKYA-u i tvoje izvrsne internetske vještine; i Pip bi mogla naučiti nešto od tebe.

Hvale Gaye, Peteru i Katie Collis što su opet bili među prvima koji su pročitali ovu novu knjigu i što su me uvijek tako divno poticali. U alternativnom svemiru ova bi se knjiga zvala *Dobra djevojka, opaka frajerica *smajlić koji namiguje*.

Hvala svima u mojoj obitelji koji su pročitali i podržali prvu knjigu, a posebno Daisy i Benu Hayu te Isabelli Young. Dobro je znati da nam je zanimanje za rješavanje ubojstava svima u krvi.

Mama i tata, hvala vam što ste mi dali sve, uključujući ljubav prema pričama. Hvala što ste uvijek vjerovali u mene, čak i kada ja sama nisam. Mojoj velikoj sestri Amy, hvala ti za svu podršku (i tvoju slatku djecu), i mojoj maloj sestri Oliviji, što si me zapravo ponekad izvukla iz kuće dok sam pisala ovu knjigu i zbog čega sam vjerojatno ostala prisebna. Danielle i George — ne, žao mi je, još uvijek ste premladi za ovu knjigu. Pokušajte ponovno za nekoliko godina.

Najveće zahvale, kao i uvijek, idu Benu za to što me doslovno održavao na životu dok sam tri mjeseca intenzivno pisala ovu knjigu. I hvala ti što si pristao biti model za rame Jamieja Reynoldsa. Sigurno ti je strašno zabavno živjeti s autoricom, ali to ti ide jako dobro.

I, konačno, svim djevojkama u koje se ikada sumnjalo ili im se nije vjerovalo. Znam kakav je to osjećaj. Ove su knjige za sve vas.